法律实务丛书

FALÜ SHIWU CONGSHU

ZHONGGUANCUN KEJIYUANQU
LIUXUE RENYUAN CHUANGYE

QIYE SHANGWU ZHINAN

中关村科技园区留学人员创业

企业商务指南

（第二版）

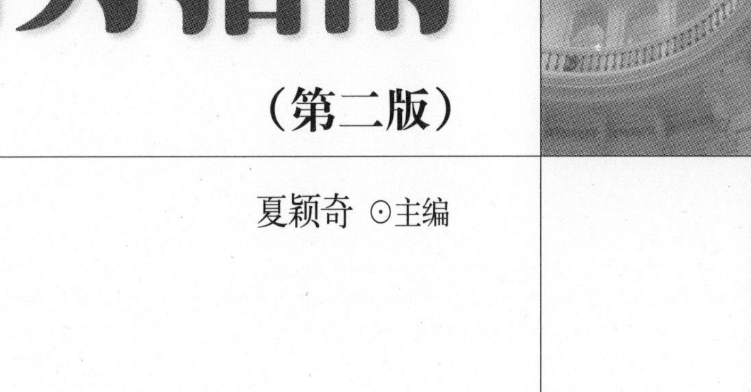

夏颖奇 ◎主编

图书在版编目(CIP)数据

中关村科技园区留学人员创业企业商务指南(第二版)/夏颖奇主编.—北京:北京大学出版社,2006.9
(法律实务丛书)
ISBN 7-301-07805-6

Ⅰ.中… Ⅱ.夏… Ⅲ.企业管理-中国-指南 Ⅳ.F279.23-62

中国版本图书馆CIP数据核字(2004)第091280号

书　　名:中关村科技园区留学人员创业企业商务指南(第二版)
著作责任者:夏颖奇　主编
责 任 编 辑:邹记东
标 准 书 号:ISBN 7-301-07805-6/D·0965
出 版 发 行:北京大学出版社
地　　址:北京市海淀区成府路205号　100871
网　　址:http://www.pup.cn　电子邮箱:law@pup.pku.edu.cn
电　　话:邮购部62752015　发行部62750672　编辑部62752027
出版部62754962
印 刷 者:北京中科印刷有限公司
经 销 者:新华书店
730毫米×980毫米　16开本　22印张　400千字
2004年9月第1版
2006年9月第2版　2006年9月第1次印刷
定　　价:32.00元

编者的话

自1999年国务院批复实施中关村科技园区建设战略以来，中关村的法制环境、投资环境、创业环境和基础设施建设蒸蒸日上，一年一变样。今天的中关村已经成为中国高新技术产业的品牌，成为全国高学历高技术的人才聚集地，成为海外留学人员归国创业的首选。

借助中关村所具有的科教优势、信息优势和人才优势，中关村管委会近年来大力实施英才战略，吸引大批海外留学人员来园区创业发展，目前已经形成了一支8000多人的跨洋研发大军，创办了3300多家高科技企业。这些归国留学人员和他们创办的企业已成为中关村国际化的重要载体，并极大地增强了中关村的研发能力和市场竞争力。这个高素质、高学历、高技术的海归群体也加速了中关村在市场经济条件下的法制化、市场化和国际化进程。中关村管委会和北京市有关部门在为这个特殊群体提供服务和支持的过程中也提高了政府效率，规范了办事程序，并把最初仅对留学生开放的"绿色通道"推广到全社会的所有内外资企业和创业者。

工作中我们也注意到海外归来的留学人员创业群体，尚缺乏对国内体制的了解，存在着很多专家办企业的苦恼。编写这样一本《中关村科技园区留学人员创业企业商务指南》，就是旨在为这些创业者的案头提供一部创业企业指导大全，我们希望这部指南能对留学人员创业企业有所帮助，同时也为在中关村所有的高科技企业所欢迎。查阅和下载本书的电子版请登录www.zgc.gov.cn并点击"留学人员创业"窗口。

本书的编撰得到了北京市工商局、税务局和北京中海源产权经纪公司等单位的大力协助，在此我们代表读者表示感谢！

本书再版时，我们根据国家、北京市和中关村科技园区最新颁布的政策、措施等，对第一版中所涉及的相关内容进行了修订。在本书付梓之际，编者再次衷心感谢北京市工商局、税务局和北京中海源产权经纪公司等单位的大力协助。

企业设立篇

企业经营管理篇

企业基本制度

劳动用工

企业税务

企业信用

投融资

统计制度

知识产权保护

国际商务

企业社团工作

常用商务文书范本篇

园区专业中介服务篇

政府服务篇

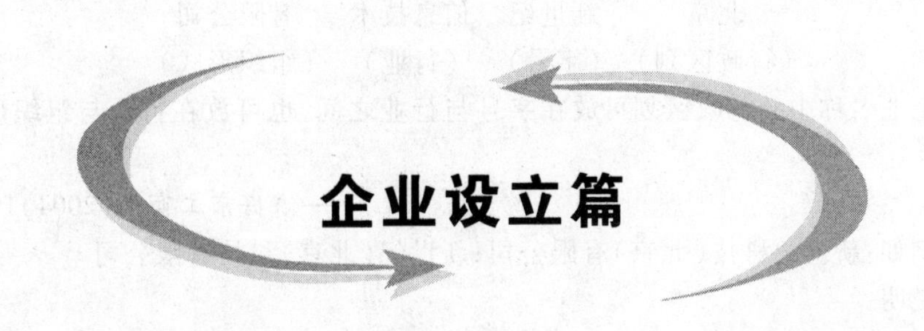

企业设立篇

§1. 我国企业基本类型

企业组织形式主要分为公司制企业和非公司制企业。现行企业类型具体有:有限责任公司(含国有独资)、股份有限公司、全民所有制、集体所有制、集体所有制(股份合作)、合伙企业、个人独资企业、中外合资经营企业(含港澳台资)、中外合作经营企业(含港澳台资)、外商独资企业(含港澳台资)。

选择不同的企业组织形式,出资人承担的法律责任是不同的。同时税收政策和对员工的激励作用也不同。因此,创业者应根据公司的具体情况采取适宜的企业组织形式。

园区留学生企业的主要组织形式有:有限责任公司(包括:中外合资(合作)企业、外商独资企业)、股份有限公司(包括:中外合资)、个人独资企业和合伙企业。有限责任公司、股份有限公司属于公司制企业。个人独资和合伙企业属于出资人承担无限连带责任的非公司制企业。关于"企业"的设立、组织形式、变更等内容参见《公司法》和《企业登记管理条例》。

§2. 中关村高新技术企业的名称如何核定

2.1　企业名称的构成

企业名称应当由行政区划、字号、行业、组织形式四部分依次组成,法律法规另有规定的除外。

——依据国家工商行政管理局企业名称登记管理规定

例如:北京新世纪信息技术有限公司

北京	新世纪	信息技术	有限公司
(行政区划)	(字号)	(行业)	(组织形式)

企业名称中的行政区划可放在字号与行业之间,也可放在行业与组织形式之间。

——依据京工商发(2004)19号

例如:新世纪科技(北京)有限公司;新世纪(北京)科技有限公司

说明:

1. 企业名称中的行政区划是本企业所在地县级以上行政区划的名称或地名。

2. 企业名称中的字号应当由2个或2个以上汉字组成,行政区划不得用作字号,企业名称可以使用自然人、投资人的姓名作字号。

3. 企业名称中的行业表述应当是反映企业经济活动性质所属国民经济行业或者企业经营特点的用语。

4. 依据《公司法》企业名称中的组织形式为有限公司(有限责任公司)或者股份有限公司;依据其他法律、法规非公司制企业可以申请用"厂"、"店"、"部"、"中心"等作为企业名称的组织形式。

2.2 对高新技术企业名称的要求

新设高新技术企业名称的行业中应含有"技术开发"、"科技"或"高新技术"等体现高新技术行业特征的字词。

——依据北京市工商局京工商发(2000)127号第2条

企业名称需到工商部门预先核准,看所起的企业名称是否已被注册,或不符合有关规定而需重新起名。

§3. 中关村高新技术企业注册地址如何选择

3.1 中关村科技园区"一区多园"及重点区域范围

根据《北京市城市总体规划》,中关村科技园区实行"一区多园多基地"的空间布局,总面积23252.29公顷,包括海淀园、丰台园、昌平园、电子城、亦庄园、德胜园、石景山、雍和园、大兴生物医药产业基地、通州光机电一体化基地和环保产业基地,以及若干特色产业集聚的专业园、产业基地和大学科技园。其中,海淀园是中关村科技园区的主体和核心。

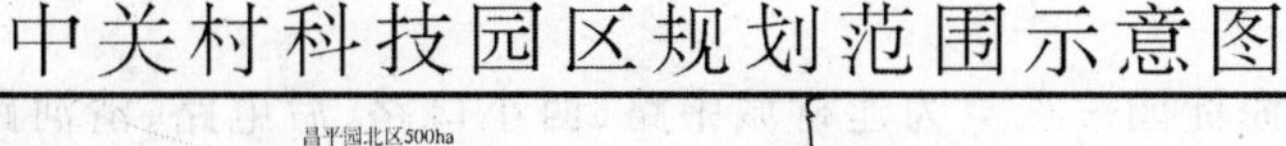

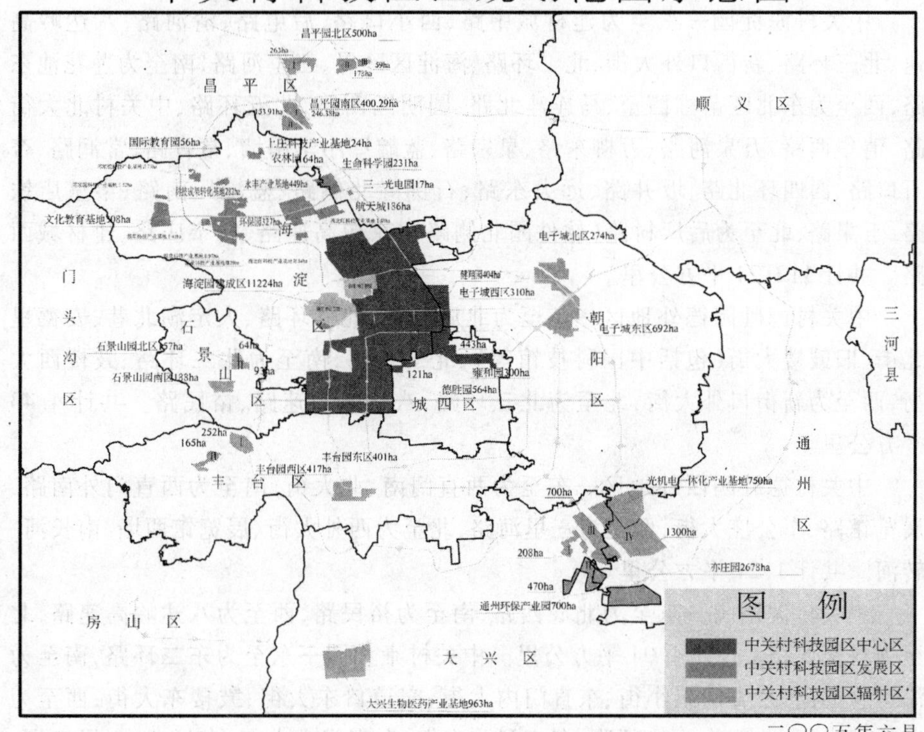

中关村科技园区规划地域范围面积为232.52平方公里。其中城市建成区面积为131.84平方公里;集中新建区面积为100.68平方公里,需新增科技产业建设用地面积约48.58平方公里。规划地域由中心区、发展区、辐射区三个功能区组成,为“一区多园”式的空间布局。

中心区面积为124.92平方公里,包括海淀园(城市建成区部分)、德胜园、健翔园和雍和园四个部分,均为城市建成区。

发展区面积为23.30平方公里,包括海淀园的永丰产业基地、环保园、科技成果转化基地、文化教育基地、国际教育园、农林科技园、航天城、山后小城镇科技产业用地和昌平园的生命科学园、三一光电园等。

辐射区面积为84.30平方公里,呈“一环两线”布局。“一环”是指环市区的高科技园,包括丰台园、昌平园、电子城、亦庄园、石景山园、大兴生物医药产业基地、通州光机电一体化基地、通州国家环保产业园等。“两线”即沿八达岭高速路向沙河、昌平、南口方向辐射和沿京密路向顺义、怀柔、密云方向辐射。

中关村科技园区各园四至范围

中心区

中关村海淀园—东至为建材城中路、西小口路、后屯路、清河路、八达岭高速、北三环路、新街口外大街、北二环路、海淀区区界、三里河路，南至为莲花池东路，西至为东北旺苗圃西至、马连洼北路、圆明园西路、北五环路、中关村北大街路、清华西路、万泉河路、万柳东路、泉宗路、蓝靛厂小学南墙、常青路、常润路、杏石口路、西四环北路、坂井路、远大东路、石佛寺北侧路、蓝靛厂南路、半壁店铁路、玉泉路，北至为后厂村路（软件园北侧路）、京包高速路、安宁庄路、建材城西路。共计 112.24 平方公里。

中关村德胜园德外地区—东至为北辰西路、北三环路、人定湖北巷、安德里北街、旧鼓楼大街（包括中国科技馆等）、北二环路，南至为北二环路、鼓楼西大街，西至为新街口外大街，北至为北三环路、八达岭高速路、裕民路。共计 4.43 平方公里。

中关村德胜园西外地区—东至为西直门南、北大街，南至为西直门外南路、展览馆路、车公庄大街，西至为三里河路，北至为西外大街、展览馆西墙、南长河、转河。共计 1.21 平方公里。

中关村健翔园—东至为北辰西路，南至为裕民路，西至为八达岭高速路，北至为科荟西路。共计 4.04 平方公里。中关村雍和园—东至为东二环路，南至为海运仓胡同、东直门南小街、东直门内大街、交道口东大街、鼓楼东大街，西至为旧鼓楼大街，北至为北二环路、东直门北小街、东直门内大街、东扬威街、民安街。共计 3 平方公里。

发展区

中关村海淀园文化教育基地—东至规划温北路，南至文化教育基地规划 B 区南侧路，西至市区铁路西北环线，北至文化教育基地北侧路。共计 3.08 平方公里

中关村海淀园环保园—东至稻香湖东路，南至京密引水渠，西至温阳路，北至北清路。共计 3.27 平方公里

中关村海淀园科技成果转化基地—东至周家巷排水沟，南至北清路，西至苏三四村排水沟，北至规划玉河南路。共计 2.82 平方公里

中关村海淀园永丰产业基地—东至永泽南路、永泽北路，南至永丰西路，西至永澄南路、永澄北路，北至丰润中路、丰润东路。共计 2.82 平方公里

中关村海淀园航天城—东至航天城东至，南至邓庄南路，西至永泽南路，北

至北清路。共计 1.86 平方公里

中关村海淀园苏家坨Ⅰ—东至北安河路,南至七王坟路,西至市区铁路西北环线,北至七王坟北路。共计 0.32 平方公里

中关村海淀园苏家坨Ⅱ—东至沙涧河、温阳路,南至聂各庄东路,西至前沙涧小学现状西至、苏家坨西路,北至前沙涧构件厂现状北至、前沙涧村现状鱼塘北至。共计 0.73 平方公里

中关村海淀园温泉Ⅰ—东至温阳路,南至辛庄村现状鱼塘北至,西至辛庄村现状西至,北至北清路。共计 0.43 平方公里

中关村海淀园温泉Ⅱ—东至市卫生干部培训中心现状西至,南至温泉路,西至温阳路,北至温北路。共计 0.97 平方公里

中关村海淀园温泉Ⅲ—东至北京百亭鱼乐园东至,南至京密引水渠,西至稻香湖东路,北至东埠头路。共计 0.29 平方公里

中关村海淀园西北旺Ⅰ—东至永丰路,南至邓庄南路延长线,西至西北旺Ⅰ用地西至,北至永丰西路。共计 0.58 平方公里

中关村海淀园西北旺Ⅱ—东至永丰路,南至武家庄工矿用地北界,西至京密引水渠、宏丰小学现状东至,北至六里屯南路。共计 0.54 平方公里

中关村海淀园农林园—东至上庄路西侧绿化隔离带西至,南至规划南路,西至绿化隔离带东至,北至沙阳路。共计 0.64 平方公里

中关村海淀园国际教育园—东至国际教育园用地东界,南至稻香湖北岸,西至国际教育园用地西界,北至稻香湖北路。共计 0.56 平方公里

中关村海淀园上庄—东至上庄路,南至沙阳路,西至畜牧四队牛场现状西至,北至市区铁路西北环线。共计 0.24 平方公里

中关村昌平园生命园—东至京包铁路,南至北清路,西至昌平区区界,北至玉河南路。共计 2.31 平方公里

三一光电—东至三一光电产业园东路,南至龙城北路,西至规划三一光电产业园西路,北至北清路绿化隔离带南至。共计 0.17 平方公里

辐射区

丰台园东区—东至为张新路,南至为六圈路、四合庄东路、五圈路、黄土岗西路、基地环三路,西至为外环西路、基地西路,北至为南四环路、四合庄西路、基地环三路、万寿路南延、富丰路、科兴路。共计 4.01 平方公里

丰台园丰西Ⅰ—东至为永定河西岸,南至为梅张路,西至为小哑叭河,北至为沿首钢第二构件厂西墙延长线。共计 2.52 平方公里

丰台园丰西Ⅱ—东至为 201 所东墙,南至为长辛店产业区外环路,西至为 201 所西墙、坦克实验路、长辛店产业区绿化隔离东至,北至为 201 所北墙。共

计1.65平方公里

昌平园昌北Ⅰ—东至东沙河，南至京密引水渠、智通路、超前路、化庄村东路，西至八达岭高速绿化隔离带东至，北至振兴路。共计2.63平方公里

昌平园昌北Ⅱ—东至滨河西路，南至京密引水渠绿化隔离带北至，西至南丰东路，北至昌怀路。共计1.78

昌平园昌北Ⅲ—东至振昌路，南至凯创路，西至孟祖河东岸，北至昌怀路。共计0.59平方公里

昌平园昌南Ⅰ—东至八达岭高速路绿化隔离带西至，南至马满路，西至京包铁路东绿化隔离带东至，北至六环路绿化隔离带南至。共计2.46平方公里

昌平园昌南Ⅱ—东北至为京包铁路西绿化隔离带西南至，南至为马满路，西至为原规划京包快速路绿化隔离带东至。共计1.54平方公里

中关村电子城东区—东至为驼房营路、万红路、京包铁路、五环路，南至为坝河、酒仙桥路、体育场路，西北至为机场高速路、将台西路、芳园南街。共计6.92平方公里

中关村电子城西区Ⅰ—东至为京包铁路，南至为机场高速路、五环路，西至为望京东路及延长线、溪阳东路、利泽东二路、望京北路、广顺北大街，北至为望和铁路。共计3.1平方公里

中关村电子城西区Ⅱ—东至为崔各庄东路、来广营东路支路、索家村东路，南至为索家村北路，西至为京包铁路，北至为善各庄北路、善各庄东路、香江北路。共计2.74平方公里

中关村石景山园石北区Ⅰ—东至为工人疗养院西墙、实兴路，南至为永定河引水渠南路，西至为苹果园大街，北至为金顶山路。共计0.64平方公里

中关村石景山园石北区Ⅱ—东至为八大处路，南至为西井路，西至为苹果园大街，北至为永定河引水渠南路。共计0.93平方公里

中关村石景山园石南区—东至为古城大街、杨庄大街，南至为古城西路，西至为北辛安路，北至为阜石路。共计1.88平方公里

大兴生物医药产业基地—东至为天华街、庆丰路、天荣街，南至为魏永路，西至为明川大街，北至为永大西路、春林大街、天河西路、民和路。共计9.63平方公里

中关村亦庄园Ⅰ—东至为荣华中路、荣昌西街，南至为凉水河一街、博兴八路、凉水河路、文昌桥、文昌大道、西环中路、地盛西路、地盛北路、文昌大道、荣华中路、地泽北街、地泽路、地泽东街、西环中路，西至为西环中路、凉水河路、博兴十一路，北至为荣京西街、天宝东路、科慧大道。共计2.08平方公里

中关村亦庄园Ⅱ—东至为新凤河路，南至为新凤河路、博兴路、规划泰河一

街,西至为博兴路、泰河路、博兴六路、兴海路、博兴八路,北至为凉水河路、博兴三路、凉水河一街。共计4.7平方公里

中关村亦庄园Ⅲ—东至为东环北路、东环中路、东环南路,南至为规划泰河一街,西至为荣华中路、荣华南路、荣昌西街、西环南路,北至为环东路。共计7平方公里

中关村亦庄园Ⅳ—东至为经海路、科创街、经海九路,南至为科创十七街,西至为经海一路,北至为科创一街。共计13平方公里

中关村通州园光机电基地—东至东环路,南至通马路,西至轻轨路,北至北环东路。共计7.5平方公里

中关村通州园环保产业基地—东至京津塘高速公路,南至大柴路,西至环保大道,北至南六环。共计7平方公里

3.2 各园区的功能定位和优势

海淀园(www.zhongguancun.com.cn)

中关村科技园区海淀园位于被誉为“科学城”的中关村地区,海淀园内有1万多家高新技术企业,现已形成以电子信息、生物工程、光机电一体化和新材料为主的高科技产业结构,是高新技术成果研发、辐射和商贸中心。海淀园集科研院所、大专院校,人才优势明显,文化、商务发达。在朝着建设世界一流科技园区的进程中,海淀园推出了以电子政务为核心的“数字园区”工程,它突破了传统的“一站式”办公的概念,建立起以“一网式”、“一表制”为特征的新型政府管理环境。是中关村科技园区的重要组成部分。

丰台园(www.zgc-ft.gov.cn)

中关村科技园区丰台园位于北京市西南,紧邻的四环路横贯园区,连接京石、京开、京沈、京津塘及机场高速路。丰台园已基本形成以光机电一体化为主导的高科技产业基地,生物医药、IT和先进制造业是丰台园开发的重点。丰台园人才资源充足,科研、测试和生产设备齐全。专业繁多,包括航空航天、冶金化工、仪器仪表、机械制造、工业自动化、医疗医药、生物工程等技术领域,是技术创新和发展高新技术产业的重要科技基础。园区风景优美,环境清新,交通网络四通八达。

昌平园(www.zgc-cp.gov.cn/chpy)

中关村科技园区昌平园是昌平卫星城的重要组成部分,位于北京北郊30公里处,紧邻中关村科技园区的核心地区。昌平园已形成以新医药和生物工程为

主的高科技产业结构。园区核心区基础建设基本完成,形成了生物工程与新医药、环保产业、电子信息、新材料和先进制造业为主体的生产研发基地。昌平是"北京的后花园",丰富的绿色资源,确保了昌平的空气质量。昌平区紧邻海淀高校、国家级科研机构的智力密集区以及国家新技术产业开发试验区的核心区,为借助区外智力资源,创造了极好的外部环境。

电子城科技园(www.zgc-dzc.gov.cn)

电子城科技园位于朝阳区酒仙桥—望京地区。作为老工业改造基地,重点发展以电子信息为主的高新技术产业。近年来,通过高新技术的引进,区域内培育了一批大型电子骨干企业,形成了以通信、计算机(软件)、显示器、彩色显像管、显示管、数字视听、新型元器件等为主的高新技术产业群,并正在向数字化、信息化和网络化方向发展。已初步建成了以电子信息产业为主体的、综合性的电子高科技园区。

健翔园(www.zgc-jxy.gov.cn)

健翔科技园西临中关村核心区和学院路八大学院,东接奥运村、亚运村,南有德胜园,北望昌平园,并与 CBD 南北呼应。健翔园交通极为便利,南临北三环,横穿北四环,北依五环路,西靠京昌高速路。定位于原创技术孵化、转化和为国际科技交流与高科技商务活动提供服务,特别是利用其完备的商务和会展设施,延伸 CBD 的功能,会合科技与商务,发展科技经济、科技会展、科技营销、科技信息咨询、投融资中介服务和科技人才交流等科技商务服务。健翔园区位优势十分独特,科技会展及商务资源十分丰富。

亦庄科技园(www.bda.gov.cn)

位于北京东南郊京津塘高速公路起点西侧,城市规划五环路南侧。距南四环 3.5 公里,距南三环 7 公里,距市中心天安门广场 16.5 公里。是外向型经济为主的技术密集型产业基地,重点发展光机电一体化和生物医药等高新技术产业,位于国家级经济技术开发区——北京经济技术开发区内。开发区规划科学,功能齐全,环境优美,绿化面积将占总面积的 30% 以上。开发区内外商投资服务中心、银行、保险、税务、工商、进出口公司、海关、商检、保税仓库配套部门齐全。开发区实行一个窗口办公的特区式服务,为外商提供了良好的投资环境。

德胜科技园(www.zgc-ds.gov.cn)

中关村科技园区德胜科技园坐落在北京市西城区,是中关村科技园区的重要组成部分,2001 年 6 月经国家科技部批准成立,2002 年 5 月 24 日正式开园。总的功能定位是创建特色鲜明的高品位、开放型精品园区,包括四个方面:国内外知名高科技企业和上市公司的办公、研发和经营总部密集区;高新技术与产品的专业展示和营销集散地；高质量的科技创新与产业发展中介服务市场；高新技术中小企业的创业孵化乐园。

石景山园

位于北京市石景山区，于2006年1月经国家发改委公告，正式加入了中关村科技园区。定位于重点发展文化创意及数字娱乐产业，同时电子信息、新材料、生物制药、节能环保及光机电一体化等为辅的产业发展格局。

通州园

通州园位于北京市通州区，包括光机电一体化基地和国家环保园，于2006年1月经国家发改委批复正式纳入中关村科技园区。**光机电一体化基地**：定位于大力发展代表国际一流、国内领先水平的光机电一体化产业，重点发展微电子、光电子、先进装备制造业、医疗设备、半导体材料、汽车零配件、太阳能电池等主导产业。**国家环保产业园**：重点发展环保、电子信息、汽车配套等产业，努力建设布局结构合理、产业特色突出、设施功能完备、综合实力强劲、对区域经济带动力强的现代化、国际化一流园区。

雍和园

中关村科技园区雍和园于2006年1月经国务院批复正式纳入中关村科技园区。产业发展定位于数字娱乐内容提供商和服务商；数字（网络）媒体出版发行和内容企业；网络文化运营商和移动增值服务商；网络游戏研发商、运营商和渠道销售商动漫节目创作、研发、制作企业。将以文化为内涵、科技为手段，聚焦东城文化创意，依托"国家网络游戏动漫产业（北京）发展基地"建设，坚持科技和文化相结合，发挥首都文化和高科技的优势，凝聚资源，释放创意，创造价值，重点建设好创意产业龙头企业——"北京歌华文化创意产业中心"，发挥其辐射和带动作用，打造一批拥有自主知识产权和国际竞争能力的品牌企业，使雍和园成为北京市乃至全国的数字内容产业重要集聚地之一。

大兴生物医药基地（www.cbp.net.cn）

位于北京市大兴区南部，是中关村科技园区的重要组成部分。一期产业用地9.67平方公里，已经取得控制性详细规划。园区具有丰富的土地资源开发空间。主要由四类功能区组成：**研发与企业孵化区**：吸引国内外科研院所和高校入园建立研发机构和科技型企业，建立一批关键技术的中试放大平台，加速生物科技成果的转化，孵化出具备产业化开发条件的技术成果和高成长性科技型企业；**生产加工区**：引进和新建一批企业，针对不同生物工程和医药产品，建立产业化开发和生产基地，带动园区快速发展；**贸易物流区**：建立和完善贸易、商业、金融、法律、咨询、信息等服务体系；**生活服务区**：逐步建立商住、教育、娱乐、医疗等服务体系。

产业定位:1. 国家生物医药的技术贸易和技术服务平台;2. 国家生物医药技术检测、药品审评中心;3. 国家级疫苗研发、生产基地;4. 现代中药、现代医疗器械及现代制剂等多元产业格局。

3.3 科技园区内各专业园

在中关村科技园区内坐落着十几个专业园。

上地信息产业基地(www. strong. com. cn)

上地信息产业基地为海淀科技园高新技术产业的研发、孵化和生产基地,是全国第一个以信息产业为主导的高科技工业园。上地信息产业基地分为南区和北区,南区占地1.81平方公里,经过10年的建设,竣工面积167万平方米,进驻高科技企业359家,北区总占地面积51.5公顷,规划面积43.93公顷,工业用地28.94公顷,预计建筑面积为53.07公顷。

上地基地是中关村科技园区的一支重要力量,园内涵盖了电子信息、生物工程与新医药、新材料、光机电一体化以及能源环保等五大国家重点发展领域的高科技产业化项目,其中重点发展电子信息产业。

联系人:蔡军、王永胜

联系电话:62983265　62983263

E-mail:caijun99@263. net

　　towys@ sina. com

生命科学园(www. lifesciencepark. com. cn)

中关村生命科学园位于中关村园区发展区,东临京包铁路、八达岭高速公路;南接北清路(中关村景观大道);西至规划中的京包快速路;北连玉河南路及南沙河风景区。它将以国家生物领域重大项目为主要依托,发展成国家级生命科学和新医药高科技产业的创新基地。

生命科学园规划占地总面积为249公顷,其中,一期工程占地130公顷,设计为研发、中试、孵化基地,建筑面积54万平方米;二期119公顷,规划定位于医疗服务及产业化用地。

园区规划指标与国际先进水准接轨,一期建筑密度18%,建筑容积率0.42,绿化率大于55%。园区环境、基础设施、配套支撑系统及未来区内的智能化管理均按照国际一流水准和规范进行规划建设。

联系方式:北京中关村生命科学园发展有限责任公司

地址:北京昌平区生命园西路55号
电话:(010)80719950 80719951 80719952 80722882 80722883 80722886
招商热线:(010)80722881 传真:(010)80722880
邮政编码:102206

中关村软件园(www. zsp. com. cn)

本着"以用立业、出口导向"的原则,重点发展出口型和应用类软件产品。中关村软件园将建设成为一个集软件研发、信息服务、孵化辐射、园区管理、风险融资、环境建设于一体的多功能软件园区。是国家计委和信息产业部联合授牌的国内规模最大的国家级软件产业基地。园区环境优美、设施完善、管理科学、服务配套、产学研相结合,并集软件研发、企业孵化、软件成果展示和发布、人才培训、综合管理服务于一体。

自然环境:中关村软件园位于上风上水的北京市海淀区东北旺,上地信息产业基地西侧,南靠北大生物城,西临东北旺苗圃。周边金融、教育及交通环境十分便利。园区规划总占地面积139公顷,绿化面积近60%,容积率低,是一个健康环保的花园式软件研发基地。

产业环境:国家软件产业基地、国家软件出口基地。

通信平台:园区内建有高速光纤网络系统和卫星广播电视接收系统,提供1000M的宽带网络和20M以上的高速国际出口;无线网络覆盖、视频会议系统、一卡通系统、监控系统以及通信系统等数字化园区建设。

园区设有软件企业评估与认证中心、知识产权登记中心、软件产品质量评测中心、软件工程咨询中心等。为软件企业的产品开发、质量管理等提供服务。

出口服务中心:为软件企业提供国际商务、会展、会议、贸易等服务;成立软件出口联盟,为软件出口企业提供拓展市场、资源共享等服务。

培训中心——提供人才培训和人力资源服务。

信息系统监理咨询。

孵化器——为中小企业提供孵化服务。

联系地址:北京海淀区东北旺西路8号中关村软件园一号楼(信息中心)C座

联系电话:82825690/91

传真:82825695

E-mail:rjy@ softwarecampus. com. cn

永丰产业基地(www. yfcy. com. cn)

北京中关村永丰高新技术产业基地是中关村科技园区重点建设项目之一,

是中关村科技园区高新技术企业的中试和生产加工基地,由北京中关村永丰产业基地发展有限公司受政府委托,承担基地开发建设任务。总用地面积453.65公顷,其中建设用地面积272.67公顷,公共绿地60.10公顷,规划绿地率35%,总容积率0.99。

基地内铺设有自来水、雨水、污水、中水、天然气、电力、电信宽带网、有线电视管线,并建有两座110 KV(千伏)变电站、两座天然气调压站及一座日处理量5万吨的污水处理厂。基地按不同的用地性质划分为4个工业、科研区、一个公共服务中心区和一个生活居住区。工业区重点吸纳新材料、电子信息等经济效益好、科技附加值高、技术密集的绿色环保、无污染的高新技术企业。

永丰产业基地位于北京的西北,自然环境优美,是京城"上风上水"之宝地,并且距八达岭高速公路4公里,距首都机场30公里,距中关村核心区12公里,交通便捷。

联系地址:北京市海淀区永丰北清路99号北京中关村永丰产业基地发展有限公司

联系电话:(010)58711188

传真:(010)58711177

热线电话:8008100964　51569028

E-mail:yongfengjidi@ yahoo. com. cn

航空科技园

中关村航空科技园地处中关村科技园区中心区的中心,南临北三环西路,西距中关村大街150米,由中国航空工业第一集团公司利用丰富的航空科技资源和所属北京青云航空仪表有限公司产业化优势组织开发。总建筑面积570900平方米,总用地面积173000平方米,绿化率40%。中关村航空科技园将为中关村科技园区提供高新技术创新服务;实现航空科技成果转化,并进行孵化和产业化培育;为航空科技成果转化为民用提供交流、展示和交易服务;促进中外航空技术、人才和教育的交流。

地址:北京市海淀区北三环西路43号

电话:62524147

传真:62574525

农林科技园

中关村农林科技园位于海淀区西北部的上庄乡境内,总占地面积达392.73公顷,一级土地开发投资将达到21亿元。工程于2003年正式开工建设,预计3至5年后建成。农林科技园被划分为农业科技和产品展示区、商贸服务区、公共研发区、研发单元区和专家公寓五大功能区，计划从国内外引进300家农林企业入驻。

地址：北京市海淀区三里河路1号西苑饭店3号楼3层

电话：88377605

传真：68313388-5360

环保科技示范园

环保科技示范园位于中关村科技园区发展区，占地3.6平方公里，南眺西山山脉显龙山，毗邻京密引水渠，山水风光秀美，交通便捷。这是一个集科研、生产、交易、示范于一体的环保科技园区，划分为八大功能区：研发基地、孵化中试产业基地、展示交易中心、科普教育中心、仪器仪表园、综合管理服务区、商务区、生活休闲区。

园区将围绕北京地区污染防治、资源节约、新能源开发、生态农业、数字环保、环境文化产业的目标发展环保产业。该园区的定位是：集科研、中试、生产、商贸、技术交易、科普等于一体，建设成国内一流、国际先进的环保科技示范园。环保科技示范园总建筑面积160万平方米，共分三期开发。

北大生物城

北大生物城地处中关村科技园区海淀园。是北大未名生物工程集团经营与管理的生物工程产业化基地，也是一个高科技企业孵化器。生物城中将建设占地50亩的现代农业生物工程实验基地；符合国际GMP标准超净厂房10座；科研大楼3座；国际交流中心1座；标准厂房1座及配套设施、专家公寓等。

地址：北京海淀区上地西路39号北大生物城

邮政编码：100085

联系电话：82890905

传真：82890908

网址：http://www.weiming.com.cn

中关村北新材料园

北新材料园位于海淀区西三旗环岛东侧，处于中轴线和高等院校密集的学院路延伸线中间，与上地信息产业基地遥相呼应，经过5至10年的建设，这里将成为21世纪知识型、数字型、国际化的科技园区，成为北京新材料基地的核心区。该园区将重点发展电子信息材料、纳米材料、绿色新型建材等，到2005年，园区技工贸总收入将达到50亿元，实现利税2亿元。

中关村高科技商务区

中关村高科技商务区占地52公顷，位于原海淀镇区域范围之内，准备建设以中关村科技园区商贸、技术交流、研发、办公、金融服务、科技展示等为中心的核心主体,成为中关村的商务中心。

中关村科学城

科学城项目占地1700公顷,位于中关村西区的东侧,是中国科学院和我国多学科研究机构及人才的聚集地,"十五"期间准备改造建设200万平方米。

北大科技园(www.pkusp.com.cn)

北大科技园成府园位于中关村"质心"地带,地处北大校园、清华校园和圆明园之间,中关村大街和北四环的交叉口。白颐路从园区穿过,再往南紧邻城市高速干道——四环路,未来规划的城市轻轨都将为北大科技园提供巨大的交通支持。基地西区与北大校园融会,规划范围北起清华西路,南至成府路,总规划面积约为200亩,其中150亩为北京大学教学科研用地,50亩为北大科技园经营用地。

北大科技园以扶持、孵化中小企业为己任,从资金、技术、办公场地、人才等方面为入园企业提供全方位的创业服务。

清华科技园

清华科技园地处北京中关村科技园区的核心地带,这里聚集了数量众多的著名高等院校和研究院所,是中国最大、世界少有的智力密集区,同时享有中关村科技园区大规模基础设施建设和一系列配套优惠政策。园区周边交通便利,主干道纵贯四环、三环直通西直门地铁站,城市轻轨侧沿园区通行。

清华科技园充分发挥集群式创新的优势,形成产学研创新集群:包括企业孵化器群、技术研发机构群、高校科技产业群、教育培训机构群、中介服务机构群和配套服务机构群,最终成为创新、创业资源的富集区域,通过"聚集效应"让优秀的创新、创业人才云集于此,形成持续不断的创新创业能力、辐射发展能力和国际化竞争力。

北京清华科技园发展中心

北京清华科技园建设股份有限公司

网址:www.thsp.com.cn

地址:北京清华大学东门创新大厦A座16层

邮政编码:100084

电话:(8610) 62785888

传真:(8610) 62772777

E-mail:thsp@ tsinghua.edu.cn

集成电路设计园

北京集成电路设计园地处中关村高科技园中高科技企业云集的核心地带——知春路。园区东距学院路500米,西距中关村大街1000米,南通三环,北依四环,30分钟可直达机场。数十条公交线在门前设站,2002年10月通车的轻轨铁路途经此地,交通便捷不言而喻。同时微软、INTER等世界顶级公司和60余所高等院校,200余所高科技精英企业云集于此。

北京集成电路设计园坚持以市场为导向,以营造环境为起点,以机制创新为突破口,以整合现有资源为基础,以培育中小企业为主要方向,孵小扶强,坚持以人为本,重在服务,求实创新,使北京集成电路设计园成为北京IC企业面向全国以至世界的窗口,争取用十年左右的时间,将北京集成电路设计园建成为我国规模最大的集成电路设计产业基地,并对全国乃至世界集成电路产业发展具有强劲的辐射力和影响力,成为中关村地区最具特色的产业群体。

地址:北京市海淀区知春路27号量子芯座
邮政编码:100083
电话:(010)82357175
传真:(010)82351188
网址:http://www.bjicpark.com

中关村科学城

科学城位于中关村西区的东侧,是中国科学院和我国多学科研究机构及人才的聚集地。

3.4 中关村留学人员创业园(孵化器)

为了为回国创业的留学人员提供和创造更好的创业条件和创业环境,中关村科技园区已建成12个服务于留学人员创业企业专业孵化器或创业园。

留学人员创业园(孵化器)可为留学人员创业企业提供房租减免、代理登机注册、人事财务代理、商务咨询等多种服务。

海淀留学人员创业园

北京市留学人员海淀创业园是北京市留学人员服务中心和中关村科技园区海淀园创业服务中心共同创建的高科技企业孵化器,旨在吸引立志创业的归国留学人员创办企业,促进科技成果产业化,培育一流的高科技企业,造就复合型人才。海淀创业园设在中关村科技园区海淀园,位于上地信息产业基地内,孵化场地近五万平方米。

电话:010-82898748
传真:010-62984933
地址:北京市海淀区上地信息路26号中关村创业大厦
邮政编码:100085
E-mail:chuangye@ ospp. com
网址:http://www. ospp. com

中关村国际孵化园

中关村国际孵化园位于中关村科技园区的中心地区——上地信息产业基地内,拥有24000平方米的现代化办公与商务场所。园内环境优美,空气清新,环保与消防设施一流;为留学生创业提供包括贵宾厅、报告厅、会议室等在内的商务办公场所;为每个入驻房间配有宽带网络接口、语音接口,入孵企业可以优惠享受一流的物理空间。

本孵化园为留学人员创办企业提供全程创业咨询与孵化服务:提供政府审批咨询,工商注册、财务管理、人力资源、公共关系、媒体运作、市场推广及广告宣传等代理服务;提供创业资金支持,专业投资、融资、贷款贴息服务;协助留学人员创业企业申请国家科技计划资金、办理专利注册申请、科技成果鉴定、新技术企业资格认证;协助办理“火炬计划”、“新产品开发计划”、“成果推广计划”、“绿色通道贷款”;协助申报北京市人民政府设立的北京市留学人员创业奖、科技进步奖等。

地址:北京市海淀区上地信息路2号创业园D栋
邮政编码:100085
电话:010-62966188　82895172
传真:010-62974804
E-mail:fhq@ incubase2000. com
网址:www. incubase2000. com

北大留学人员创业园

北大孵化器是集孵化、投资和运营管理服务三位一体的综合性孵化基地。位于北京大学南门,由资源东楼、资源西楼、科城大厦、中成大厦所组成,共有6万平方米。

北大孵化器宗旨——服务师生创业、促进科技成果转化、推动科技产业化进程,为入孵企业提供创业服务、种子资金和经营管理服务。根据21世纪全球科技产业的发展趋势,结合北京大学重点学科的优势,北大孵化器把信息技术、新材料及人文科学作为主要产业发展方向,以此创建北大孵化器的特色产业。

电话：58874006　58874007　58874004

地址：北京市海淀区海淀路 50 号北大资源东楼

邮政编码：100080

网址：www. beidaincubator. com

清华留学人员创业园

清华留学人员创业园位于清华科技园学研大厦，面积共 4 万平方米，先期启动 2 万平方米，办公设施齐全、服务功能完备。依托清华大学的科研优势及在高新技术转化方面积累的经验，创业园进一步将孵化功能向企业发展的上下游延伸。通过产学研的结合、孵化体系的完善，清华留学人员创业园将着重吸引、发掘、培育一批创业团队完备、跨洋研发能力出众、拥有自主知识产权的国际领先技术、产业化潜力巨大、国家重点支持领域项目的高质量留学人员创业企业，从而为地区培育出新的经济增长点及产业热点。

地址：清华学研大厦 B 座 201（100084）

Tel：010-62780890　62772743

网址：www. incubator. com. cn

北航留学人员创业园

北航留学人员创业园位于北京航天航空大学科技园世宁大厦，面积共 4 万平方米，先期启动 2 万平方米，办公设施齐全、服务功能完备。依托北航的科研优势及在高新技术转化方面积累的经验，创业园进一步将孵化功能向企业发展的上下游延伸。北航留学人员创业园力争在三年内建设成具有北航和中关村科技园区特色的、以软件产业为主的一流留学人员创业园，成为首都孵化器形象展示的窗口、留学人员回国创业的乐园。

地址：北京市海淀区北四环中路 238 号柏彦大厦 401B

咨询电话：82316255

传真电话：82338204

电子邮箱：bbi@ bbi. com. cn

网址：www. bbi. com. cn

北科大留学人员创业园

北科大留学人员创业园主体位于北京科技大学科技园大厦，面积共 4 万平方米，先期在北京科技大学科技园区内启动 1 万平方米。创业园将依托北京科技大学在重点学科、技术研发、成果转化等方面的优势及资源，进一步将孵化功能向企业发展的上、下游延伸，着重吸引、发掘、培育一批创业团队完备、跨洋研发能力出众、拥有自主知识产权的国际领先技术、产业化潜力大、国家重点支持领域项目的高质量留学人员创办企业，为首都经济及中关村科技园区整体发展作出贡献。

地址：北京市海淀区学院路30号方兴大厦

联系电话：86-10-62333720/010-52752185/84

传真：62332975

网址：www.pioneerpark.cn

北理工留学人员创业园

北京理工大学留学人员创业园位于北京理工大学科技园内，面积两万平方米。入园企业除了享受中关村科技园区管委会提供的各项优惠措施外，还能得到北京理工大学科技园的良好配套服务。如，北理工科技园设立总额500万元的“留学人员创业基金”；校内资源对入园留学人员开放，为入园企业提供实验条件、资料查阅、技术交流等便利。为留学人员子女进入理工大学幼儿园、附小学习提供便利。还可根据创业中遇到的问题和实际需求，定期或不定期举办论坛、项目交流推介会等活动。

地址：北京市海淀区中关村南大街9号理工科技大厦902室

电话：86-10-68470075/76/73

网址：www.bitrp.com.cn

北邮留学人员创业园

北邮留学人员创业园位于北京邮电大学科技园内，可使用孵化面积3万平方米。北邮留学人员创业园以北邮现有优势专业为基础，主要服务海外留学归国人员创办的高新技术企业，重点吸引孵化创业团队完备、跨洋研发能力出众、拥有自主知识产权、国际领先技术、产业化潜力巨大、国家重点支持的高质量留学人员创业企业。

地址：海淀区西土城路10号北邮科技大厦12层1201

电话：86-10-62281497

网址：www.info-valley.com.cn

北京望京留学人员创业园

中国北京（望京）留学人员创业园位于北京市城区东北部的望京高新技术产业区内，占地面积4公顷，总建筑面积7万平方米。其中，一期建筑面积为2.4万平方米；二期建筑面积为4.6万平方米。是集办公、科研、生产为一体的智能化、多功能、花园式的高新技术企业孵化基地和留学人员回国创业基地。中国北京（望京）留学人员创业园将本着“让智慧在望京创造财富，让理想在望京成为现实”的宗旨，以“科技、人文、自然、环保”的经营理念，以一流的设施、一流的管理、一流的服务、一流的效率,为留学人员回国创业提供广阔的发展空间。

地址:朝阳区望京新兴产业区利泽中园106号楼

邮政编码:100102

联系电话:64392018　64392019

E-mail:wjpioneer@wangjing.bj.cn

网址:www.wangjing.bj.cn

北京中关村软件园留学人员创业园

孵化器地处北京市海淀区北部,毗邻上地信息产业基地,坐落于“国家软件产业基地”——中关村软件园内。这里交通便捷,多条公交线路直通园区,城市轻轨铁路车站位于园区东侧。

中关村软件园孵化器作为中关村软件园的重要组成部分,承担着孵育中小软件企业、促进软件和集成电路的技术创新、加速科技成果转化的重任。孵化器致力于为入园企业提供“技术、企管、市场、金融和设施”全过程和全方位服务,培育软件企业加速成长,形成软件产业集群,以增强我国软件业的国际竞争力,促进软件成果产业化和国际化。

孵化器内建有完善的软件开发技术支撑体系、企业及技术项目中介交易服务平台,以及集中提供法律、审计、会计、人力资源、工商注册、税务登记等代理服务。

地址:海淀区上地信息产业基地软件园

邮政编码:100094

电话:(010)82825187　82825190

传真:(010)82825186

网址:www.zgcspi.com

中关村生命科学园留学人员创业园

生命科学园留学人员创业园位于生命科学园孵化器内,旨在吸引具备国际领先技术水平、跨洋研发能力和国际运作经验的留学人员创办的生命科学企业。创业园先期投入孵化面积3500平方米,通过搭建专业孵化服务平台,强化支撑功能、整合创业资源,为入驻企业创造良好的软硬件环境。

地址:北京市昌平区中关村生命园西路55号孵化科研生产大楼B-215

邮政编码:102206

电话:86-10-80715731/32/39

网址:www.zgcbmi.com.cn

中关村丰台园留学人员创业园

中关村科技园区丰台园留学人员创业园位于北京IBI(北京国际企业孵化中心)内,旨在吸引具备国际领先技术水平、跨洋研发能力和国际运作经验的留学人员创办的高科技企业。北京IBI的宗旨是帮助欧美和亚太地区的企业或研究开发机构、海外学人进入中国市场,扶持国内高新技术企业成长壮大;促进中外企业间科技交流与合作;加速中国高新技术产业国际化进程。

地址:北京市丰台区科兴路9号

电话:86-10-63729939　86-10-63744650

网址:www.bjibi.org.cn

北京市留学人员大兴创业园

北京市留学人员大兴创业园占地3.3万平方米,建筑面积4.5万平方米位于北京市生物医药基地(大兴工业开发区内),南倚团河行宫,东毗广平大街;西邻京开高速公路;周边森林公园、骑士公园及狩猎场等旅游景点星罗棋布,自然环境十分幽雅。园区距玉泉营环岛9公里,距天安门19公里,距北京国际机场40分钟车程,距北方第一货运港口——天津新港90分钟车程,距已开通35条航线的中联航空南苑机场仅1公里,京开、京津唐两条高速公路贯通全区,交通便利,环境上乘,是距北京市区最近的开发区,具有适应高新科技产业研发、物流、投放等生产要素快速移动的能力。

地址:北京大兴工业开发区科苑路18号

电话:86-10-61271941　86-10-61271942

网址:www.coeland.com

北京市留学人员空港创业园

北京天竺空港工业区自1994年经北京市政府批准成立以来,已经走过了近十年的发展历程。

综合环境好、投资规模大、经济效益高、产业结构优、投资引力强、发展潜力猛等等,这些特点,使空港工业区迅速崛起为北京经济版图中一颗耀眼的明星。目前,空港工业区的发展已经形成了"资本投入、经营开发、效益产出、促进发展"这样一个良性循环,我们将通过高标准"经营工业区",把空港工业区发展成为环境一流、服务一流、管理一流、效益一流的现代化高科技工业园区,把空港工业区建设成为投资者的家园和乐园。

地址:北京天竺空港工业开发区B区科技企业孵化园

电话:86-10-80489519　86-10-80489922

网址:www.chinabaiz.com

中科院中自留学人员创业园

中自孵化园是由中科院自动化研究所与中关村科技园区管委会共建的高新技术产业孵化园。中自孵化园位于中科院自动化大厦,面积共5000多平方米,具有一流的硬件设施和物业管理,为入住企业创业提供优质服务,享受优惠政策,充分发挥自动化研究所智力密集和科技资源丰富的优势,突出信息与自动化领域高新技术特色,以市场为导向,创造良好的创业环境与条件,促进信息与自动化领域的技术转移与成果转化。通过以园区内已有的留学人员创业企业为基础,吸引更多留学人员创办企业。中自孵化园力争用五年左右的时间,建设成为中科院北京地区的技术转移与扩散中心,实现科技成果转化和高新技术产业孵化基地.

地址:北京市海淀区中关村东路95号自动化大厦520室

电话:86-10-62579894

网址:www.caspark.com.cn

中关村科技园区亦庄汇龙森留学人员创业园

中关村科技园区亦庄汇龙森留学人员创业园经北京经济技术开发区管委会批准,由北京经济技术开发区人才交流服务中心与汇龙森国际企业孵化(北京)有限公司共同创建。创业园按照“政府指导、企业运作”的模式,本着人才培养与成果转化相结合的原则,吸引和扶持海外留学人员入园创业发展。创业园的发展目标是通过技术、信息、智力等资源优势与政策的有效结合,使之成为培育具有创新能力和国际竞争力的高新技术企业成长的摇篮,成为留学人员回国创业和海外高层次人才聚集的重要基地。

地址:北京经济技术开发区西环南路18号

电话:86-10-51570037

网址:www.bdalx.com

中国农业大学留学人员现代农业创业基地

中国农业大学留学人员现代农业创业基地是中国农业大学和中关村科技园区管理委员会于2005年8月4日共同创建。中国农业大学留学人员现代农业创业基地主要服务对象是海外留学归国人员创办的以现代农业和生物技术领域为主的高新技术企业。重点吸引、发掘、培育一批创业团队完备、跨洋研发能力出众、拥有自主知识产权的国际领先技术、农业产业化潜力巨大、国家重点支持领域项目特别是面向“三农”的高质量留学人员创业企业。中国农业大学留学人员现代农业创业基地作为中国农业大学科技园的有机组成部分,是中国农业大学服务社会的平台,在北京市大学科技园体系中承担着培育现代农业和生物技术科技产业的任务。

地址:北京市海淀区清华东路 17 号

电话:86-10-62736706

网址:www.cau.edu.cn

中国人民大学文化科技园

中国人民大学文化科技园成立于 2004 年 11 月 8 日,是全国首家以“文化”为主题、以文化创意产业为核心的大学科技园,是教育部、北京市和中国人民大学共建的重点项目之一,是中关村科技园区的重要组成部分。中国人民大学文化科技园将充分依托国家、北京市、海淀区以及中关村科技园的政策支持和中关村地区的科技、信息、人才优势,依托中国人民大学丰富的学术、人才和国际交流资源通过在传媒产业、演出展示、设计咨询、休闲娱乐、知识产权服务和贸易等领域推动出版发行、文化产业交易、数码娱乐、新媒体及数字化内容、创意设计、广告咨询规划设计、文化艺术商务代理等文化创意产业的发展,努力使中国人民大学文化科技园成为人文社会科学成果的创新基地、产学研结合的示范基地、创新型人才的聚集和培养基地以及文化创意企业的孵化基地。目标是逐步形成全国发展文化创意产业最重要的大学科技园,培养具有创新精神和创新能力,具备现代科技和经营管理知识的复合型人才;打造具有国际竞争力的中国文化创意产业品牌。

地址:北京市海淀区中关村大街 59 号文化大厦

电话:(010)82509532/9536

网址:www.cspruc.com

集成电路留学人员创业园

北京集成电路设计园有限责任公司是经北京市政府批准,在市经委、市科委等有关部门领导和支持下,北京市国有资产经营有限责任公司代表市政府本着“兼顾经济效益和社会效益”的原则,独家出资组建的。公司注册成立于 2002 年 1 月,以其为运作主体,经营建设北京集成电路设计园。在市经委、市科委等有关部门领导和支持下,北京集成电路设计园于 2002 年 4 月 18 日正式揭牌,同时被科技部定为国家集成电路设计北京产业化基地—七个国家集成电路设计产业化基地之一。

地址:北京市海淀区知春路 27 号量子芯座

电话:010-82357175

网址: www.bjicpark.com

附录

北京科技企业孵化器名录

北京高技术创业服务中心

联 系 人：季小兵

通讯地址：北京市朝阳区安翔北里 11 号

邮政编码：100101

联系电话：86-10-64873538

传　　真：86-10-64873536

电子信箱：cyzx@ bjcy. net. cn

网　　址：http://www. bjcy. net. cn

中关村科技园区丰台园创业服务中心

联 系 人：刘少华

地　　址：北京市丰台区科兴路 9 号

邮政编码：100070

电　　话：86-10-63739256

传　　真：86-10-63739269

电子邮件：bjibi@ bjibi. org. cn

网　　址：http://www. bjibi. org. cn

中关村科技海淀园创业服务中心

联 系 人：赵新鸣

通讯地址：北京市海淀区上地信息路 26 号

邮政编码：100085

联系电话：86-10-82898099

传　　真：86-10-62984933

电子信箱：ningl@ ospp. com

网　　址：www. ospp. com

北京生物医药高技术孵化器

联 系 人：宋东光

通讯地址：北京市海淀区学院路 38 号

邮政编码：100083

电　　话：86-10-62063479
传　　真：86-10-62050175
电子信箱：bmuupc@ sun. bjmu. edu. cn
网　　址：www. bio-incubator. com

北京北航天汇科技孵化器有限公司

联 系 人：李　军
通讯地址：北京市海淀区北四环中路238号柏彦大厦
邮政编码：100083
联系电话：86-10-82316118
传　　真：86-10-82316117
电子信箱：bbi@ bbi. com. cn
网　　址：www. bbi. com. cn

北京八六三软件孵化器有限责任公司

联 系 人：杨福轩
通讯地址：北京市石景山区石景山路40号
邮政编码：100043
电　　话：86-10-68812133
传　　真：86-10-68812468
电子信箱：xuem@ bjisip. com
网　　址：www. bjisip. com

北京望京科技创业园创业服务中心

联 系 人：苑志强
通讯地址：北京市朝阳区望京新兴产业区利泽中园106号楼
邮政编码：100102
电　　话：86-10-64392018
传　　真：86-10-64392019
电子信箱：wjpioneer@ 263. net
网　　址：http://www. wangjing. bj. cn

北京理工创新高科技孵化器有限公司

联 系 人：刘建安
通讯地址：北京市海淀区中关村南大街9号
邮政编码：100081
电　　话：86-10-68910009

传　　真：86-10-68910009
电子信箱：liuqiucai@ 126. com

北京清华科技园孵化器有限公司

联 系 人：罗　茁
通讯地址：清华大学创新大厦 A 座 15 层
邮政编码：100084
电　　话：86-10-62780882
传　　真：86-10-62780883
电子信箱：thpp@ tsinghua. edu. cn
网　　址：http://www. incubator. com. cn

北京北内制造业高新技术孵化基地有限公司

联 系 人：朱士安
通讯地址：北京市朝阳区广渠路 31 号
邮政编码：100022 36000
传　　真：86-10-67718814
电子信箱：bjzzy@ bjzzy. com. cn
网　　址：www. bjzzy. com. cn

北京诺飞科技孵化器有限公司

联 系 人：张毅严
通讯地址：北京市丰台区永定门外双庙 125 号
邮政编码：100078
电　　话：86-10-67688990
传　　真：86-10-67688242
电子信箱：lxhui@ public3. bta. net. cn
网　　址：www. nfkj. com. cn

北京科大方兴科技孵化器有限责任公司

联 系 人：陆　钢
通讯地址：北京市海淀区学院路 30 号方兴大厦
邮政编码：100083
电　　话：86-10-62318682
传　　真：86-10-62332975
电子信箱：lugang@ fangxingtech. com. cn
网　　址：www. fangxingtech. com. cn

北京中关村国际孵化器有限公司

联 系 人：刘晓民
地　　址：北京市海淀区上地信息路2号创业园D座
邮政编码：100085
电　　话：86-10-82895166
传　　真：86-10-62974804
电子信箱：business@ incubase2000. com
网　　址：www. incubase2000. com

北京科方创业科技企业孵化器有限公司

联 系 人：罗道友
地　　址：北京市2653信箱
邮政编码：100084
电　　话：86-10-62654985
传　　真：86-10-62654985
电子邮件：office@ co-found. com. cn
网　　址：http://www. co-found. com. cn

北京北新建材孵化器有限公司

联 系 人：邓玉庭
地　　址：北京海淀区西三旗东建材城西路16号
邮政编码：100096
电　　话：86-10-82917247
传　　真：86-10-82926299
电　　邮：lk@ bnbm. com. cn

北京京海科技企业孵化器有限公司

联 系 人：冯缨健
地　　址：北京市海淀区紫竹院路广源大厦409室
邮政编码：100081
电　　话：86-10-68415893
传　　真：86-10-68726798
电子邮件：yfch@ jhfhq. com. cn
网　　址：www. jhfhq. com. cn

北京首特科技孵化器有限责任公司

联系人：张　田

联系地址：北京石景山区杨庄大街69号特殊钢办公楼700室
邮政编码：100043
联系电话：86-10-88919877
传　　真：86-10-88982103
电子邮件：sti@ shoute. com
网　　址：http://www. shoute. com

北京硅普芯片企业孵化器有限公司

联 系 人：高旭东
地　　址：北京市海淀区北三环中路31号
邮政编码：100088
电　　话：86-10-82001752
传　　真：86-10-82001751
电子邮件：gpcbi@ bjtest. com. cn
网　　址：http://www. bjtest. com. cn

北京崇熙科技孵化器有限公司

联 系 人：周小平
联系地址：北京朝阳区广渠路15号
邮政编码：100022
联系电话：86-10-81501343
传　　真：86-10-81501343
电子邮件：ydx0712@ yahoo. com. cn
网　　址：http://www. cx-ibi. com. cn

北京赛欧科园科技孵化中心

联 系 人：梅春才
地　　址：北京丰台区西四环南路88号
邮政编码：100071
电　　话：86-10-63819172
传　　真：86-10-63819180
电子邮件：soky@ bjibi. org. cn

北京海银科医药技术孵化器

联 系 人：赵　凯
地　　址：北京市复兴路83号东9楼
邮政编码：100856

电　　话：86-10-66808451
传　　真：86-10-68214721
电子邮件：postmaster@ hi-inc. com. cn
网　　址：www. hi-inc. com. cn

北京中关村软件园孵化服务有限公司

联 系 人：沈云良
地　　址：北京市海淀区中关村软件园 3 号楼 C 座
邮政编码：100094
电　　话：86-10-82825187
传　　真：86-10-82825186
电子邮件：spi@ zgcspi. com
网　　址：www. zgcspi. com

北京奥宇科技企业孵化器有限责任公司

联 系 人：陈家林
地　　址：北京大兴工业开发区金苑路 2 号
邮政编码：102600
电　　话：86-10-60213415
传　　真：86-10-60213342
电子邮件：aykjfhq@ 263. net

北京天竺空港科技企业孵化器有限公司

联 系 人：王洪生
联系地址：北京天竺空港工业区 B 区生产基地 10 号楼
邮政编码：101312
电　　话：86-10-80489519
传　　真：86-10-80489572
电子邮件：wangbaiz@ sohu. com

北京硅普京南科技企业孵化器有限公司

联 系 人：张利华
地　　址：北京 9243 信箱
邮政编码：100076
电　　话：86-10-68757488
传　　真：86-10 68754791
电子邮件：hexin@ gotoic. com

网　　址：http://www.gotoic.com

北京利玛自动化技术公司

联 系 人：张入通
地　　址：北京市西城区德胜门外教场口1号
邮政编码：100011
电　　话：86-10-82023789
传　　真：86-10-62048934
电子邮件：duanshq@riamb.ac.cn
网　　址：www.fhq.riamb.ac.cn

北京康华伟业科技孵化器有限公司

联 系 人：施雪英
地　　址：北京市德外大街11号
邮政编码：100088
电　　话：86-10-62021044
传　　真：86-10-62021044
电子邮件：sunyang131@sohu.com
网　　址：www.bjkh.com.cn

北京北方车辆新技术孵化器

联 系 人：高永明
地　　址：北京市969信箱61分箱
邮政编码：100072
电　　话：86-10-83803119
传　　真：86-10-83808128
电子邮件：nvni@bjnvni.com
网　　址：www.bjnvni.com

北京市留学人员大兴创业园

联 系 人：郑怀强
地　　址：北京市大兴工业开发区科苑路18号
邮政编码：102600
电　　话：86-10-61271941
传　　真：86-10-61271943
电子邮件：zhangning@coeland.com

网　　址：www. coeland. com Website：www. coeland. com

中关村兴业高科技孵化器股份有限公司

联 系 人：华　炜
地　　址：北京市昌平区科技园创新路 9 号
邮政编码：102200
电　　话：86-10-89717676
传　　真：86-10-89717999
电子邮件：hhm_1128@ sohu. com

汇龙森国际企业孵化(北京)有限公司

联 系 人：刘　泳
地　　址：北京经济技术开发区中和街 14 号
邮政编码：100176
电　　话：86-10-51029858
传　　真：86-10-67878798
电子邮件：hls666@ huilongsen. com
网　　址：www. huilongsen. com

北京市大学科技园名录

清华大学国家大学科技园

联 系 人：王　涌
通讯地址：北京清华科技园创新大厦 A 座
邮政编码：100084
电　　话：010 62785888
传　　真：010 62772777
电子信箱：liuli@ thsp. com. cn
网　　址：www. thsp. com. cn

北京大学国家大学科技园

联 系 人：陈京芳
通讯地址：北京市海淀路 52 号太平洋大厦 17 层
邮政编码：100080
电　　话：010 82667820
传　　真：010 82667840
电子信箱：pkusp@ sina. com

网　　址: www. pkusp. com. cn

北京航空航天大学国家大学科技园

联 系 人: 李　军
通讯地址: 北京市海淀区北四环中路238号柏彦大厦405室
邮政编码: 100083
联系电话: 010 82316139
传　　真: 010 82316117
电子信箱: buaa@ buaa. com. cn
网　　址: www. buaa. com. cn

北京理工大学国家大学科技园

联 系 人: 郑　云
通讯地址: 北京市海淀区中关村南大街9号 理工科技大厦902号
邮政编码: 100081
电　　话: 010 68470076
传　　真: 010 68470073
电子信箱: bitsp@ bitech. com. cn
网　　址: www. bitsp. com. cn

北京邮电大学国家大学科技园

联 系 人: 李新松
通讯地址: 北京市海淀区西土城路10号178信箱
邮政编码: 100876
电　　话: 010 62283542
传　　真: 010 62258866
电子信箱: 72757@ 163. com
网　　址: www. info-valley. com. cn

北师大—中医药大学国家大学科技园

联 系 人: 金雅玲
通讯地址: 北京市海淀区新街口外大街19号科技楼
邮政编码: 100875
电　　话: 010 62206051
传　　真: 010 62205253
电子信箱: kjy@ bnu. edu. cn
网　　址: www. bun. edu. cn

北京化工大学科技园

联 系 人：张国彬
通讯地址：北京市朝阳区北三环东路15号133信箱
邮政编码：100029
电　　话：010 64435482
传　　真：010 64432834
电子信箱：sp@ mail buct. edu. cn
网　　址：www. buct. edu. cn/dxkjy

北京科技大学科技园

联 系 人：苏　伟
通讯地址：北京市海淀区学院路30号方兴大厦605
邮政编码：100083
联系电话：010 62332975
传　　真：010 62332975
电子信箱：suwei@ fxti. com
网　　址：http://www. ustbsp. com

北京工业大学科技园

联 系 人：宋　群
通讯地址：北京市朝阳区平乐园100号
邮政编码：100022
联系电话：010 67392750
传　　真：010 67392753
电子信箱：kjcsongq@ bjut. edu. cn

北方交通大学科技园

联 系 人：廖涌泉
通讯地址：北京北方交通大学东校区科技处
邮政编码：100044
电　　话：010 62217584
传　　真：010 62217584
电子信箱：jdkjy@ center. njtu. edu. cn
网　　址：www. jdsp. com. cn

中国农业大学科技园

联 系 人：胡金有

通讯地址：北京市海淀区清华东路17号133信箱
邮政编码：100083
电　　话：010 62336902
传　　真：010 62336902
电子信箱：hujy@cau.edu.cn

华北电力大学科技园

联 系 人：张瑞昌
通讯地址：北京德外朱辛庄华北电力大学56号信箱
邮政编码：102206
电　　话：010 80798501
传　　真：010 80793105
电子信箱：cyjt2000@163.com
网　　址：www.ncepubj.edu.cn

中国人民大学文化科技园

联 系 人：彭　翊
通讯地址：北京市海淀区中关村大街59号
邮政编码：100872
电　　话：010 62514333
传　　真：010 62514321
电子信箱：pengyi@ruc.edu.cn

首都师范大学科技园

联 系 人：谷　群
通讯地址：北京市海淀区西三环北路105号
邮政编码：100037
电　　话：010 68902938
传　　真：010 68981337
电子信箱：kyc@mail.cnu.edu.cn

3.5　选择注册地点时的参考因素

由于中关村科技园区是一个开放园区，跨行政区县，分布分散，其中不同的科技园具有不同的产业优势和区位优势。因此，在具体选择注册地点时应综合考虑多方面因素，如各园区人才、信息及产业簇群优势、交通情况、写字楼、人员、土地等方面的商务成本的高低,当地政府的服务和支持措施,自身所从事行业特点及未来发展规划。

§4. 中关村高新技术企业的经营范围如何核定

除国家法律、法规规定应当进行专项审批的经营项目外,工商行政管理机关在办理企业登记时,不再核定具体经营项目。企业可以自主选择经营项目,开展经营活动。

内资企业经营范围具体核定为:"法律、法规禁止的,不得经营;应经审批的,未获审批前不得经营;法律、法规未规定审批的,企业自主选择经营项目,开展经营活动"。

——依据2001年北京市人民政府令第70号《中关村科技园区企业登记注册管理办法》第二章

外资企业经营范围具体核定为:"法律、法规和国家外商投资产业政策禁止的,不得经营;法律、法规规定需要专项审批和国家外商投资产业政策限制经营的项目,未获审批前不得经营;法律、法规未规定专项审批且国家外商投资产业政策未限制经营的,自主选择经营项目,开展经营活动"。

——依据京工商发[2004]19号《改革市场准入制度优化经济发展环境若干意见》第27条

§5. 中关村高新技术企业的最低注册资金、出资人、出资方式及出资比例

5.1 最低注册资金

(1)有限责任公司注册资本的最低限额为人民币3万元。法律、行政法规对有限责任公司注册资本的最低限额有较高规定的,从其规定。

——依据2006年1月1日起施行的《公司法》

(2)一人有限责任公司的注册资本最低限额为人民币10万元,股东应一次足额缴纳公司章程规定的出资额。

(3)非上市股份有限公司最低注册资金为500万元人民币;

——依据2006年1月1日起施行的《公司法》

(4) 上市股份有限公司最低注册资金为3000万元人民币;

(5) 对特定行业(包括银行业金融机构、非银行金融机构、证券公司、保险公司、期货经纪公司、拍卖企业、旅行社、公司制会计师事务所、外商投资电信企业和基金管理公司等)企业法人,法律、行政法规对其注册资本(金)最低限额有较高规定的,应从其规定。此类企业涉及前置许可事项的,注册资本(金)以许可文件为准。

(6) 建筑业、国际货运代理、中小企业信用担保、典当、房地产开发、投资类、集团母公司、市场专营企业以及名称中不含行政区划、不使用国民经济行业类别用于表述所从事行业的企业法人注册资本(金)的最低限额,仍按现有规章或规范性文件规定执行。

——依据《关于贯彻修订后的公司法进一步完善市场准入制度的意见的实施细则》

(7) 外商投资企业的最低注册资金应与其规模相适应,一般掌握在外商独资企业的最低注册资本不得少于15万美金;中外合资(合作)高新技术企业的最低注册资本不得少于20万美金;在中关村科技园区内的留学人员创办的外资高新技术企业最低注册资本可按等同于10万元人民币的外币注册。

5.2 出资人

高新技术企业的出资人可以是企业法人、事业单位法人、社团法人、工会,也可以是自然人。

有限责任公司、股份有限公司只能对公司制企业投资;个人独资企业、合伙企业可以成为有限责任公司的股东,但不得投资设立非公司企业法人,也不得作为外商投资企业的中方投资人。

境外经济组织或个人可以和境内组织或个人兴办合资、合作的高新技术企业。(《中关村科技园区条例》第56条)

5.3 出资方式、出资时间及出资比例

5.3.1 出资方式

高新技术企业的出资方式可以是货币、实物、土地使用权、知识产权等。

(1)《公司登记管理条例》和国家工商总局对以货币、实物、知识产权、土地使用权作价出资有明确规定的,从其规定。对申请人以《公司登记管理条例》和国家工商总局规定以外的方式出资的,暂不予以办理登记注册。

(2) 除《公司登记管理条例》和国家工商总局规定的不得作价出资的方式以外,以下实物亦不得作为出资办理登记:食品、饮料、烟草、棉、麻、土畜产品、纺织品、服装鞋帽、日用百货、五金交电、化工产品、药品、中草药及其制品、石油及其制品、煤炭及其制品、木材、建筑材料、矿产品、金属材料、未办理所有权证书的房屋、汽车配件及未办理行驶证的机动车、工艺美术品、字画、图书、肥料、农药、饲料、苗木、花卉、家具、工业用原材料、工业用半成品。

(3) 公司全体股东的货币出资总额不得低于公司注册资本的30%,但不要求每位投资人均应在其出资额中按此比例缴纳货币资金。

(4) 非公司制内资企业法人、非公司制外商投资企业注册资本(金)中的货币资金比例不受上述规定限制。其中,非公司制内资企业法人投资人以高新技术成果出资的,其高新技术成果出资额占注册资本(金)比例可由投资各方协商约定。

(5) 企业以非货币财产出资的,其经营范围项下的标注应按照法定的出资方式描述为"实物"、"知识产权"或"土地使用权",且不再作进一步细化表述。

5.3.2 出资时间

(1) 有限责任公司股东或股份有限公司发起人以货币出资的,其出资时间应按照货币出资足额(包括按期足额)存入入资银行专用账户的日期核定;以非货币财产出资的,其出资时间应按照办理完毕财产转移手续的日期核定。

(2) 除一人有限责任公司应在设立时交付公司章程规定的全部出资,其他形式的有限责任公司、采取发起设立方式设立的股份有限公司以及非公司制内资企业法人可以分期缴付注册资本(金)。

(3) 采取分期缴付注册资本(金)方式的内资有限责任公司及非公司制内资企业法人,其在设立时的出资应不低于注册资本(金)数额的20%,且不得低于法律、行政法规规定的最低限额。注册资本(金)的其余部分可由投资人在企业成立之日起两年内缴足。

(4) 投资性有限责任公司或投资性非公司制内资企业法人,其注册资本(金)可以在设立后五年内分期缴足。

——依据《关于贯彻修订后的公司法进一步完善市场准入制度的意见的实施细则》、《公司法》

5.3.3 出资比例

内资有限责任公司货币出资不得低于注册资本的30%,外商投资高新技术企业技术出资不得超过注册资本的60%。

——依据《公司法》

§6. 如何选择经营场所

6.1 可供选择的经营场所种类

自购或自建写字楼,租用写字楼。

• 企业办公楼选址注意事项

市场定位

一个企业从选址工作开始,一定要从企业的特性来做定位,它主要由几个部分组成。

第一,企业形象。金融企业,可能会到金融街,因为离企业的商家和管理机构,离同行业企业都很近。IT企业可能会喜欢中关村,因为中关村是IT企业集散地。作为贸易公司、广告公司,可能到CBD,因为CBD有他们的客户群体。

第二,分区服务。从整个公司的经营和管理、从提高效率方面来讲,如果跟自己的客户离得很近,或者说与客户同在一个屋檐下,交流的时间缩短,效率得以提高,从而帮助提高在行业里的竞争力,提高生产力。

第三,竞争环境。很多企业非常在乎,要不要跟最大的竞争对手在一起?企业的考虑不同选择会不会。

第四,商业氛围。企业比较关注一个区域的整体商务氛围,随着中关村西区的开发,还有配套的优质物业,再加上政府经济建设提高和酒店等相关配套设施的提高,中关村的商务环境会越来越好。

详情请参阅《写字楼荟》杂志第5期,《选写字楼先要选商圈》;《写字楼荟》杂志第6期《海淀区·跨国企业在华研发投资首选地》以及《信息大全·中关村地区商圈评论》。

租赁或者购买

当企业选择写字楼时,首先要考虑是去租或是买。因为无论租或是买对于企业来讲都是一种地产投资。作为企业固定资产投资中最重要的活动,因其具有高投入性和长期性,直接影响着企业的财务成本、现金流及股东投资回报率,因而每一项房地产投资都必须引起企业最高管理者的高度重视。所以在选择之前,一定要慎重考虑。详情请参阅《写字楼荟》杂志第6期《租赁 or 购买?——房地产投资决策的基本方法》。

硬件设施

选楼除了考虑形象和匹配以外,大厦的硬件也非常重要。首先是选择适合本企业的户型,因为户型对于企业选择写字楼来说,其好坏决定着企业是否节省成本,是否便于企业内部沟通,是否利于能源利用或者建设企业文化。详细方法请参阅《写字楼荟》第6期《如何评价写字楼户型优势》。

其次,大厦的结构也很重要,如无柱式结构的大厦,非常有利于企业的开放式办公。并且无柱的设计、基本趋于方形的设计,办公面积利用率会很高。而柱距如果比较近,密度较大,则不是一个好的结构。垂直管井是一个容易被忽视的设置。有些企业需要通过卫星电缆,它的宽度和厚度,都远远超过普通的网络线,当这类企业发展很快,面积需要扩充,但同层却没有地方可扩时,垂直管井就非常有用,可以帮助把上下两个办公室连接到一起。

IT企业,特别是作为研发的企业,对楼板的承重、电力要求非常高,这些在企业选楼时都应该关注。

户型。

软件价值

重点强调三点:

(1) 邻居群体。企业选择物业,从某种程度上说可以提高企业的形象。置身到一个高知名度的邻居群体当中,会让人觉得本身也是很好的企业。

(2) 办公室功能的灵活性。如果企业成长很快,买办公室,要考虑如果将来一旦扩充,现在的办公室是不是可以转型作其他功能使用。

(3) 历史与文化。这个方面可以提高企业本身的文化,是塑造品牌的一个基础,一个渊源。

配套设施

因为员工是企业赖以生存和发展的基础,是增长公司业绩,增加营业收入,使得企业更上一个台阶的重要源泉。所以,员工对配套设施的需求需要放到较高的地位来考虑。

员工的公共交通问题要重点考虑,除此之外,如邮局、快递服务、银行、旅行社、餐馆、酒店,是不是离机场很方便,这些也都是需要考虑的配套设施。

员工也会很注重在什么样的环境里办公,不同的办公环境会使员工的心情不同。

另外员工餐厅、健身房、淋浴房,这些都可看做员工福利的一部分。

成本控制

这是每一个企业在选楼的时候最最关心的问题。

企业选址并不是简单的支付租金或者一笔不菲的首付款,买点办公家具,然后就是大大方方搬进新楼,因为一个好的成本控制不在于租金价格的低廉,而在于企业整个搬家运作技巧当中,进行综合成本的控制,做到最大利益化。详情请参阅《写字楼荟》第5期《如何计算企业办公成本》。

写字楼购买和租赁中的法律问题

房地产涉及的金额巨大，无论购买还是租赁，无论自用还是投资，任何企业都十分关注在这个过程当中遇到的法律问题。无论是开发商的资信，签订合同的阶段，还是企业自身利益的保障都将对企业产生举足轻重的影响。所以，写字楼购买和租赁中的法律问题自然也是各企业所十分关注的。

6.2 中关村写字楼概况(office.zgc.gov.cn)

中关村广场(西区)及周边

政府规划：

根据规划，中关村科技园区从现在起，力争用10年左右的时间，建成世界一流的科技园。目前开始建设的中关村广场，总占地51.44公顷，地上规划建筑面积约100万平方米，地下50万平方米，建设总投资规模在150亿元以上，是未来高科技产业的管理决策、研究开发、产品和技术的展示中心；高科技资本市场中心；高科技产品、技术、人才和信息的交流中心；是中关村科技园区的商务中心。

市政成熟度：

大批高档写字楼处于在建阶段。中关村广场周边水、电、气、暖、通讯、道路等设施成熟，中关村广场自身的市政条件也已基本形成。

交通状况：

中关村广场的对外交通将以清洁燃料公共交通和轨道交通为主，辅以私人机动车和自行车；内部采用闭合的机动车道路网，即地下交通管廊，沿中关村广场周边设置了15个出入口，形成有序的中低速交通系统。沿周边车道，各主要地块建筑物地下均有停车场，严格控制公共建筑区地上停车。中关村广场周边设置了若干自行车停放点，禁止非机动车日间进入中关村广场。各建筑物地下1—2层均可贯通，中关村广场周围有20多条公交路线通往周边地区。另外，规划中的地铁10号线(火器营至宋家庄)和9号线在中关村广场周边分别设有站点。

写字楼聚集度：

属于中关村高档写字楼最密集的地区，供给总量接近200万平方米。

甲级项目主要有：

瀚海国际大厦、中关村金融中心、理想国际大厦、蓝星大厦、辉煌时代大厦、新奥特e中芯科技大厦、普天大厦、天创大厦、CEO、中关村电子信息大厦、CEC大厦、银科大厦、海淀商业大厦、创富大厦；另外还有左岸工社、中关村大厦、长远天地、鼎好电子城、海龙大厦等建筑年限较早或中等档次的项目。

楼宇品质及价位：

中关村广场甲级写字楼规模普遍在5万平方米以上，销售价格一般在14000—18000元/

平方米之间,租金报价在5—7.5元/平方米·天之间,中关村广场周边项目价格主要集中在11000—14000元/平米之间(商住项目价格在8000—10000元/平方米之间),租金报价为3.5—5元/平方米·天。

沿线主要大型机构:

海淀图书城、海淀医院、海淀法院。

大型公建项目和商务配套项目:

家乐福超市、大型地下停车场、电子商铺,以及规划中的五星级酒店、高档商住公寓和消费娱乐场所。

企(行)业聚集度:

虽然目前入住企业很少,中关村西区的写字楼目标客户定位是:国际国内知名高科技企业、金融机构、商贸公司。

写字楼市场表现:

新东方、百度等知名企业签约进驻,中关村广场写字楼开始全面投放市场。

中关村广场(西区)及周边售盘

名称	项目地址	租价	建筑面积	售价
15000元/平方米·天以上				
中国电子大厦	海淀区中关村西区22号地		125000	16800
11000—15000元/平方米				
万泉商务花园	巴沟村南路35号		19304.42	14800
名商大厦	苏州街盛唐饭店旁		21000	13800
长远天地	苏州街72号		120000	13000
神州数码大厦	苏州街28号		34500	12800
西屋国际公寓	苏州街		130000	12500
左岸工社	海淀区北四环西路68号		70000	12000
中关村科技贸易中心	海淀区中关村南大街32号		200000	12000
首创拓展大厦	海淀区中关村西区10号地		36133	12000
辉煌时代大厦	海淀区中关村西区7号地	25美金	66225	18000
8000—11000元/平方米				
海淀帝恒文化艺术中心A	海淀区中关村大街28号	5	44125	9500
豪景大厦	知春路86号	4.5	50000	8700
6000—8000元/平方米				
银网中心	知春路113号	5.8	53000	7500
价格未定				
新奥特e中芯科技大厦	海淀区中关村西区8#地		46199	未定
鼎好电子大厦	海淀区中关村大街1号		20000	未定

中关村广场(西区)及周边租盘

名称	项目地址	租价	建筑面积
6元/平方米·天以上			
融科资讯中心A座	海淀区中关村科学院南路2号	28美元/月	49186
海龙大厦	海淀区中关村大街1号	63	73000
5—6元/平方米·天			
苏州街33号公寓	海淀区苏州街33号	5.5	18000
中关村大厦	海淀区中关村大街27号	5.5	37047
中蓝大厦	海淀区中关村西区1号	5.5	37300
航天长城大厦	海淀区海淀南路30号	5.5	41000
四通大厦	海淀区海淀大街2号	5	9300
海乾大厦	海淀区海淀南路9号	5	9000
4—5元/平方米·天			
创富大厦	海淀区海淀南路21号	4.5—5	23000
中发电子大厦	海淀区知春路132号	4—5	10000
海淀新技术大厦	海淀区海淀镇草桥7号	4.5	57140
坤讯大厦	知春路9号	4.5	17000
泛亚大厦	知春路128号	4.2	26000
大地科技大厦	海淀区北四环西路67号	4	51046
凤凰会馆	海淀路165号	4	5034
中科大厦	海淀区中关村大街22号	4	24000
中关村酒店	海淀区海淀路19号	4	7200
3—4元/平方米·天			
海南饭店	海淀区海淀南路15号	3.8	4500
硅谷电脑城	小营西路20号	3.8	45000
科城大厦	海淀区海淀路19-2	3.8	4900
理想大厦	知春路111号	3.6	26000
金侨商务写字楼	海淀区海淀路甲175号	3.6	1000
北大太平洋科技发展中心	海淀区海淀路52号	3.5—4	20000
海淀写字楼	海淀区海淀南路11号	3.5—3.8	1450
大行基业大厦	海淀区人大北路33号大厦1301室	3.5	36000
知春大厦	知春路118号	3.5	38000
鄂尔多斯宾馆	海淀区海淀大街甲36号	3.5	4800
当代商城商务公寓	海淀区中关村大街40号	3	15000
开源商务写字楼	知春里28号	3	5000
3元/平方米·天以下			
中成大厦	海淀区海淀路19-1号	2.8—4.1	20000
育新大厦	海淀区海淀大街42号	2.8	10000

中关村金融走廊

政府规划：

“中关村金融走廊”是海淀区政府规划的，由银行、证券、保险、担保、律师、评估所等金融机构组成的为高新技术企业提供金融服务支持的平台。到目前为止，“金融走廊”的规划已初具规模，总建筑面积达到200万平方米。在这条全长约4公里的“走廊”上共有6种物业类型：普通住宅、公寓、写字楼、宾馆、学校、医院。干道沿线以写字楼为主，部分项目现已建成，其余正在建设中。商业业态由银行、证券、保险、担保、律师、评估等金融机构和中介机构共同组成。目前，已有近30家金融机构入住。

市政成熟度：

市政设施完善，办公物业较多，商务配套相对齐全，商务氛围较好。

交通状况：

知春路贯穿东西方向，与其相交的南北向道路有：苏州街、中关村大街、科学院南路、成铁13号线（交叉与知春路）、规划中的地铁10号线贯穿金融走廊，规划中的地铁9号线在海淀黄庄设有站点。

写字楼聚集度：

写字楼项目以高档写字楼为主，主要项目有：翠宫饭店写字楼、希格玛大厦、银网中心、盈都大厦、理想大厦、泛亚大厦、海淀帝恒文化艺术中心等，另外还有海南饭店、海乾大厦、航天长城大厦、豪景大厦、坤讯大厦、量子芯座、量子银座、慎昌大厦、时代网络大厦、太平洋国际大厦、天利大厦、卫星大厦、亿方大厦、知春大厦、中发电子大厦、中国医药大厦、中海实业大厦、知音商务楼、开源商务写字楼、万泉商务花园、厦门商务会馆等乙级写字楼。

楼宇品质、价位：

甲级写字楼售价在10000—14000元/平方米之间，租金在4—5.5元/平方米·天之间，乙级写字楼、商务会馆的租金报价在2.5—4元/平方米·天之间。

沿线主要大型机构：

北京航空航天大学、中国长城工业总公司、北京卫星制造厂、中国天利航天事业有限公司、中国医药集团总公司、中国人寿保险公司、北京产权交易所、天客隆、实德集团、中国空间研究所。

大型公建项目和商务配套项目：

海淀剧院、海淀医院、妇幼保健医院、翠宫饭店（五星级）、另外有8个银行营业厅、10家以上高档餐饮店。

企（行）业聚集度：

入住企业以实力较强的高科技民营企业、金融机构、中介机构、律师事务所，以及外地进京企业等为主。

写字楼市场表现：

写字楼项目入住率较高，租金价位相对稳定。

中关村金融走廊售盘

名称	项目地址	租价	建筑面积	售价
15000元/平方米以上				
银网中心	知春路113号	5.8	53000	14800
海淀帝恒文化艺术中心A	海淀区中关村大街28号	5	44125	13800
中关村科技贸易中心	海淀区中关村南大街32号		200000	13000
神州数码大厦	苏州街28号		34500	12500
海兴大厦	海淀区中关村西区南侧		22340	12500
豪景大厦	知春路86号	4.5	50000	12000
创富大厦	海淀区海淀南路21号	4.5—5	23000	11800
名商大厦	苏州街盛唐饭店旁		21000	11000
6000—8000元/平方米				
万泉商务花园	巴沟村南路35号		19304.42	9500
青云当代科技大厦	海淀区北三环西路41号	3.5	46000	9300
恒兴大厦	海淀区中关村东路89号(保福寺桥南200米)		37000	9200
盈都大厦	知春路西格玛大厦对面			8800
长远天地	苏州街72号		120000	8500

中关村金融走廊租盘

名称	项目地址	租价	建筑面积
6元/平方米·天以上			
中关村金融中心	海淀区中关村西区4区21号地	30美元/月(A座)	111818
5—6元/平方米·天			
海龙大厦	海淀区中关村大街1号	6.3	73000
量子芯座	知春路27号	5.8	23600
卫星大厦	海淀区知春路63号销售部	5.6	29000
航天长城大厦	海淀区海淀南路30号	5.5	41000
中蓝大厦	海淀区中关村西区1号	5.5	37300
苏州街33号公寓	海淀区苏州街33号	5.5(写字间)	18000
中关村大厦	海淀区中关村大街27号	5.5	37047
希格玛大厦	知春路49号	5.4	50000
海乾大厦	海淀区海淀南路9号	5	9000
世宁大厦	学院路35号	5	65000
四通大厦	海淀区海淀大街2号	5	9300
4—5元/平方米·天			
柏彦大厦	海淀区北四环中路238号	4.8	34970
坤讯大厦	知春路9号	4.5	17000

名称	项目地址	租价	建筑面积
量子银座	知春路23号	4.5	27632.4
泛亚大厦	知春路128号	4.2	26000
中发电子大厦	海淀区知春路132号	4—5	10000
凤凰会馆	海淀路165号	4	5034
燕山大酒店公寓	海淀区中关村南大街甲38号	4	8700
中科大厦	海淀区中关村大街22号	4	24000
3—4元/平方米·天			
海南饭店	海淀区海淀南路15号	3.8	4500
厦门商务会馆	知春路46号	3.8	
中国医药大厦	海淀区知春路20号	3.7	19325
紫金大厦	海淀区万泉河路68号	3.7	20000
大华科技商厦(A)座	海淀区中关村大街49号	3.5—3.9	1440
大华科技商厦(C座)	海淀区中关村大街49号	3.5—3.9	4625
海淀写字楼	海淀区海淀南路11号	3.5—3.8	1450
理想大厦	知春路111号	3.6	26000
北大太平洋科技发展中心	海淀区海淀路52号	3.5—4	20000
天利大厦	知春路56号	3.5—4	5100
大行基业大厦	海淀区人大北路33号大厦1301室	3.5	36000
鄂尔多斯宾馆	海淀区海淀大街甲36号	3.5	4800
知春大厦	知春路118号	3.5	38000
时代网络大厦	海淀区海淀南路19号	3.2—3.5	14000
亿方大厦	海淀区海淀南路13号	3.1	15600
鼎钧大厦	苏州街25号	3—3.5	8500
当代商城商务公寓	海淀区中关村大街40号	3	15000
开源商务写字楼	知春里28号	3	5000
青云国际研发中心	北三环西路43号	3	10000
3元/平方米·天以下			
育新大厦	海淀区海淀大街42号	2.8	10000
慎昌大厦	知春路51号	2.7	6900
中海实业大厦	知春路56号	2.6	9100
知音商务楼	海淀区知春路22号	2.5—3.2	5300
价格未定			
锦秋国际大厦	海淀区知春路6号		75000
世纪科贸大厦	海淀区中关村东路保福寺12号	未定	100000
首创拓展大厦	海淀区中关村西区10号地	未定	36133
新奥特科技大厦	海淀区中关村西区8#地	未定	40800
翠宫饭店写字楼	知春路68号	满租	6829

中关村南大街

市政成熟度：

交通发达、市政设施完善，办公物业较多、商务配套相对齐全、商务氛围较成熟。

交通状况：

中关村大街贯穿南北（四车道），分别与北三环、魏公村路（学院南路）、民族大学路、紫竹院路（西直门外大街）相交汇，交通便利性、通达性均较好，公交线路分布较广。

写字楼聚集度：

甲级写字楼、乙级写字楼、商务会馆等办公物业分布较为均匀，主要项目有：腾达大厦、方圆大厦、凯旋大厦、中电信息大厦、理工科技大厦、企图 ATT 中心、银海大厦、威地科技大厦、中关村科技发展大厦、中关村科技贸易中心、数码大厦、泛太大厦、都城科技大厦、光大国信大厦、韦伯时代中心、开源物业、中扬大厦、天昌和写字楼、苏园写字楼、百成科技楼、百合写字楼、百欣科技楼、百花苑商务大厦、湖北大厦、九龙商务中心、燕山大酒店。

楼宇品质、价位：

新项目较少，办公物业主要以出租为主，甲级写字楼的租金在 4—5.6 元/平方米 · 天之间，乙级写字楼及商务会馆的租金在 2.6—3.8 元/平方米 · 天之间。

沿线主要大型机构：

中国农业科学院、大众科学报社、中国科学技术出版社、中央民族大学、北京理工大学、中国空间技术研究院、中国机械工程研究院、北京金隅集团、解放军文艺出版社。

大型公建项目和商务配套项目：

友谊宾馆、湖北宾馆、国家图书馆、首体宾馆、紫竹院公园、首都体育馆、世纪饭店、奥林匹克饭店、北京大学口腔医院。

企（行）业聚集度：

高新技术企业为主，分布受沿线大型机构技术资源的影响明显。

中关村南大街租盘

名称	项目地址	租价	建筑面积
5—6 元/平方米 · 天			
泛太大厦	海淀区中关村南大街 12 号	5.2	34000
百花苑商务大厦	海淀区中关村南大街	4.5	5500
双天大厦	北三环西路甲 30 号	4	8000
中惠元大厦	魏公村路 8 号	4	2500
3—4 元/平方米 · 天			
千星楼	中国农业科学院	3.6	8000
泰诚商务会馆	海淀区大慧寺 8 号	3.2—3.5	4214
百合写字楼	海淀区中关村南大街 12 号	3—3.5	6292

大学科技园区

市政成熟度：

市政设施完善，交通方便。

交通状况：

大学科技园区主要集中在成府路、学院路沿线，交通条件较好。

写字楼聚集度：

北航科技园写字楼项目主要有：柏彦大厦、世宁大厦；清华科技园主要写字楼项目有：学研大厦、同方大厦、紫光大厦、创新大厦、创业大厦、科技大厦、威新国际大厦；北大科技园正在规划中。

楼宇品质、价位：

甲级写字楼较多，以出租为主，租金报价一般在3.5—5元/平方米·天之间。

沿线主要大型机构：

清华大学、北京大学、北京航空航天大学等多个高等学府以及与大学相关的科研机构。

政府规划：

高新技术转化基地，如：北航软件研发与出口基地。

企(行)业聚集度：

高新技术科研机构、企业密集，入住企业很看重大学的资源，企业本身与大学科技园的关联性很强。

写字楼市场表现：

内部资源丰富，写字楼入住率较高，租金稳定。

大学科技园售盘

名称	项目地址	租价	建筑面积	售价
5000元/平方米以上				
清华同方科技广场	海淀区五道口王庄路1号	4.5	110000	13800
财智中心	海淀区中关村路5号		62000	8000

大学科技园租盘

名称	项目地址	租价	建筑面积
5—6元/平方米·天			
东升大厦	海淀区中关村东路8号	6	55000
量子芯座	知春路27号	5.8	23600
方正大厦	海淀区成府路298号	5—5.5	51900
世宁大厦	学院路35号	5	65000
4—5元/平方米·天			
燕园资源大厦	中关村北大街151号	4.8	36000

名称	项目地址	租价	建筑面积
柏彦大厦	海淀区北四环中路238号	4.8	34970
清华科技园创新大厦	成府路与清华南路交汇处西北口	4.8	60000
清华科技园学研大厦	成府路与清华南路交汇处东北口	4.8	40000
量子银座	知春路23号	4.5	27632.4
坤讯大厦	知春路9号	4.5	17000
海淀新技术大厦	海淀区海淀镇草桥7号	4.5	57140
长城电脑大厦	学院路甲38号	4.1	16000
大地科技大厦	海淀区北四环西路67号	4	51046
方兴大厦	学院路30号	4	1000
海业商务发展中心	成府路28号	4	5000
北大太平洋科技发展中心	海淀区海淀路52号	3.5—4	20000
3元/平方米·天以下			
蓝润商厦	成府路150号蓝润大酒楼	2.8	12000
未定			
清华科技园科技大厦	清华科技园内(清华大学东门外)	未定	18000

中关村中心区其他

政府规划:

无明确规划。市政成熟度:水、电、气、暖、通讯、道路等基本完善,短期内规划整改少。

交通状况:

交通状况良好。写字楼聚集度:写字楼分布较为分散,通常分布在一些大型集团公司、事业单位、政府机构附近。

楼宇品质、价位:

写字楼品质差异性较大,甲级写字楼相对较少,乙级写字楼、商务公寓、商务会馆较多。

沿线主要大型机构:

大学院校、石油研究机构、部队机关等。大型公建项目和商务配套项目:较核心区来说比较少。

企(行)业聚集度:

同一区域中的企业相关性较强,企业入住一般看重附近大型机构资源,如政府机构、大学院校的派生企业、合作单位、集团公司的上下游企业等。

写字楼市场表现:

学院路、四环沿线写字楼项目的市场表现尚可,其余部分的项目市场表现一般。

中关村中心区其他租盘

名称	项目地址	租价	建筑面积
5—6元/平方米·天			
豪威大厦	北太平庄路25号	6	14000

名称	项目地址	租价	建筑面积
凯旋大厦	西直门外大街甲143号	6	83945
凯旋大厦	西直门外大街甲143号	6	83945
数码大厦	海淀区中关村南大街2号	5.6	235000
新时代大厦	花园路7号	5.5	19000
中电信息大厦	海淀区中关村南大街6号	5.5	44000
光大国信大厦	海淀区中关村南大街11号	5.5	15372
中关村大厦	海淀区中关村大街27号中关村大厦	5.5	37047
冠海大厦(冠成园)	冠城园8号	5	38000
理工国际教育交流大厦 北三环西路66号		5	20000
中航油大厦	马甸冠城园	5	
寰太大厦	海淀区中关村南大街甲12号5层销售部	5.2	34000
泛太大厦	海淀区中关村南大街12号	5.2	34000
4—5元/平方米·天			
高德大厦	花园东路10号	4.8	30000
京师大厦	海淀区新街口外大街19号	4.5	48500
百花苑商务大厦	海淀区中关村南大街11号	4.5	5500
方圆大厦	海淀区中关村南大街乙56号	4.5—5.5	30000
4—5元/平方米·天			
理工科技大厦	海淀区中关村南大街理工科技大厦	4.3	31000
湖北大厦	海淀区中关村南大街36号	4.2	21000
花园商务会馆	花园东路30号	4	10000
迪蒙大厦	花园路B3号	4	6500
华奥饭店	海淀区海淀大街36号	4	10000
北科大厦	西三环北路27号	4	20000
正业写字楼	新外大街2号	4	15000
华中大厦	海淀区中关村南路10号	4	9600
中扬大厦	海淀区中关村南路27号	4	10000
中惠元大厦	魏公村路8号	4	2500
3—4元/平方米·天			
科群大厦	学院南路68号	3.8	6600
三才堂写字楼	海淀区清华园三才堂丙33号	3.8	4000
海剑大厦	厂洼西路8号	3.8	24000
为公商务中心	西三环北路11号	3.8—4.2	10000
银海大厦	海淀区中关村南大街甲10号	3.6—4	17000
丹龙大厦	西三环北路厂洼街3号	3.6	10000

名称	项目地址	租价	建筑面积
通恒大厦	花园路4号盛世阳光物业管理有限公司	3.5	11000
华星大厦	海淀区西直门外小街	3.5	30128
九龙商务中心	海淀区中关村南大街48号	3.5	30000
海泰大厦	北四环中路229号	3.5	98000
嘉意写字楼	西三环中路36号	3.5	1367.5
金运大厦	西直门北大街甲43号		69000
中铁科大厦	西直门外大柳树路2号	3.5	15000
北京京磷宾馆	高梁桥斜街28号	3.5	2500
万盛商务会馆	海淀区花园路小关街120号	3.5	7208
应物会议中心	花园路6号	3.4	5000
蓟门饭店商务楼	海淀区西土城路3号	3.3	3554
泰诚商务会馆	海淀区大慧寺8号	3.2—3.5	4214
台体写字楼	西外上园村甲4号	3.2	1932
海涛创业大厦	花园路东路乙29号	3	5000
卉园大楼	皂君庙路5号	3	6200
庆亚大厦	海淀区文慧园北路8号	3	18000
百合写字楼	海淀区中关村南大街12号中国农业科学院内	3—3.5	6292
3元/平方米·天以下			
彩虹大厦	马甸桥西100米	2.6—2.8	5000
美江大厦	德胜门外大街11号	2.6—2.8	7000
信宇物业	花园北路46号	2.6	3930
开源物业	海淀区中关村南大街24号	2.5—3.2	6000
广源大厦	海淀区紫竹院路广源闸5号广源大厦	2.5—3	55000
青东大厦	海淀区车道沟1号	2.5—2.9	55000
中天大厦	西城区德胜门外大街甲5号	2.9	8114
中商信大厦	学院南路34号	2.8	6500
道隆商务会馆	花园路13号	2.7	1660
吉安大厦	学院南路68号	2.7	7000
百成科技楼	海淀区中关村南大街12号	2.6	10000
汇智楼	学院南路68号	2.6	5300
中鼎大厦	北三环西路118号	2.5	15000
银辰大厦	四道口路11号	2.4	7000
金奥华酒店	文慧园北路22号	2.4	1800
智凯大厦（方德智凯大厦）	北四环西路29号	2.3	3000
金丰和写字楼	新街口外大街8号北京皮鞋厂内	2—3.5	22000
建德商务楼	祁家豁子甲2号	2—2.8	3000

名称	项目地址	租价	建筑面积
学知轩商务楼	学清路16号	2	38000
中软大厦	学院南路55号	2	23000
贝斯坎普大厦	花园东路68号	2	7000
西环写字楼	万泉河路115号	1.9	3000
都市芳园商务会馆	二里庄南口小区5号	1.5	2100
价格待定			
城建大厦	海淀区北三环中路47号	待定	126180

中关村中心区其他售盘

名称	项目地址	租价	建筑面积	售价
11000—15000元/平方米				
皇冠大厦	海淀区西直门外小街33号		60000	14800
都城科技大厦	花园北路30号		18349	13000
华澳中心商住公寓	紫竹院路31号	3	100000	12500
银都中心	海淀区索家坟2号		210000	12500
富海中心写字楼	海淀区大柳树路17号		61500	11700
企图ATT中心	海淀区中关村南大街甲4号		50000	11000
8000—11000元/平方米				
科技财富中心	学清路108号	4.6	65779	10400
峻峰华亭	朝阳区北四环中路6号		73000	9700/11800
亿城中心	海淀区长椿桥路7号		118000	9000
6000—8000元/平方米				
德胜置业大厦	黄寺西大街21号		100000	7800
紫竹院商住楼	紫竹桥东南角		21000	7700
依都阁公寓	西直门北大街11号依都阁公寓	4.5—5	23000	7600
时代之光名苑	西直门桥向北200米路西		110000	7500/8300
华龙大厦	马甸桥东北角		65000	7500
迈豪时代	西直门北大街46号		28000	750

中关村政策区

政府规划:

没有大的整改建设规划。

市政成熟度:

水、电、气、暖、通讯、道路等基本完善,短期内规划整改较少。

交通状况:

西三环、西四环、永定路、西翠路、万寿路、三里河路贯穿其中,东西有阜成路、车公庄西路、复兴路、莲花池路相通,并有1号地铁线和规划中的9号线通过,交通便捷。

写字楼聚集度：

写字楼比较分布比较分散，主要项目有：定慧兴盛楼、长安西点、裕慧大厦、信弘大厦、国图文化大厦、华通大厦、牛顿办公区、国兴大厦、中建大厦、金玉大厦、甘家口大厦、益泰大厦、世纪经贸大厦、翠微大厦、华宝大厦、海天广场、中雅大厦、华奥中心、华天大厦、白云时代大厦、嘉豪国际中心等。

楼宇品质、价位：

写字楼品质差异较大，在租项目租金在3.5—5.8元/平方米·天之间，新建销售项目售价在7500—12000元/平方米之间。

沿线主要大型机构：

香格里拉饭店、五矿集团、首都师范大学、紫玉饭店、北京外国语大学、国家外汇管理局、科学技术部、军事博物馆、北京铁路局、中央电视台等。

大型公建项目和商务配套项目：

动物园、紫竹花园（住宅）、西苑饭店、新疆维吾尔自治区驻京办事处、建设测绘局、钓鱼台国宾馆、中华世纪坛、玉渊潭公园、空军总医院、解放军304医院、解放军307医院。

企（行）业聚集度：

通常相近地区的企业相关性较强，企业入住一般看重就近资源，如政府机构、大学院校的派生企业、合作单位、集团公司的上下游企业等。

中关村政策区售盘

名称	项目地址	租价	建筑面积	售价
11000—15000元/平方米				
西金大厦	海淀区什坊院3号	8（商铺）	38181	14500
国兴大厦	海淀区首体南路22号	5.5	41000	14500
海天中心	海淀区羊坊店路30号		260000	13500（写字楼）
世纪经贸大厦	西三环北路72号		30000	12000
8000—11000元/平方米				
新洲商务大厦	海淀区阜成路58号	3.5	30000	9500
华宝大厦	丰台区莲花池西里18号		20000	8800
豪柏国际公寓	紫竹桥西100米		100000	8800
牛顿办公区	车道沟桥西南角		47000	8600
嘉豪国际中心	车道沟桥西南角嘉豪国际中心售楼处		100000	8500
中雅大厦	北蜂窝路8号			8380
6000—8000元/平方米				
华天大厦	莲花池东路小马厂		64000	7800
北京印象	航天桥西1500米		12000	7777
长安西点	永定路口向南100米		69000	7500

中关村政策区租盘

名称	项目地址	租价	建筑面积
6元/平方米·天以上			
腾达大厦	西外大街168号	6.9	88324
新世纪饭店写字楼	首体南路6号	21/美元/月	13500
5—6元/平方米·天			
金玉大厦	海淀区西三环北路100号	5.8	96000
益泰大厦	北洼路4号	5	8000
5—6元/平方米·天			
金玉大厦	海淀区西三环北路100号	5.8	96000
益泰大厦	北洼路4号	5	8000
4—5元/平方米·天			
中建大厦	海淀区三里河路15号	4.8	80146
裕惠大厦	海淀区阜成路73号	4.3	36000
双天大厦	北三环西路甲30号	4(使用)	8000
天行建商务大厦	海淀区复兴路47号	4	54000
3—4元/平方米·天			
华通大厦A座	车公庄西路甲19号	3.6—3.7	17000
信弘大厦	车道沟8号	3.5	8000
国图文化大厦	海淀区西三环北路91号	3.5	12000
建筑大厦	翠微路10号建筑大厦31	3.2—3.6	11847
洲际华侨酒店	西外大街新兴东巷甲15号	3.2	11000
甘家口大厦	海淀区三里河路17号	3	50000
豪轩写字楼	复兴路乙24号	3	3534
3元/平方米·天以下			
中裕商务花园	阜成路42号	2.7	30000
北盛商务中心	海淀区大慧寺路22号	2.5	1097
裕兴大厦	德外大街97号	2.4	5400
恩济大厦	海淀区西八里庄亮甲店130号	2.3	12000
肇麟大厦	莲花池东路132号	2.2	9600
环海写字楼	西直门内大街后广平胡同5号	1.7	2700
京门大厦	北京市海淀区羊坊店路9号		160000

中关村政策区租盘

蓝慧大厦	海淀区定慧北里23号		
京吉大厦	交大东路17号	20000/间/年	
麦伦写字楼	西城区新风北街6号	1600/月/间	3000

上 地 区

政府规划:

高新技术企业研发基地、信息产业基地。

市政成熟度:

水、电、气、暖、通讯、道路等基本完善,新建区市政供应正在形成。

交通状况:

由上地地区通往南部地区的主要干道数量较少,13 号轻轨的开通能够缓解一部分交通压力,但南北向交通有待进一步改善,公交路线较少。

写字楼聚集度:

上地共有办公物业 36 个:上地数码科技大厦、时代集团大厦、先锋大厦、研华科技大厦、玉景公寓大厦、中黎园科技大厦、彩虹大厦、辰光大厦、得实大厦、东方电子科技大厦、富地大厦、高立二千大厦、国际科技创业园 C1、国际科技创业园 C2、华成大厦、华胜大厦、金辉科技大厦、金隅科技大厦、金远见大厦、康得大厦、科贸大厦、科实大厦、鲁能科技大厦、南天信息大厦、上地大厦、汇众科技大厦、瑞宝大厦、中关村创业大厦、中关村生物医药大厦、福道大厦、昊海大厦、上地信息大厦、华环大厦、盈创动力、数字传媒大厦、首创空间等,其中市场化操作、写字楼功能定位的办公物业不足 1/3,其余均为孵化器或自建物业。

楼宇品质、价位:

以乙级写字楼、商务公寓为主,体量小、品质一般,租金为 1.5—2.6 元/天/平方米·天。2003 年以来,品质较高、体量较大、档次较高的写字楼相继建成,5500—7600 元/平方米之间的售价相比中关村中心区很有优势,租金在 2.5—3.5 元/平方米·天之间。

沿线主要大型机构:

中关村软件园以及联想集团等众多本土成长的大型民营高科技企业。

大型公建项目和商务配套项目:

普通住宅、银行、餐饮、医院、学校等配套设施相对中关村核心区较少。

企(行)业聚集度:

高新技术研发类企业聚集地,中关村软件园为国家级软件产业基地。

写字楼市场表现:

市场表现较好。

上 地 售 盘

名称	项目地址	租价	建筑面积	售价
6000—8000 元/平方米				
上地国际科技创业园	上地信息路 1 号	1.5—1.8	160000	7500
总部基地	丰台科学城海鹰路 1 号		1060000	6600
科实大厦	上地环岛东南角		87000	6300
未定				
首创空间	上地中关村软件园 D-R6 地块		20800	

上地租盘

名称	项目地址	租价	建筑面积
3—4元/平方米·天			
上地数码科技大厦	上地信息路22号	3.8—4.8	14000
汉王科技研发基地	上地中关村软件园B-R20	3.6	23267
得实大厦	上地东路9号	3.5	37300
鲁能科技大厦	上地六街1号	3.2—3.3	18800
汇众科技大厦	上地7街1号	3.2	13161.7
南天信息大厦	上地信息路10号	3.1	15544.7
晨光物业	海淀区东北旺马连洼武警印厂	3	3000
东方电子科技大厦	上地信息科贸大厦二楼	3	35400
瑞宝大厦	上地5街	3	20000
上地大厦	上地信息路30号	3	12000
上地信息大厦	上地信息路28号	3	19900
时代集团	上地信息路17号	1.6—3	27000
3元/平方米·天以下			
富地大厦	上地安宁庄西路9号	2.8	26700
上地科贸大厦	海淀区上地信息产业基地	2.3	16947
怡美商务会所	海淀区清河安宁庄西路15号	1.8	4460
辰光大厦	上地信息路8号	2.8	21000
高立二千大厦	上地5街5号	2.8	6409
彩虹大厦	上地信息路11号	2.5	30000
福道大厦	上地开拓路11号	2.5	11000
华环大厦	上地六街26号	2.5	6300
康得大厦	上地大街17号	2.5	18074
清河大厦	小营西路20号	2.5	13000
先锋大厦	上地开拓路7号	2.5	11597.6
中关村创业大厦	上地信息中路32号	2.5	22118
研华科技大厦	上地6街7号	2.3	8700
华胜大厦	上地五街18号	2	7127.4
金辉科技大厦	上地创业路17号	2	20000
华成大厦	上地四街八号	1.8	1600
玉景公寓大厦	上地中路19号北京实创科技园	1.4	27000
金达园写字楼	西三旗环岛向北400米路西	1.2	4800
3元/平方米·天以下其他区域			
豪力大厦	亦庄开发区	3	20000
北控科技大厦	昌平科技园区白浮泉路10号	1.7(精装) 1.5(粗装)	20000

6.3 园区关于企业买房和买地盖房支持性措施

• 以自筹资金新建技术开发的生产、经营性用房,自1988年起,5年内免征建筑税。

——《北京市新技术产业开发试验区暂行条例》(京政发[1988]49号)第5条

• 研发机构需要使用建设用地,优先安排建设用地指标,按重点工程用地优先办理手续;未列入当年建设用地计划指标的,可以追加和调剂解决;对用地项目应征收的管理费,按现行标准减半收取。

——《北京市关于扩大对内开放促进首都经济发展的若干规定》(京政发[2002]12号)第7条

• 对经认定在国家及市政府批准建立的开发区内直接以出让方式取得土地并用于高新技术成果转化项目的高新技术企业,其土地使用权出让金按75%征收,城市基础设施"四源费"和市政公用设施建设费减半征收。高新技术企业用于经认定的重大高新技术成果转化项目的新增用地,免征土地使用权出让金及该项目的城市基础设施"四源费",减半征收市政公用设施建设费。但如改变土地使用性质或用于非高新技术成果转化项目,须全额补交减免费用。

——《北京市关于进一步促进高技术产业发展的若干规定》(京政发[2001]38号)第19条

• 在京设立的研发机构,其符合条件的科技成果转化项目可列入本市科技计划,给予适当的科技经费支持。研发机构需要使用建设用地,优先安排建设用地指标,按重点工程用地优先办理手续;未列入当年建设用地计划指标的,可以追加和调剂解决;对用地项目应征收的管理费,按现行标准减半收取。

——《北京市关于扩大对内开放促进首都经济发展的若干规定》(京政发[2002]12号)第7条

• 市财政安排资金,对来京投资企业一次性购买1000平方米以上(含1000平方米)商品房用于办公、经营的,按缴纳契税税款的50%给予支持。

——《北京市关于扩大对内开放促进首都经济发展的若干规定》(京政发[2002]12号)第23条

• 鼓励高等院校、科研机构、国内外企业和个人在京投资兴办软件企业或兴建软件园,其建设项目所需用地,凡以出让方式取得土地使用权,可免交土地出让金。企业在转让土地使用权、改变土地使用性质或被取消软件企业资格时，应按规定补交全部土地出让金。政府有关部门在规划、立项、可行性研究等方面提前介入，主动提供服务。

——《北京市关于鼓励投资软件产业和集成电路产业发展的若干政策》(京政发[2001]4号)第7条

• 土地由合资、合作或者独资企业直接以出让方式取得的，其出让金按75%征收，需缴纳的城市基础设施“四源”建设费和大市政费，减半征收。

——《北京市鼓励外商投资高新技术产业的若干规定》(京政发[1997]14号)第5条

• 高新技术企业受让国有土地使用权，从事高新技术产业研究和生产项目的，按照有关优惠政策执行。

——《中关村科技园区土地一级开发暂行办法》(京政办发[2002]16号)第13条

• 外商投资企业在合同规定的筹建期(含基建期，下同)内，按核定的标准缴纳20%的土地使用费。经市财政局批准，生产型企业在规定的筹建期内可免缴土地使用费。

——《北京市征收外商投资企业土地使用费规定》(北京市人民政府令1992年第13号)第6条

• 华侨、台湾同胞投资的企业，分别凭市侨务办公室、市对台办公室的批准证明，经财政部门批准，可按核定的标准减收20%至30%的土地使用费。

——《北京市征收外商投资企业土地使用费规定》(北京市人民政府令1992年第13号)第7条

• 产品出口企业和先进技术企业经考核达到标准的，经市财政局批准，可按核定的标准减收10%至30%的土地使用费。

——《北京市征收外商投资企业土地使用费规定》(北京市人民政府令1992年第13号)第8条

• 政府以划拨方式为集成电路企业提供“七通一平”(通路、上水、雨污水、电力、通讯、煤气、热力和平整)的土地，使用期限为30年。在使用期限内，企业不得改变土地使用性质，不得转让、抵押。企业以出让方式取得土地使用权，可免交土地出让金，企业在转让土地使用权、改变土地使用性质或被取消集成电路企业资格时，应按规定补交全部土地出让金。

——《北京市人民政府印发关于贯彻国务院鼓励软件产业和集成电路产业发展若干政策实施意见的通知》(京政发[2001]4号)第35条

• 产品出口企业和先进技术企业经考核达到标准的，经市财政局批准，可按核定的标准减收10%至30%的土地使用费。

——《关于重新制定北京市外商投资企业土地使用费标准的意见》(京政发[2001]74号)第14条

§7. 注册内外资企业的条件和程序

7.1 申请设立有限责任公司应当具备的条件

有限责任公司是指依据《公司法》设立,股东以其出资额为限对公司承担责任,公司以其全部资产对公司的债务承担责任的企业法人。

7.1.1 申请设立有限责任公司应当具备的条件

(1) 股东符合法定个数(股东人数应为1个以上(含1个),50个以下(含50个));

(2) 股东出资达到法定资本最低限额(见《公司法第26条》);

(3) 股东共同制定公司章程;

(4) 有公司名称,建立符合有限责任公司要求的组织机构;

(5) 有固定的生产经营场所和必要的生产经营条件。

——依据《公司法》第二章

7.1.2 申请有限责任公司设立登记应提交的文件、证件

(1)《企业设立登记申请书》(内含《企业设立登记申请表》、《投资者名录》、《投资者注册资本缴付情况》、《法定代表人登记表》、《董事会成员、经理、监事任职证明》、《企业住所证明》等表格);

(2) 公司章程(提交打印件一份,请全体股东亲笔签字;有法人股东的,要加盖该法人单位公章);

(3) 以货币方式出资的,提交法定验资机构出具的验资报告;以非货币方式出资的,必须采取分期缴付方式,先入资货币部分,然后提交全部非货币出资的评估报告,及非货币出资的财产转移报告(涉及国有资产评估的,应提交国有资产管理部门的确认文件);

(4)《名称(变更)预先核准申请书》及《企业名称预先核准通知书》、《预核准名称投资人名录表》,及其他名称预先登记材料;

(5) 股东资格证明;

(6)《指定(委托)书》;

(7)《企业秘书(联系人)登记表》;

(8) 经营范围涉及前置许可项目的,应提交有关审批部门的批准文件;在中关村园区登记注册的企业申请不具体核定经营项目的应提交承诺书。

除上述必备文件外,还应提交打印的股东名录和董事、经理、监事成员名录各一份。

7.2 申请设立股份有限公司应当具备的条件

股份有限公司是指其全部资本分为等额股份,股东以其所持股份为限对公司承担责任,公司以其全部资产对公司的债务承担责任的一种形式。

7.2.1 申请设立股份有限公司应当具备的条件

(1) 发起人符合法定人数(一般为 2 人以上,200 人以下,其中有半数以上的发起人在中国境内有住所);

(2) 发起人认缴和社会公开募集的股本达到法定资本最低限额(500 万元);

(3) 股份发行、筹办事项符合法律规定;

(4) 发起人制订公司章程,采用募集方式设立的经创立大会通过;

(5) 有公司名称,建立符合股份有限公司要求的组织机构;

(6) 有固定的生产经营场所和必要的生产经营条件。

——依据《公司法》第四章

7.2.2 申请股份有限公司设立登记应提交的文件、证件

(1)《企业设立登记申请书》(内含《企业设立登记申请表》、《投资者名录》、《法定代表人登记表》、《投资者注册资本缴付情况》、《董事会成员、经理、监事任职证明》、《企业住所证明》等表格);

(2) 募集设立的股份有限公司还应提交国务院证券管理部门的批准文件;

(3) 募集设立的股份有限公司还应提交创立大会的会议记录或创立大会决议(附董事会、监事会决议);

(4) 公司章程(提交打印件一份,请全体股东亲笔签字;有法人股东的,要加盖该法人单位公章);

(5) 发起人的法人资格证明或者自然人身份证明;

(6) 依法设立的验资机构出具的验资证明,国有股权管理批准文件(含国有股权的提交);

(7)《名称(变更)预先核准申请书》及《企业名称预先核准通知书》、《预核准名称投资人名录表》,

(8)《指定(委托)书》;

(9)《企业秘书(联系人)登记表》;

(10) 经营范围涉及前置许可项目的,应提交有关审批部门的批准文件;在中关村园区登记注册的企业申请不具体核定经营项目的应提交承诺书;

(11) 国家工商行政管理总局规定提交的其他文件。

除上述必备文件外,还应提交打印的股东名录和董事、经理、监事成员名录各一份。

7.3 申请设立合伙企业应当具备的条件

合伙企业,是指在中国境内设立的由各合伙人订立合伙协议,共同出资、合伙经营、共享收益、共担风险,并对合伙企业债务承担无限连带责任的营利性组织。

7.3.1 申请设立合伙企业应当具备的条件

(1) 有2个以上合伙人,并且都是依法承担无限责任者(合伙人应当为具有完全民事行为能力的人);

(2) 有书面合伙协议;

(3) 有各合伙人实际缴付的出资;

(4) 有合伙企业的名称;

(5) 有经营场所和从事合伙经营的必要条件。

——依据《中华人民共和国合伙企业法》第二章

7.3.2 申请合伙企业设立登记应提交的文件、证件

(1)《企业设立登记申请书》(内含《企业设立登记申请表》、《投资者名录》、《企业住所证明》等表格);

(2) 全体合伙人的身份证明;

(3)《指定(委托)书》;

(4) 合伙协议;

(5) 出资权属证明;

(6)《名称预先核准申请书》、《企业名称预先核准通知书》及《预核准名称投资人名录表》;

(7) 合伙协议约定或者全体合伙人决定,委托一名或者数名合伙人执行合伙企业事务的,还应当提交全体合伙人签署的委托书;

(8)《企业秘书(联系人)登记表》;

(9) 经营范围涉及前置许可项目的,应提交有关审批部门的批准文件;在中

关村园区登记注册的企业申请不具体核定经营项目的应提交承诺书。

7.4 申请设立一人有限责任公司应当注意的事项

7.4.1 一个自然人股东或一个法人股东可以投资设立一人有限责任公司。一个自然人只能设立一个一人有限责任公司

7.4.2 一人有限公司的注册资本最低限额为人民币 10 万元,股东应一次足额交纳公司章程规定的出资额。

7.5 内资企业设立申办流程

申办流程包括:工商局核名—领取名称核准单—到指定银行入资—会计师事务所验资—递交设立申请—领取营业执照(工商所备案)(参阅如下流程图)。

7.6 申请设立中外合资经营企业应当具备的条件及提交的材料

中外合资企业是指外国公司、企业和其他经济组织或者自然人,按照平等互利的原则,经中国政府批准,在中华人民共和国境内,同中国的公司、企业或其他经济组织共同举办的中外合资企业。

7.6.1 申请设立中外合资企业应当具备的条件

(1) 出资人由外方的企业和其他经济组织或者自然人与中外方的企业和其他经济组织组成;

(2) 从事高新技术领域项目的研究与开发,高新技术产品的生产;

(3) 中外合资经营企业的注册资本要与其经营规模相适应,一般不低于 20 万美元,已经取得外国国籍或永久居留权的留学人员设立的合资企业最低注册资本可以等同于 10 万元人民币;注册资本与投资总额的比例应当符合中国的有关规定。在合营企业的注册资本中,外国合营者的投资比例一般不低于 25%。合营各方按注册资本比例分享利润和分担风险及亏损。合营者的注册资本如果转让必须经合营各方同意。

——参照《中华人民共和国中外合资经营企业法》

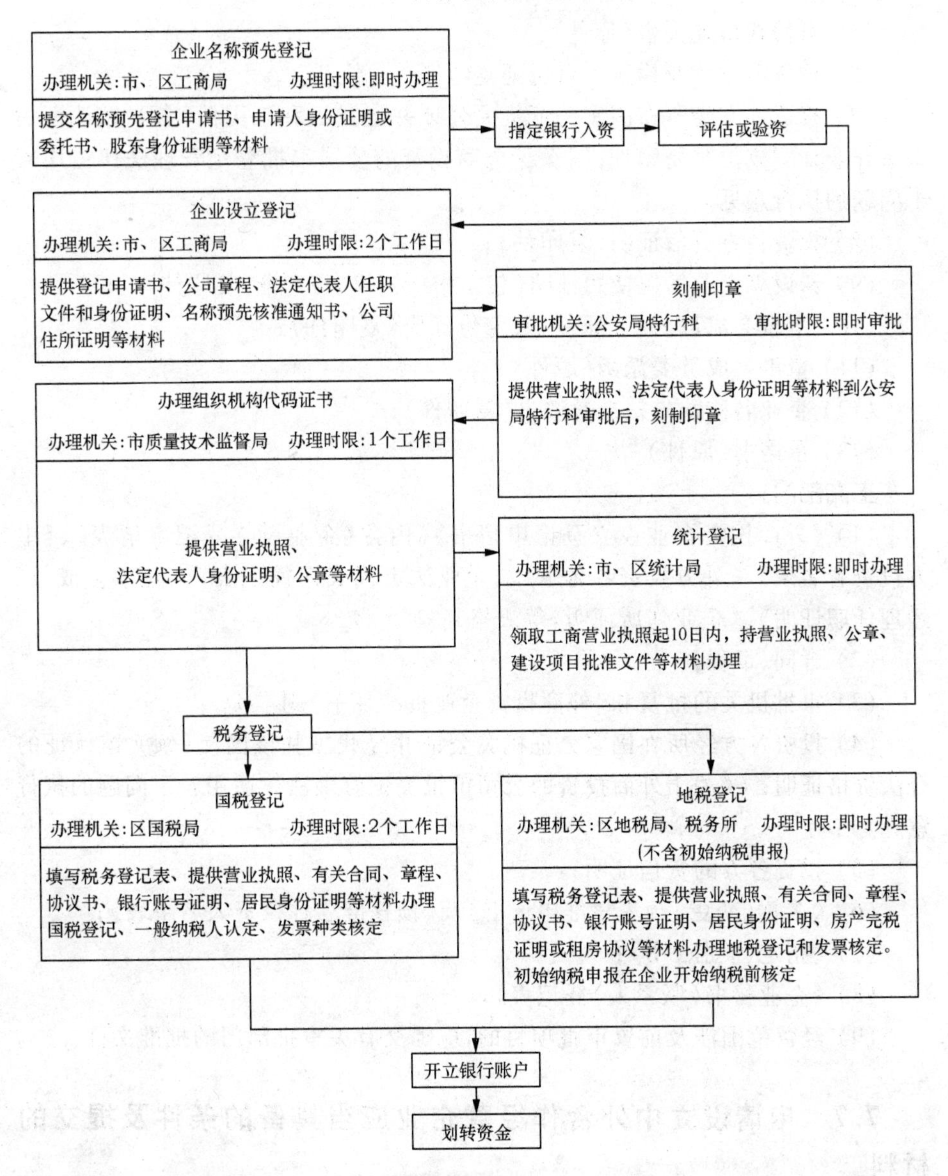

7.6.2 须提交的基本文件、材料

商务部门:

(1) 立项的请示(原件);

（2）合资意向书（原件）；

（3）合资企业合同（原件）；

（4）合资企业章程（原件）；

（5）可行性研究报告（原件）；

（6）投资中方营业执照或身份证复印件；

（7）投资外方经所在国家公证机关公证并经我国驻该国使（领）馆认证的合法开业证明或护照复印件；（《关于外商投资的公司审批登记管理法律适用若干问题的执行意见》）

（8）投资各方资信证明（复印件）；

（9）新设立企业房屋使用证明（包括租房协议、房产证，复印件）；

（10）董事会成员名单（原件）及身份证明（复印件）；

（11）董事会成员委派函（原件）；

（12）企业名称预先核准通知书（复印件）；

（13）承诺书（原件）。

工商部门：

（1）《外商投资企业设立登记申请书》（内含《企业设立登记申请表》、《中方投资者名录》、《外方投资者名录》、《企业法定代表人登记表》、《董事会成员、经理任职证明》、《企业住所证明》等表格）；

（2）合同、章程；

（3）审批机关的批复和《外商投资企业批准证书》副本1；

（4）投资各方经所在国家公证机关公证并经我国驻该国使（领）馆认证的合法资格证明；（《关于外商投资的公司审批登记管理法律适用若干问题的执行意见》）；

（5）投资各方的资信证明；

（6）《名称（变更）预先核准申请书》及《预核准名称投资人名录表》；

（7）《指定（委托）书》；

（8）《企业秘书（联系人）登记表》；

（9）经营范围涉及前置审批项目的，应提交有关审批部门的批准文件。

7.7 申请设立中外合作经营企业应当具备的条件及提交的材料

中外合作经营企业是指外国公司、企业和其他经济组织或自然人，按照平等互利的原则，经中国政府批准，在中国境内，同中国的公司、企业或其他经济组织共同举办的合作经营的企业。

7.7.1 申请设立中外合作经营企业应当具备的条件

(1) 申请人包括外国的企业和其他经济组织或者自然人与中外方的企业和其他经济组织组成;

(2) 从事高新技术领域项目的研究与开发,高新技术产品的生产;

(3) 中外合作经营企业的注册资本要与其经营规模相适应,一般不低于20万美元,已经取得外国国籍或永久居留权的留学人员创办的合作企业最低注册资本可等同于10万元人民币;注册资本与投资总额的比例应当符合中国的有关规定。在注册资本中,外国合作者的投资比例一般不低于25%。合作各方可协商确定比例分享利润和分担风险及亏损。

——参照《中华人民共和国中外合作经营企业法》

7.7.2 须提交的基本文件、材料

商务部门:

(1) 立项的请示(原件);

(2) 合资意向书(原件);

(3) 合资企业合同(原件);

(4) 合资企业章程(原件);

(5) 可行性研究报告(原件);

(6) 投资中方营业执照或身份证复印件;

(7) 投资外方经所在国家公证机关公证并经我国驻该国使(领)馆认证的合法开业证明或护照复印件(依据《关于外商投资的公司审批登记管理法律适用若干问题的执行意见》);

(8) 投资各方资信证明(复印件);

(9) 新设立企业房屋使用证明(包括租房协议、房产证复印件);

(10) 董事会成员名单(原件)及身份证明(复印件);

(11) 董事会成员委派函(原件);

(12) 企业名称预先核准通知书(复印件);

(13) 在中关村园区登记注册的企业申请不具体核定经营项目的应提交承诺书。

工商部门:

(1)《外商投资企业设立登记申请书》(内含《企业设立登记申请表》、《中方投资者名录》、《外方投资者名录》、《企业法定代表人登记表》、《董事会成员、经理任职证明》、《企业住所证明》等表格);

(2) 合同、章程;

(3) 审批机关的批复和《外商投资企业批准证书》副本1;

(4) 投资各方的合法资格证明;

(5)《名称(变更)预先核准申请书》及《预核准名称投资人名录表》,

(6)《指定(委托)书》;

(7)《企业秘书(联系人)登记表》;

(8) 经营范围涉及前置审批项目的,应提交有关审批部门的批准文件。

7.8 申请设立外商独资企业应当具备的条件及提交的材料

外商独资企业是指外国的企业和其他经济组织或者个人在中国境内设立的外资企业。

7.8.1 申请设立外商独资企业应当具备的条件

(1) 申请人为外国的企业和其他经济组织或者自然人;

(2) 从事高新技术领域项目的研究与开发,高新技术产品的生产;

(3) 外资企业的注册资本要与其经营规模相适应,一般不低于15万美元,已经取得外国国籍或永久居留权的留学人员创办的外资企业最低注册资本可等同于10万元人民币;注册资本与投资总额的比例应当符合中国的有关规定。

——参照《中华人民共和国外资企业法》

7.8.2 须提交的基本文件、材料

商务部门:

(1) 申请书(原件);

(2) 可行性研究报告(原件);

(3) 企业章程(原件);

(4) 董事会成员委派函(原件)(签字);

(5) 董事会成员身份证明(复印件);

(6) 投资者经所在国家公证机关公证并经我国驻该国使(领)馆认证的合法开业证明(复印件)(依据《关于外商投资的公司审批登记管理法律适用若干问题的执行意见》);

(7) 投资者资信证明(一般为银行出具);

(8) 新设立公司房产使用证明(含租房协议、房产证复印件);

(9) 企业名称预先核准通知书(复印件);

(10) 在中关村园区登记注册的企业申请不具体核定经营项目的应提交承诺书。

工商部门:

(1)《外商投资企业设立登记申请书》(内含《企业设立登记申请表》、《外方投资者名录》、《企业法定代表人登记表》、《董事会成员、经理任职证明》、《企业住所证明》等表格);

(2)企业章程;

(3)审批机关的批复和《外商投资企业批准证书》副本1;

(4)投资方经所在国家公证机关公证并经我国驻该国使(领)馆认证的合法资格证明(依据《关于外商投资的公司审批登记管理法律适用若干问题的执行意见》);

(5)《名称预先核准申请书》及《企业名称预先核准通知书》、《预核准名称投资人名录表》;

(6)《指定(委托)书》;

(7)《企业秘书(联系人)登记表》;

(8)经营范围涉及前置审批项目的,应提交有关审批部门的批准文件。

7.9 外商投资企业投资总额与注册资本的比例

投资总额300万美元以下,注册资本不低于总投资的7/10;

投资总额300—1000万美元,注册资本不低于总投资的1/2(最低不少于210万美元);

投资总额1000—3000万美元,注册资本不低于总投资的2/5;

投资总额3000万美元以上,注册资本不低于1/3(最低不少于1200万美元)。

——依据《国家工商行政管理局关于中外合资经营企业注册资本与投资总额比例的暂行规定》

7.10 外资企业的办理程序

办理程序包括:名称预先核准——起草申报文件、填制申报表格——报商务部门审批可行性报告、合同、章程、董事会组成——到北京市技术监督局预领企业组织机构代码——办理外商投资企业批准证书——办理工商营业执照。(参阅如下流程图)

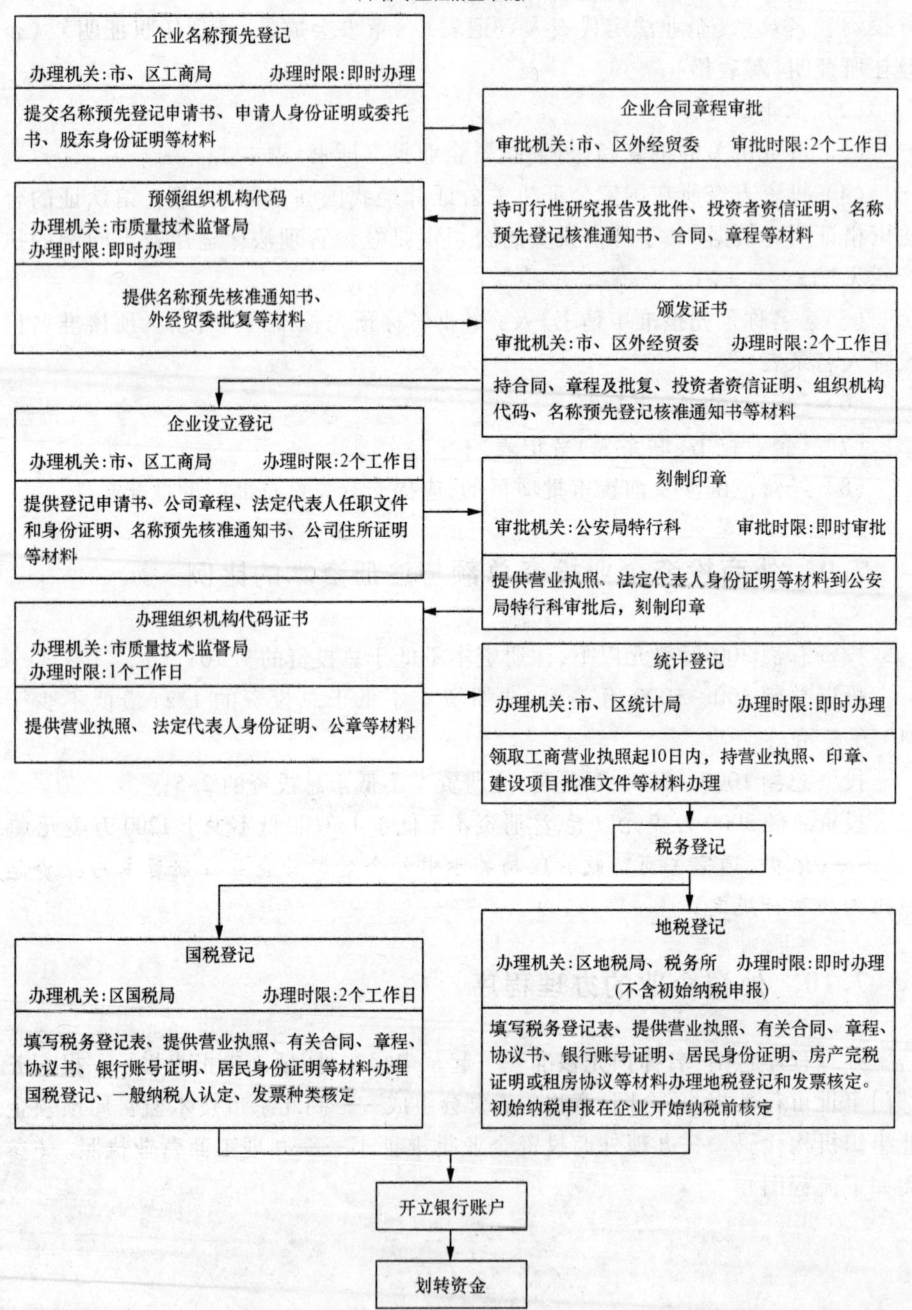
外资企业创办流程图
(不含专业性前置审批)
企业名称预先登记
办理机关:市、区工商局 办理时限:即时办理
提交名称预先登记申请书、申请人身份证明或委托书、股东身份证明等材料
企业合同章程审批
审批机关:市、区外经贸委 审批时限:2个工作日
持可行性研究报告及批件、投资者资信证明、名称预先登记核准通知书、合同、章程等材料
预领组织机构代码
办理机关:市质量技术监督局
办理时限:即时办理
提供名称预先核准通知书、外经贸委批复等材料
颁发证书
审批机关:市、区外经贸委 办理时限:2个工作日
持合同、章程及批复、投资者资信证明、组织机构代码、名称预先登记核准通知书等材料
企业设立登记
办理机关:市、区工商局 办理时限:2个工作日
提供登记申请书、公司章程、法定代表人任职文件和身份证明、名称预先核准通知书、公司住所证明等材料
刻制印章
审批机关:公安局特行科 审批时限:即时审批
提供营业执照、法定代表人身份证明等材料到公安局特行科审批后，刻制印章
办理组织机构代码证书
办理机关:市质量技术监督局
办理时限:1个工作日
提供营业执照、法定代表人身份证明、公章等材料
统计登记
办理机关:市、区统计局 办理时限:即时办理
领取工商营业执照起10日内，持营业执照、印章、建设项目批准文件等材料办理
税务登记
国税登记
办理机关:区国税局 办理时限:2个工作日
填写税务登记表、提供营业执照、有关合同、章程、协议书、银行账号证明、居民身份证明等材料办理国税登记、一般纳税人认定、发票种类核定
地税登记
办理机关:区地税局、税务所 办理时限:即时办理
(不含初始纳税申报)
填写税务登记表、提供营业执照、有关合同、章程、协议书、银行账号证明、居民身份证明、房产完税证明或租房协议等材料办理地税登记和发票核定。初始纳税申报在企业开始纳税前核定
开立银行账户
划转资金

§8. 初设企业如何入资、开户及办理期限

入资:新设内资企业应在名称核准后、递交设立申请前,持《企业名称预先核准通知书》、股东身份证明到工商局指定银行办理入资手续。

入资方式:可采取(1)支票直接入资(目前只限单位出资);(2)现金直接入资(只限个人出资);(3)个人存折入资;(4)汇款方式入资(单位、个人均可)等。

新设外商投资企业在名称核准后、递交设立申请前,不需同内资企业一样,到工商局指定银行办理入资手续。只需在领取营业执照后,企业在银行设立账户,按照合同、章程约定日期把入资款打入企业账户即可。

开户:

(1)内资企业设立后应在办理了企业组织机构代码、地税、国税登记证后,就近选择一家银行开立企业基本账户(可提现金账户),如业务需要也可在其他银行开立一般账户(转账账户),但基本账户只能开立一个。

(2)外商投资企业可设立人民币账户、外汇账户。

开立人民币账户同内资企业,在企业设立后办理了企业组织机构代码、地税、国税登记证后,就近选择一家银行开立企业基本账户(可提现金账户),如业务需要也可在其他银行开立一般账户(转账账户),但基本账户只能开立一个。

开立外汇账户(外汇资本金账户)除上述手续外,还需到国家外汇管理局北京外汇管理部办理外汇登记证、资本项目外汇业务核准件后,七日内到一家设有外币业务的银行开立外汇资本金账户(投资外方资本金打入的账户)。

开立外汇账户(经常项目外汇账户)在企业有了对外经营外汇业务,可直接到银行开立经常项目外汇账户,然后到国家外汇管理局北京外汇管理部办理相关的备案手续即可。

办照时限:企业设立登记自受理之日起5个工作日领取《营业执照》,留学人员企业持"快办单"3个工作日即可领取《营业执照》;

外商投资企业合同、章程审批及办理《外商投资企业批准证书》5个工作日;

企业组织机构代码3个工作日(外资1个工作日);国税登记5个工作日;地税登记当日办理;

外汇登记证、资本项目外汇业务核准件20个工作日。

§9. 新技术企业认定及年审

9.1 高新技术企业认定的条件

根据市科委关于《北京市高新技术企业认定条件及管理办法》,符合下列条件的可以申请高新技术企业资格认定:

高新技术及其产品的范围:

(1) 电子与信息技术;

(2) 生物工程和新医药技术;

(3) 新材料及应用技术;

(4) 先进制造技术;

(5) 航空航天技术;

(6) 现代农业技术;

(7) 新能源与高效节能技术;

(8) 环境保护新技术;

(9) 海洋工程技术;

(10) 核应用技术;

(11) 与上述十大领域配套的相关技术产品,以及适合首都经济发展特点的其他高新技术及其产品。

高新技术企业认定的条件:

(1) 从事规定范围内的一种或多种高新技术及其产品的研究开发、生产和技术服务;单纯的商业贸易除外。

(2) 具有企业法人资格。

(3) 具有大专以上学历的科技人员占企业职工总数的30%以上,其中从事高新技术产品研究开发的科技人员应占企业职工总数10%以上。从事高新技术产品生产或服务为主的劳动密集型高新技术企业,具有大专以上学历的科技人员应占企业职工总数的20%以上。

(4) 企业每年用于高新技术及其产品研究开发的经费应占本企业当年总销售额的5%以上。

(5) 高新技术企业的技术性收入与高新技术产品销售收入的总和应占本企业当年总收入的60%以上;新办企业在高新技术领域的投入占总投入60%以上。

（6）企业的主要负责人应是熟悉本企业产品研究、开发、生产和经营，并重视技术创新的本企业专职人员。

申请认定高新技术企业需提交的材料：

（1）《北京市高新技术企业认定申请登记表》（含法定代表人简历、专职科技人员登记表、高新技术及产品申请登记表）；

（2）企业营业执照副本复印件；

（3）企业章程复印件；

（4）企业科技人员学历或职称证明复印件；

（5）企业业务可行性分析报告；

（6）高新技术及产品有关证明文件（技术说明书、鉴定证书、专利证书、检测报告、知识产权证明等）。

申请认定程序：

申请认定的企业可通过指定网站填报《北京市高新技术企业认定申请书》及相关材料，也可向各园区管委会提出申请，经园区管委会审核认定后，由市科委颁发《高新技术企业认定证书》；中关村科技园区外高新技术企业的认定，须向企业工商注册所在地的区县科委提出申请，经区县科委审核后，报市科委批准并颁发《高新技术企业认定证书》。

除通过网上认定外，还可到各园一站式办公场所申请认定。

相关网站：

海淀园（www.zhongguancun.com.cn）

丰台园（www.zgc-ft.gov.cn）

昌平园（www.zgc-cp.gov.cn）

电子城科技园（www.zgc-dzc.gov.cn）

亦庄科技园（www.zgc.gov.cn）

德胜园（www.zgc-ds.gov.cn）

健翔园（www.zgc-jxy.gov.cn）

9.2 高新技术企业资格年审

市科委会同各园区管委会、区县科委对经认定的高新技术企业每两年进行资格复审，每两年换发一次《高新技术企业认定证书》。不合格者，取消其高新技术企业资格。

——依据北京市科委关于《北京市高新技术企业认定条件及管理办法》

§10. 软件企业和软件产品认定的条件和程序

10.1 软件企业和软件产品认定的条件

(1) 在本市行政区域内依法设立的企业法人；

(2) 以计算机软件开发生产、系统集成、应用服务和其他相应技术服务为其经营业务和主要经营收入；

(3) 具有一种以上由本企业开发或由本企业拥有知识产权的软件产品，或者提供通过资质等级认定的计算机信息系统集成等技术服务；

(4) 从事软件产品开发和技术服务的技术人员占企业职工总数的比例不低于50%；

(5) 具有从事软件开发和相应技术服务等业务所需的技术装备和经营场所；

(6) 具有软件产品质量和技术服务质量保证的手段与能力；

(7) 软件技术及产品的研究开发经费占企业年软件收入8%以上；

(8) 年软件销售收入占企业年总收入的35%以上，其中，自产软件收入占软件销售收入的50%以上；

(9) 企业产权明晰，管理规范，遵纪守法。

10.2 认定程序

(1) 企业应先在相关网站(www.bsia-srrd.org)上进行认定注册，审批部门在1个工作日内对企业基本信息进行审核并决定该用户是否通过注册。

(2) 企业可以通过首页的认定注册确认查询自己的注册申请是否已经通过。

(3) 企业通过首页注册用户登录输入用户名、密码进行填报，审批部门在5个工作日内对企业申报材料进行审核。

(4) 企业通过认定后打印申请并随其他材料一同上报北京市软件协会。

(5) 企业于上报后的一个月后在网上查询认定结果，认定通过后领取《认定证书》。

——依据京科发[2001]10号《北京市软件企业认定和软件产品登记管理实施办法》

§11. 对外贸易经营需要办理哪些手续

11.1　办理对外贸易经营备案登记手续

办理对外贸易经营备案登记手续应提交的材料:

(1)《对外贸易经营者备案登记表》;

(2) 对外贸易经营者保证书;

(3) 企业法人营业执照复印件;

(4) 组织机构代码证书复印件;

(5) 外商投资企业还应提交外商投资企业批准证书复印件;

(6) 办理时间:5 个工作日。

——商务部令 2004 年第 14 号《对外贸易经营者备登记办法》

11.2　办理工商《营业执照》增项手续

11.3　办理国、地税变更登记手续

11.4　办理外汇登记手续

11.5　办理海关登记手续

11.6　办理质检登记手续

11.7　办理电子口岸 IC 卡手续

§12. 企业领取营业执照后还需办理的其他事项和手续

1. 刻制印章:到公安局特行科办理审批手续,再到指定的刻字社刻章。

2. 办理组织机构代码证书

(1) 持企业公章、法定代表人身份证复印件、营业执照副本及复印件,到所属区县技术监督局办理;

(2) 在北京市工商局办照的企业,到北京市技术监督局办理。

3. 办理社保登记证:到区劳动局社保中心办理手续。

4. 办理统计登记证书:到区统计局办理。

5. 税务登记

(1) 国税登记:到区国税局办理税务初始登记;

(2) 地税登记:到区地税局办理税务初始登记;

(3) 一般纳税人登记:符合申报条件的企业应在国税登记(以登记证日期

为准)一个月内,到区国税局指定税务所办理一般纳税人登记。

6. 开立银行账户:带执照正、副本、组织机构代码证书、法定代表人身份证、国税登记证副本原件、地税登记证副本原件、企业公章,财务专用章、法定代表人名章,到企业住所就近的银行办理开户手续。

7. 划转资金

(1) 在区局办照的企业:持营业执照副本、开户许可证、入资凭证、办理者身份证、划资单据到区工商局及指定入资专户办理;

(2) 在市局办照的企业:持营业执照副本、企业章程、开户许可证、开户行银行交换号、入资凭证到市工商局及指定入资专户办理。

§13. 关于企业变更的有关规定和手续

13.1 内资企业工商变更登记

凡涉及到企业名称、住所、法定代表人、注册资金、经营范围、经营期限、有限责任公司股东变更的,均应到工商部门申请变更登记,并提供以下文件、证件:

(1)《企业变更(改制)登记申请书》;

(2)《指定(委托)书》;

(3)《企业法人营业执照》正、副本;

(4) 变更以下事项的,还应提交以下文件、证件:

变更名称:《名称变更预先核准申请书》及《企业名称变更预先核准通知书》、股东会决议、修改后公司章程。

变更地址:变更后企业住所证明、房产证复印件。(住宅不可以用来作为注册地址,参照**《关于从严审查住所使用证明文件的通知》**)

变更法定代表人:根据章程规定作出的股东会决议或董事会决议、法定代表人简历、照片和身份证复印件。

增加注册资本:股东会决议、以非货币方式增资的,应提交评估报告、验资报告、财产转移的审计报告(涉及国有资产评估的,应提交国有资产管理部门的确认文件)。

减少注册资本:股东会决议,公开发行的报纸三次减资公告情况说明、债务清偿或担保情况说明、验资报告。

变更经营范围:涉及专项审批的,应提供有关部门的批准文件。

变更股东:股东会决议、新股东的资格证明、股权转让协议、涉及本市国有资产转让的，还应提交北京产权交易所出具的《产权转让交割单》。

变更营业期限：股东会决议。

13.2 外资企业工商变更登记

(1)《外商投资企业变更登记申请书》(内含《企业变更登记申请表》、《投资者名录》、《企业法定代表人登记表》、《董事会成员、经理任职证明》、《企业住所证明》等表格，请根据不同变更事项填妥相应内容)；

(2)《指定(委托)书》；

(3) 董事会决议；

(4)《企业法人营业执照》正、副本；

(5) 变更下列事项的，还需要提交以下文件、证件：

变更名称：①《名称(变更)预先核准申请书》、《企业名称变更预先核准通知书》及其他名称变更预先登记材料；② 审批机关的批复及《外商投资企业批准证书》副本1；③ 合同、章程修改协议。

增加投资总额、注册资本：① 合同、章程修改协议；② 入资20%以上的所增资金的验资报告（依据《关于外商投资的公司审批登记管理法律适用若干问题的执行意见》)；③ 审批机关的批复及《外商投资企业批准证书》副本1。

减少注册资本：① 合同、章程修改协议；② 审批机关的批复及《外商投资企业批准证书》副本1；③ 省级以上公开发行的报纸三次减资公告的报样(第一次公告之日起90日后，方受理减资申请)；④ 法定代表人签署的减资说明(内容包括减资原因、债务清偿或债务担保的情况，减资后不会侵犯债权人利益的承诺)；⑤ 会计师事务所或审计事务所的查账报告。

变更企业类型：① 合同、章程修改协议；② 审批机关的批复及《外商投资企业批准证书》副本1。

变更股东：① 股权转让协议；② 受让方的合法资格证明(依据《关于外商投资的公司审批登记管理法律适用若干问题的执行意见》)；③ 合同、章程修改协议；④ 审批机关的批复及《外商投资企业批准证书》副本1；⑤ 涉及本市国有资产转让的，还应提交北京产权交易所出具的《产权转让交割单》。

变更股东名称或姓名：① 审批机关的批复及《外商投资企业批准证书》副本1；② 合同、章程修改协议；③ 股东名称或姓名变更的证明；④ 变更后的股东资格证明(涉及新增外方股东的，还需提交外方股东资格证明的公证、认证材料)。

变更经营范围：① 合同、章程修改协议；② 审批机关的批复及《外商投资企业批准证书》副本1。

——依据《中华人民共和国公司登记管理条例》、《企业法人登记管理条例》

13.3 内资转外资变更登记

内资转外资登记是指内资企业变更为外商投资企业的企业类型转变所做的变更登记行为。

13.3.1 内资公司变更为外商投资企业应具备的条件

(1) 外国(地区)(含港、澳、台)投资者通过增资或转股方式取得内资公司部分或全部股权;

(2) 依法登记为中外合资经营企业、中外合作经营企业或外商独资企业。

13.3.2 内资公司变更为外商投资企业应提交的文件、证件

(1)《外商投资企业变更登记申请书》(含《企业变更登记申请表》、《投资者名录》、《企业法定代表人登记表》、《住所使用证明》、《董事会成员、经理、监事会成员情况》等表格);

(2)《指定(委托)书》;

(3) 原股东会决议;

(4) 转股协议(外国投资者通过增资方式取得内资公司部分股权的,无须提交此文件);

(5) 合同、章程(外商独资企业只须提交章程);

(6) 审批机关的批复和《外商投资企业批准证书》副本1;

(7) 新增投资者的合法资格证明(涉及新增外方股东的,还需提交外方股东资格证明的公证、认证材料);

(8)《企业法人营业执照》正、副本。

13.3.3 内资转外资的登记程序

名称变更登记——商务部门审批——领取批复及《外商投资企业批准证书》——递交工商变更材料——领取营业执照。

13.4 外资转内资变更登记

外资转内资登记是指外资企业变更为内资企业的企业类型转变所做的变更登记行为。

13.4.1 外资公司变更为内资公司应具备的条件

(1) 外商投资企业的外方将其在企业中的全部股权转让给内资企业、经济

组织或中国公民(限中关村园区内高新技术企业);

(2)依照《公司法》及《公司登记管理条例》登记为有限公司或股份有限公司;

(3)外商投资企业变更为内资有限公司的,外方也可转让部分股权。

13.4.2 外商投资企业变更为内资公司应提交的文件、证件

(1)《企业变更登记申请书》(含《企业变更登记申请表》、《投资者名录》、《企业法定代表人登记表》、《住所使用证明》、《董事会成员、经理、监事会成员情况》等表格);

(2)《指定(委托)书》;

(3)公司章程;

(4)原审批机关的批准文件;

(5)原董事会决议;

(6)股权转让协议;

(7)新股东会决议;

(8)新股东的资格证明(涉及新增外方股东的,还需提交外方股东资格证明的公证、认证材料)。(依据《关于外商投资的公司审批登记管理法律适用若干问题的执行意见》)

(9)《企业法人营业执照》正、副本。

13.4.3 外资转内资的登记程序

经商务部门批准撤销《外商投资企业批准证书》——涉及名称变更的办理名称变更登记——递交工商变更材料——领取营业执照。

§14. 常见问题

14.1 注册不同类型企业对注册资金的要求

法律、行政法规规定的最低注册资本(金)限额表

行业分类	最低注册资本限额(人民币)	依据的法律、行政法规
银行业: 全国性商业银行	100000 万元	《中华人民共和国商业银行法》(1995 年 5 月 10 日第 8 届全国人大常委会第 13 次会议通过,2003 年 12 月 27 日第 10 届全国人大常委会第 6 次会议修正)

（续表）

行业分类	最低注册资本限额（人民币）	依据的法律、行政法规
银行业：城市合作商业银行	10000 万元	同上
银行业：农村合作商业银行	5000 万元	同上
外资银行、合资银行	30000 万元	《中华人民共和国外资金融机关管理条例》（1994 年 2 月 25 日国务院第 148 号令发布）
外资财务公司、合资财务公司	20000 万元	同上
证券公司（综合类）	50000 万元	《中华人民共和国证券法》（1998 年 12 月 29 日第 9 届全国人大常委会第 6 次会议通过）
证券公司（经纪类）	5000 万元	同上
金融资产管理公司	1000000 万元	《金融资产管理公司条例》（2000 年 11 月 10 日国务院令第 297 号发布）
证券期货投资咨询	100 万元	《证券期货投资咨询管理暂行办法》（1997 年 11 月 30 日国务院批准证券委发布）
保险公司	20000 万元	《中华人民共和国保险法》（1995 年 6 月 30 日第 8 届全国人大常委会第 14 次会议通过）
期货经纪公司	3000 万元	《期货交易管理暂行条例》（1999 年国务院令第 267 号发布）
国际旅行社	150 万元	《旅行社管理条例》（1996 年 10 月 15 日国务院令第 205 号发布）
国内旅行社	30 万元	同上

（续表）

行业分类	最低注册资本限额（人民币）	依据的法律、行政法规
会计师事务所	30万元	《中华人民共和国注册会计师法》（1993年10月31日第8届全国人大常委会第4次会议通过）
拍卖企业	100万元	《中华人民共和国拍卖法》（1996年7月5日第8届全国人大常委会第20次会议通过）
报废汽车回收企业	50万元	《报废汽车回收管理办法》（2001年6月13日国务院令第307号）
外商投资电信企业（经营全国的或跨省、自治区、直辖市范围的基础电信业务）	200000万元	《外商投资电信企业管理规定》（2001年12月11日国务院令第333号发布）
外商投资电信企业（经营全国的或跨省、自治区、直辖市范围增值电信业务）	1000万元	同上
外商投资电信企业（经营省、自治区、直辖市范围的基础电信业务）	20000万元	同上
外商投资电信企业（经营省、自治区、直辖市范围增值电信业务）	100万元	同上
房地产开发企业	100万元	《城市房地产开发经营管理条例》（1998年7月20日国务院令第248号）
基金管理公司	10000万元	《中华人民共和国证券投资基金法》（2003年10月28日第10届全国人大常委会第5次会议通过）
出版企业	30万元	《出版管理条例》（2001年12月25日国务院令第343号）
直销企业	8000万元	《直销管理条例》（2005年8月23日国务院令第443号）

国际货运代理、中小企业信用担保、典当、房地产开发和投资类企业法人注册资本(金)的最低限额

项目类别	具体经营项目	注册资本(金)最低限额(人民币)	备注
国际货运代理	海上国际货物运输代理	500万元	经营两项以上业务的,注册资本(金)最低限额为其中最高一项的限额;外商投资国际货运代理企业注册资本最低限额为100万美元
	航空国际货物运输代理	300万元	
	陆路国际货物运输代理或国际快递	200万元	
中小企业信用担保	中小企业信用担保	1000万元	
	中小企业商业担保	1000万元	
	中小企业互助担保	500万元	
典当	典当	300万元	
	房地产抵押典当	500万元	
房地产开发	房地产开发	1000万元	
投资	投资	1000万元	
市场专营企业	农副产品批发市场专营企业	500万元	
	农副产品零售市场专营企业	40万元	
	其他非农副产品市场专营企业	200万元	
	专门经营汽车、古玩等商品的市场专营企业	1500万元	

14.2 留学人员如何选择办理内资企业和外资企业

留学人员在申办企业的过程中如果只持有中国护照,只能按内资企业办理,如果已经加入外国国籍,持有外国护照只能按外商投资企业办理,如果持有中国护照且取得外国永久居留权的,可根据自身情况选择办理内资企业或外资企业。

办理内外资企业的利与弊:

1. 在科技园区范围内注册的内资高新技术企业经营范围不受限制,只要是法律法规允许的都可以经营,法律法规要求进行审批的,审批后方可经营;外资企业需具体核定经营范围,并受《外商投资企业指导目录》限制。

2. 内资高新技术企业技术出资最高可达到注册资本的70%,外资高新技术企业技术出资最高可达到注册资本的60%;非货币出资低于25%的高新技术企业可享受税收优惠。

3. 内资有限责任公司最低注册资本3万元人民币；外资有限责任公司最低注册资本一般不得低于15万美金，持留学人员身份证明可按等同于10万人民币的美元现金注册。

4. 内资企业设立登记较外资企业简单，可直接到所辖工商部门办理，材料齐备后5个工作日即可取得营业执照；外商投资企业需先经过商务部门立项审批后，才能到工商部门办理登记手续，申办时间大约需要一个月到一个半月。

5. 外资企业自设立后即具有自营进出口权（自用设备进口，自产产品出口）；内资企业如有进出口业务需办理“对外贸易经营权”等相关手续。

6. 外资企业设立后经外汇管理局审批即可开设外汇账户；内资企业在办理了“对外贸易经营权”后经外汇管理局审批才可开设外汇账户。

7. 非外资高新技术企业可享受自获利年度起两免三减的所得税优惠政策；

8. 外资企业员工的工资可以全额税前列支。

14.3 留学人员以技术出资有无比例限制

留学人员设立的内资企业技术出资不得超过注册资本的70%；设立的外资企业不得超过注册资本（金）的60%。非货币出资低于25%的高新技术企业可享受税收优惠。

——京工商发（2006）11号《关于贯彻修订后的公司法进一步完善市场准入制度的意见的实施细则》

14.4 园区内的高新技术企业是否可以分期入资

可以。采取分期缴付注册资本（金）方式的内资有限责任公司及非公司制内资企业法人，其在设立时的出资应不低于注册资本（金）数额的20%，且不得低于法律、行政法规规定的最低限额。注册资本（金）的其余部分可由投资人在企业成立之日起两年内缴足。

——京工商发（2006）11号《关于贯彻修订后的公司法进一步完善市场准入制度的意见的实施细则》

14.5 以技术出资的高新技术企业应该注意的问题

14.5.1 凡以技术出资的高新技术企业应在企业成立1年内办理财产转移

手续,否则工商部门将按资金不到位处理。

——依据《中华人民共和国公司登记管理条例》第70条

14.5.2 高新技术企业以非货币出资超过25%的,将不得享受税收优惠政策。

——财税(2006)1号《财政部 国家税务总局关于享受企业所得税优惠政策的新办企业认定标准的通知》

14.6 对一般纳税人的要求

增值税纳税人分为一般纳税人和小规模纳税人。

14.6.1 增值税一般纳税人认定条件

1. 工业企业年应征增值税销售额在100万元以上。

2. 商业企业年应征增值税销售额在180万元以上。

3. 银行开立结算账户。

4. 在工商行政管理部门办理了企业法人(营业)执照,有固定的生产经营场所。

5. 在国家税务局办理了税务登记,并取得税务登记证。

6. 有专门从事财会工作的人员,专门从事财会工作的人员应有财政部门核发的会计证或具备会计员以上职称的可以从事会计工作的资格证明。

7. 按《增值税暂行条例》及其《增值税暂行条例实施细则》的规定和现行会计制度的要求,一般纳税人必须设置相应基本账户,按有关增值税核算规定准确核算增值税销项税额、进项税额和应纳税额及企业的生产经营成果。

8. 能按税务部门和财务制度的规定和要求正确编制《应交增值税明细表》、增值税纳税申报表及其他有关报表资料。

9. 被税务机关列为重点税源户的企业必须按税务机关的要求及时、准确地向税务部门报送专门的数字资料。

10. 能按主管税务机关提出的要求报送的其他资料。对符合上述条件的增值税纳税人,经主管税务机关审批可以认定增值税一般纳税人。对年应征增值税销售额超过小规模纳税人标准的增值税纳税人,必须申请认定增值税一般纳税人,对不申请办理一般纳税人认定手续的纳税人,应按销售额依照增值税税率计算应纳税额,不得抵扣进项税额,也不得使用增值税专用发票。

——摘自北京市国家税务局京国税(1997)052号文件

14.6.2 一般纳税人年审

对增值税一般纳税人均应按年度进行增值税一般纳税人资格审查。每年的年审工作,应于次年的二季度进行。增值税一般纳税人年审主要是审核和考察一般纳税人上一年度税收政策执行情况,增值税专用发票使用管理、纳税申报、税款缴纳以及税务机关要求提供的其他有关事项等方面存在的问题,系统辅导增值税的税收政策业务,提出下一年度税收政策执行、征收管理方面的工作安排及措施。

——摘自北京市国家税务局京国税(1997)060 号文件

§15. 园区留学人员企业快办单及注册代理服务

“快办单”是留学人员在园区创办企业过程中,加快办理营业执照、税务登记、高新技术认证等手续的有效凭证。持护照和相关留学人员证明(中国驻外使领馆开具的留学人员回国证明或在国外已取得学位的毕业证书),可以到中关村科技园区管委会留学人员创业服务总部办理快办单。

中关村科技园区服务中心高新企业代理服务站可以免费为留学人员创办的企业代理内资工商登记注册、申办高新技术企业认证等事宜。

地址:北京市海淀区阜石路 67 号(西三环航天桥西 300 米路北)中关村科技园区服务中心内一层 10 号窗口;电话:68465571,68466258。此外,各孵化器和创业园也可为留学归国人员提供有偿或无偿的代理注册服务。

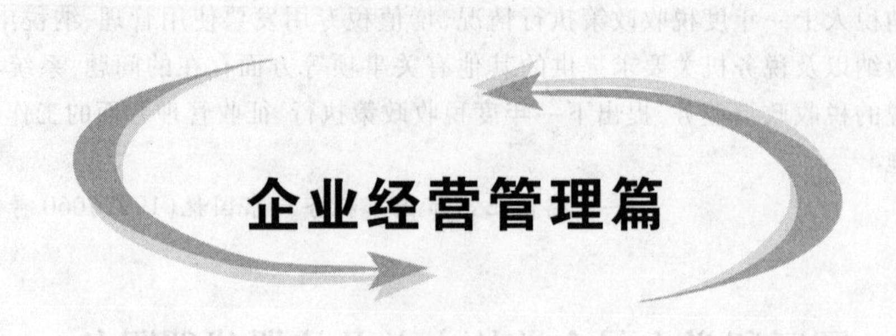

企业基本制度

§16. 初创高新技术企业应建立和完善的主要制度和机制

16.1 初创企业的主要制度

初创企业主要抓好人和财两个方面。

人事管理方面:制定考勤制度、奖惩条例、薪资方案等制度。

财务方面:制定报销制度、现金流量、制定预算、核算和控制成本等制度。

此外,企业在创立之初就要注重使企业的产权明晰化,明晰的产权制度和产权结构是企业的制度基础。

在具体操作中注意以下几个方面:

1. 明确企业目标:创业者应该将企业的目标清晰化、明确化;

2. 明确决策权限;

3. 组建管理团队:定期交换意见,讨论诸如产品研发、竞争对手、内部效率、财务状况等与公司经营策略相关的问题;

4. 遵守管理制度:强调人人都必须遵守有关制度,不能有特权,也不能朝令夕改;

5. 特别注重财务监控。

16.2 企业管理制度的建立及完善

企业的管理制度主要就是管理设计、管理教育和管理实施。

1. 创业之初最重要的便是管理设计,而管理设计要解决的问题就是

(1) 确定企业的长远发展目标,即企业要做什么。

如果没有一个长远的发展目标,企业的经营就没有一个明确的发展方向,投资重点、组织结构、管理方法便无法确立,只能是走一步、看一步,导致投资分散,组织结构和管理方法无法适应经营要求。

(2) 根据企业的长远发展目标,规划制定符合企业发展目标的管理结构、管理方法,即企业要怎么做。

好的组织结构会促进工作的完成,每个人的责、权、利明确,各部门的衔接恰到好处,以最有限的人力资源满足企业经营发展的需要。

初创企业组织结构既要满足企业生产经营的需要,又尽量要以精简的机构进行运作,以减少管理成本。同时,要注重企业决策层的建设,明确决策层的职权范围,避免多头管理的发生。

2. 管理教育

在实践中,管理教育与管理实施其实是同步进行的。在企业中,要持续不间断地进行管理教育,在日常工作中即有目的、有计划地向所有员工灌输企业的发展目标、企业的管理制度以及企业文化。这样长久下来,潜移默化,企业的管理思想、规章制度就会在员工的头脑中生根发芽,达到了自我教育目的。

3. 管理实施

(1) 持之以恒,管理与考核并举,奖惩激励制度要完善。

(2) 严格"制度管理"。初创企业只有将管理设计、管理教育、管理实施都依据企业自身的发展需要,扎扎实实地建立并落实下来,才可以使企业的生产经营依照自己设定的目标走下去,发展壮大。

16.3 企业需要制定的主要制度

企业根据自身需要可以有选择地制定一些制度,根据企业的发展需要并不断地补充、完善。

1. 生产方面:包括质量控制制度、采购制度、设备管理制度、技术制度、物流制度等。

2. 营销方面:包括营销控制制度、售后服务制度、营销人员管理及激励制

度等。

3. 研究及发展:包括项目管理制度、研究设计资料管理制度、投融资制度、研究人员的保密制度等。

4. 人力资源管理方面:包括人才招聘、培训制度、考核制度、薪酬、调动、升迁制度、人事档案管理制度、岗位责任制度等。

5. 财务管理制度:包括会计管理制度、出纳管理制度、财务报销制度等。

§17. 企业法人治理结构

企业法人治理结构是指现代企业所应具备的科学化、规范化的企业组织制度和管理制度,现代企业法人治理结构由股东大会、董事会、监事会和由高层经理人员组成的执行机构四部分组成。法人治理结构本质上就是企业的所有权和经营权分离而产生的信托、代理关系,即股东与信托人——董事会之间的关系;董事会与代理人——经理之间的关系。

股东会是由全体出资人(即公司股东)组成的公司最高权力机构;股东会享有13项职权,归纳起来可以概括为六个方面:(1) 投资经营决定权。是指股东会有权对公司的投资计划和经营方针作出决定。(2) 人事决定权。股东会有权决定本公司的非由职工代表担任的董事、监事,对于不合格的董事、监事有权予以更换。(3) 重大事项审批权。股东会享有对重大事项的审批权,具体包括两个方面:一是审议批准工作报告权。即股东会有权对董事会、监事会或者监事提出的报告进行审议,并决定是否予以批准。二是审议批准有关经营管理方面方案权。即公司股东会有权对公司的董事会或者执行董事项股东会提出的年度财务预算方案、决算方案、利润分配方案以及弥补亏损方案进行审议,并决定是否予以批准。(4) 重大事项决议权。即股东会有权对公司增加或减少注册资本,发行公司债券,股东向股东以外的他人转让出资,公司合并、分立、变更公司形式、解散和清算,公司聘用或者解聘会计师事务所等事项作出决议。(5) 公司章程修改权。公司章程事由公司全体股东在设立公司时共同制定的,规定了公司的重大问题,是公司组织和行动的基本规则,所以应当由股东会修改,而不能由董事会、监事会进行修改。股东会修改公司章程,必须经代表三分之二以上表决权的股东赞成通过方为有效。(6) 其他职权。除了上述职权外,股东会还享有公司章程规定的其他职权。

董事会是由股东会选举产生的代表全体股东利益的公司经营决策、业务执行常设机构,向股东会负责。

董事会职权内容：

1. 召集股东会会议，并向股东会报告工作。股东会是公司的权力机构，公司的重大事项必须由股东会决策，然后由董事会执行。董事会了解公司的经营情况，由他召集股东会会议有利于公司的发展。董事会主要是由公司的股东会选举产生的，其的活动必须代表股东的利益。

2. 执行股东会的决议。股东会是公司权力机关，股东会的决议不仅是股东意志的集中体现，也是公司意志的体现，股东决议一旦形成，必须得到落实。董事会作为公司的经营管理机构，不仅有权执行股东会决议，而且有义务执行股东会的决议。股东会和监事会有权监督和检查董事会执行股东会决议的情况。

3. 决定公司的经营计划和投资方案。董事会作为公司的经营管理机构，全权领导和管理公司的一切经营活动，在股东会决定的公司经营计划和投资计划的指导下，董事会有权安排公司的生产、销售等经营计划，有权决定公司的经营生产方式，有权决定公司的资产流向。

4. 制作公司的年度财务预算方案、决算方案。财务管理是董事会运用价值形式对整个公司的经营活动进行综合性管理，是董事会的一项重要职责。制订公司的年度财务预算方案、决算方案是董事会财务管理的内容之一。

5. 制订公司的利润分配方案和弥补亏损方案。公司的利润分配主要有两大部分，一是提取公积金，二是分配股利，提取公积金包括提取法定公积金和提取任意公积金，公司的利润分配除了法定公积金固定外，其他的由公司董事会制订分配方案。

6. 制订公司增加或减少注册资本以及发行公司债券的方案。

7. 拟订公司合并、分立、变更公司形式、解散的方案。

8. 决定公司内部管理机构的设置。

9. 决定聘任或者解聘公司经理及其报酬事项，根据经理的提名决定聘任或者解聘公司的副经理、财务负责人及其报酬事项。

监事会是由股东会选举产生的代表股东利益并对董事会及其成员以及高层经营管理人员进行监督的机构。

监事会职权：

1. 检查公司财务。主要是审核、查阅公司的财务会计报告和其他财务会计资料。资产负责表、损益表、财务状况变动表（或者现金流量表）、附表及会计报表附注和财务状况的说明书等。

2. 监督董事、高级管理人员履行情况及提出罢免建议。

3. 要求董事、高级管理人员纠正其损害公司利益的行为。

4. 提议召开有召集、主持临时股东会会议。监事会、监事在监督工作中，因情况紧急,如董事、高级管理人员实施严重违法行为并拒绝监事会、监事要求纠正的意见,不予制止将对公司产生重大利益影响的,有权提议召开临时股东会。

5. 向股东会会议提出议案。监事会、监事有权直接向股东会会议提出议案,如提出建议罢免董事的议案等。

6. 依法对董事、高级管理人员提出诉讼。公司董事、高级管理人员在执行公司职务时,违反法律、行政法规或者公司章程的规定,给公司造成损害的,监事会、监事有权依法对董事、高级管理人员提起诉讼,要求董事、高级管理人员赔偿公司损失。

7. 公司章程规定的其他职权。

经理层是董事会聘用的执行机构,主要是对董事会负责,根据董事会的战略规划组织生产、管理、销售等方面具体工作。

§18. 财务会计制度

企业财务会计制度是关于企业财务、会计方面的一系列的规则和规定的总和。

18.1 财务会计部门和人员的设置

公司单独设立财务会计部门

根据公司的规模与实际需要,可以分别设立成本核算、资金运营、材料(固定资产+存货)管理、工资核算、现金核算等岗位,也可以在此基础之上再设立信息和汇总报表等岗位。各岗位根据人员情况和公司规模,可以设置成单独的科室。

人员设置

(1) 财务总监(主管副总经理)

如果企业比较小,可以不设本职位,其职权和职责可以下放至财务部门经理。

上级领导:总经理(主管副总)

主要负责整个公司财务预算、核算、汇总以及管理工作。

(2) 部门经理

上级领导:财务总监(主管副总经理、或者总经理)。

主要根据部门的工作重点负责日常财务核算、预算及管理工作,并传达上级领导有关宏观安排及向上反应本部门的工作情况及问题等。

(3) 财务核算人员(会计)

根据部门工作特点和业务分工,从事财务核算、财务预算等某一具体岗位工作的人员,主要对部门经理负责。

(4) 出纳

主要负责公司现金及银行存取款等与现金流、商业票据有关的具体工作,主要对财务部门经理负责。

18.2 财务、会计人员的职责

财务总监职责:

公司财务投资预算、资金调度、财务管理及审批工作。

部门经理(设立分科的单位为会计科长):

根据公司和财务总监的宏观规划,进行具体的财务预算、核算及财务管理工作,是财务具体工作执行的管理者。

财务核算人员职责:

(1) 负责各种非现金方面的核算。

(2) 负责登记明细账及总账。

(3) 处理所有数据,编制财务报表。

(4) 编制银行往来调节表。

(5) 负责年终工商年检。

(6) 负责每月报税。

(7) 其他应收款项的催收。

(8) 业务发票的催收、开具。

(9) 依据公司有关规定对公司费用支出的审核。

(10) 负责保管财务章。

(11) 负责公司员工统一缴费的办理。

(12) 负责公司员工个人所得税的代扣、代缴。

(13) 负责会计合同及档案的归类、保管。

(14) 完成领导交办的其他业务。

出纳职责:

(1) 负责登记现金日记账、银行日记账等。

(2) 负责现金的收支及银行的往来业务。

(3) 负责签发支票及领取备用金。

(4) 负责现金支票、转账支票及作废支票的保管。

(5) 负责会计档案的保管。

(6) 负责有关印鉴的保管。

18.3 财务审批制度

企业一般采取逐步上报审批制度,根据财务管理制度及权限,每一笔业务的审批均需得到此权限内的最高领导签字批准后方可实施。

现金支出审批:

(1) 各种费用的支出必须审批,必须执行"一支笔"的原则。

(2) 各种单据的报销应于费用发生次日汇总,由经办人填写"支出证明单",注明事由,经手人签字后交财务部门审核,由财务部门统一报审批权限内最高领导签批,取得批准后由出纳支付现金。

领取报销费用时,领款人须签字,并由出纳人员加盖"现金付讫"章,以免重复付款或更改原始单据。

(3) 预支现金(如差旅费),需填写"借款单"。根据公司财务规定,确定各级的现金审批权限,每一级审批权限内的最高领导批准后报批财务部门支付,取得原始单据后,经办人应及时(原则上不超过一个月)填写"支出证明单",履行报销手续。

支票领用审批:

领用人需填写"支票领用登记单",经审批权限最高领导审批后由财务部签发。

若划账金额与申请额相符,可直接履行报销手续记账;若金额不符,则应重新填写"支票领用登记单",报批后再履行报销手续入账。

§19. 人力资源管理制度

19.1 员工聘任制度

员工聘任制度主要是规定招聘员工的标准、条件和程序。

公司因工作需要须增加人员时,可由部门主管向公司人力资源部提出增加申请。

人力资源部根据公司的增员情况选择合适媒体发布招聘信息。人力资源部安排面试，并负责初试，主要负责审核评估应聘者个人资料（学历证明、身份证明、近照、体检证明和最后单位的离职证明等）的真实性、与应聘岗位要求的差异度、个人综合素质等。必要时人力资源部可安排笔试。

人力资源部和用人部门考核通过后，应报用人部门上一级部门主管考核，重要或特殊岗位需经总监和总裁亲自面试或组织面试小组集体面试。

根据面试结果，确定岗位录用人员，人力资源部负责通知应聘人员并协调新人入职的各项准备工作。

应聘者接到录取通知后，应按规定日期报到。职员进入公司后，公司应与该职员签订劳动合同并约定试用期。

19.2 薪酬制度

员工薪资是在考虑社会物价水平、公司支付能力以及员工工作业绩、工作能力、工作态度和工作岗位等因素后综合确定的，主要包括基本工资、岗位工资、福利、奖金等。工资给付一般采用月薪制，每月固定日发放工资。

个人所得税、保险费个人承担部分由用人单位代扣代缴。

附例

某公司薪酬制度

日期：	编号：
制定：人事部	批准：总经理

目的（PURPOSE）：

建立合理而公正的薪资制度，以调动员工的工作积极性。

政策与程序（POLICY&PROCEDURES）：

1. 薪资构成

员工的薪资由月薪及年终双薪（年终分红）构成。

月薪＝标准工资＋奖金

标准工资＝基本工资＋福利津贴＋岗位工资

标准工资为员工的合同工资，根据每位员工的任职岗位、资历、能力等确定。

基本工资占标准工资的40%，为员工的最低生活保障工资，应不低于当地的最低工资标准。

福利津贴占标准工资的30%，含国家规定的所有生活津贴及政策性补贴。不在职工作的员工不享受福利津贴。

岗位工资占标准工资的30%，不同岗位的员工，岗位工资不同。不在职工作的员工不享受福利津贴。

年终双薪(年终红利)是为体现公司对员工的关心而设立。于每年的二月份(春节以前)根据公司上年度的营业情况给予额外发放一个月的工资。年终双薪只限于对公司的正式员工发放。

2. 奖金

奖金即月奖金，是为体现公司整体效益与员工个人利益相结合的原则，更好地调动员工的工作积极性而设立。根据公司每月经营状况，由董事会决定提取月营业额的百分比作为奖金发放。奖金实行"奖金分数制"，即结合职级、部门及工作岗位设定不同的奖金分数差别，计发奖金。

优点：

1）职级越高，奖金份数越多。有利于调动管理人员科学合理、充分有效地安排本部门的员工进行运作。

2）在奖金总额不变的前提下，部门员工的人数越少，每个员工分得的奖金总额越多，即每份奖金所含的现金越多。有利于各部门主管控制本部门的员工数量，实现公司人员编制的自动控制。

如：某月所提取的奖金额为30万元，奖金份数总计为500份，则每份奖金为600元；如果奖金份数为1000份，则每份奖金为300元。

3. 职级与工资

根据工作岗位及公司实际情况，公司所有员工共分为十三个职级，即：

行政级　1—2级

经理级　3—5级

督导级　6—9级

员工级　10—13级

4. 特殊津贴

经批准的特殊津贴(如工种津贴、外语津贴等)，按公司有关规定办理。由人事部负责核准，总经理批准后由财务部具体发放。

5. 工资及级职确定

所有新入职员工，其工资及职级由人事部经理确定。其中5级及以上职级员工由总经理确定。入职时，人事部根据员工的实际情况确定员工的职级、填发《人事变动表》通知员工到职。

6. 工作时间

工作时间指员工的实际工作时间，不包括就餐、休息等时间。员工平均每周工作时间为40小时。实行特殊工时制的员工在入职时及在劳动合同中应有特殊说明。

7. 超时工作

7.1　公司不鼓励员工超时工作。

7.2　如果确属工作需要及临时性质的工作安排，导致员工超时工作，部门主管应详细填写《加班申请表》报人事部备案，并于超时工作发生一个月内安排员工以时间补休。

未能及时安排的补休，如果没有部门经理及时的说明及知会人事部，将被视为员工自动放弃。故员工本人亦有责任提醒直属上司或部门主管及时为其安排补休。

补休时需填写《假期申请书》，完成请假程序。

任何时间的超时工作若予以时间进行补偿，只能以相等于超时工作时间长度的时间予以补休。

7.3　如超时工作无法以时间补偿，需发放超时工作薪资时，应于加班发生次日前填写《加班申请书》，注明超时工作的详细理由，报请总经理审批。

经总经理批准的超时工作，可予以发放超时工作薪资。超时工作薪资按如下标准执行：

- 于正常工作日超时工作，超时工作薪资为平均日工资的 1.5 倍；
- 于公休日超时工作，超时工作薪资为平均日工资的 2 倍；
- 于法定假日超时工作，超时工作薪资为平均日工资的 3 倍。

7.4　员工如属工作效率及个人原因没有按时完成上司交付的工作而导致超时工作的，公司不予考虑以时间或薪水补偿。

8. 计算办法

- 员工的制度工作日为 21.5 天，即每月满计算为 21.5 天。不足满勤者以实际出勤工作日计发工资。

每月应发工资 = 当月实际出勤工作日 × 当月日工资数额

- 日工资计算

日工资数额 = 当月标准工资数额 ÷ 21.5

9. 发放办法

9.1　标准工资

标准工资于每月的 10 日发放，遇节假日或公休日则提前至最近的工作日发放。

9.2　月奖金

月奖金于每月的 20 日由人事部及财务部核算后发放。

9.3　年终双薪

年终双薪于每年的终了、春节前发放。

9.4　发放形式

所有薪资均通过授权银行，以银行转账的形式发放。

10. 试用期薪

10.1　所有新入职的员工均需经过 3 个月的试用期。试用期员工只享受基本工资及福利津贴，薪资按批准职位的标准工资换算。试用期满，正式合格的员工，予以增加发放岗位工资。

10.2　员工如遇晋升、调职等人事变动，均需经过一个月试用期。试用期薪资同上。

10.3　员工如遇降职、工资调低等人事变动，如果调整职位对应薪资低于员工薪资的，直接享受所调整的薪资。

11. 假期薪资

11.1　病假

员工每年享有 12 天有薪病假为全薪病假。超出 12 天部分的病假视为医疗期，享受医疗期待遇。医疗期期间工资的含义仅指基本工资。

11.2　工伤假

按国家有关规定执行。

11.3　其他有薪假

仅适用于签订劳动合同的正式员工。分娩假、计划生育假、护理假，只享受基本工资；年假、婚嫁、慰悼假、探亲假享受基本工资和生活津贴。

11.4　其他经公司批准的特殊假期，如外出培训等，只享受基本工资。

12. 事假

事假为无薪假，扣除请假当天的全部工资（按日工资核算）。当月事假超过3天，将影响月奖金的分配数额。

13. 代扣款项

13.1　义务教育费

13.2　个人所得税

根据有关规定执行。

13.3　社会保险费

公司为员工缴纳的社会保险费（养老、医疗、失业、工伤等）其中由员工个人缴纳的部分，由公司代扣代缴。

13.4　其他符合政府明文规定的应代扣款项。

14. 其他

14.1　实习生及临时工执行统一的标准工资，即全额工资。不执行试用期及岗位工资，但可享受月奖金。

14.2　外聘员工执行统一的标准工资，即全额工资，不享受福利津贴及奖金。

15. 附注

15.1　本规定自发布之日起生效。

15.2　本规定的解释权及修改权在人事部。

19.3　考勤制度

考勤制度是企业为了加强企业内部职工的组织纪律性而制定的措施。企业制定考勤制度要以国家法令法规为准则。考勤制度主要涉及以下内容：

(1) 企业的作息时间；

(2) 企业的休假制度；

(3) 加班的工作范围限制；

(4) 违纪现象的措施。

具体内容如：员工上下班需登记出勤情况；员工请假，需办理正式手续，经批准后方可；因工作需要加班的，按国家有关规定执行；无正常请假手续，为旷工；

每天的工作时间一般为8小时,根据各企业情况自定上下班时间;出勤情况与薪酬的关系。

19.4 培训制度

企业培训制度是能够直接影响与作用于培训活动的各种制度的总和。企业培训的具体制度是企业员工培训工作健康发展的根本保证。企业培训涉及两个培训主体:企业和员工。

岗位培训制度是企业培训制度最基本和最重要的组成部分。企业培训的成功有赖于培训制度的指导与规范。而培训制度的内容必须服从或服务于企业的整体发展战略,最终目的是实现企业的发展目标。

正因为培训是投入,所以企业和员工都要对投入承担相应的风险,这种风险分担的事前约定,也是培训制度中重要的组成部分。

19.5 绩效考核制度

考核员工的工作态度、工作业绩和工作能力,并以此作为调整工资、升迁、培训以及辞退的参考依据。企业制定绩效考核制度是关系到能否正确评价员工工作、调动员工积极性、增强企业凝聚力的根本问题,是奖勤罚懒、按劳付酬的最重要依据。

绩效考核应本着公平、公正、公开的“三公”原则,考核结果要力求做到客观公正、实事求是,考核次数视工作周期性而定。

19.6 员工激励机制

员工激励机制包括很多内容,工资薪金的提高、职位升迁、股票期权、职业培训等都是员工激励机制的组成部分。

目前提高工资薪金是激励人才的一种最基本的办法。激励人才还可以从以下几个方面考虑:

1. 股票期权;
2. 企业为员工提供住房补助;
3. 企业给职工提供培训机会。

劳动用工

§20. 企业招聘员工的途径和方式

- 人才市场招聘　参见第70条人才中介服务机构。
- 朋友、熟人推荐
- 网上招聘

可以通过自身企业网站进行招聘,也可以通过专业的人才招聘网招聘员工,如:www.51job.com,www.zhaopin.com, www.topjobway.com,www.chinahr.com 等。

§21. 中关村引进人才和接受应届大学毕业生的有关规定和程序

21.1　园区企业引进外地人才的条件

符合下列条件之一、45周岁以下且身体健康者,可申请办理人才引进手续并办理北京市户口:

(1) 具有本科及以上学历且取得高级专业技术职称的专业技术人员和管理人员;

(2) 在国内外获得硕士及以上学位的专业技术人员和管理人员。具体办理事宜可与本单位人员集体存档的人才交流中心联系。

21.2　园区企业接收应届毕业生的要求和程序

北京市行政区域内的高等学校、科研机构的应届毕业生受聘于中关村科技园区内的高新技术企业,可以直接向北京市各区县人事局申请办理北京市常住户口。

北京市人事局(www.bjp.gov.cn)每年定期公布当年接受应届毕业生的办法、规定及具体时间,包括学校、专业范围、手续和程序。拟招收应届毕业生的高新技术企业,一般要于11月份之前向所在区县人事局申报来年拟招收应届毕业生的情况,包括名额、学历和专业,企业按人事局批准招收非北京生源的名额进行招聘和为毕业生落户。

21.3　企业如何聘用外籍工作人员

企业可以聘用外籍工作人员。用人单位聘用外国人,须填写《聘用外国人就业申请表》(以下简称申请表),向其与劳动行政主管部门同级的行业主管部门(以下简称行业主管部门)提出申请,并提供下列有效文件:

(1) 拟聘用的外国人履历证明;

(2) 聘用意向书;

(3) 拟聘用外国人原因的报告;

(4) 拟聘用的外国人从事该项工作的资格证明;

(5) 拟聘用的外国人健康状况证明;

(6) 法律、法规规定的其他文件。

此外,外籍工作人员还需申办居留证。来京任职、受聘的内资企业中的外籍工作人员及其随行家属(配偶、未成年子女)需持"Z"(职业)签证入境,入境后于30日之内到市公安局出入境管理处申请办理居留手续,居留证的有效期一般不超过1年,且不超过护照的有效期。

申请办理居留证时须提供以下文件及证明材料:本人有效护照及签证;工商行政管理部门签发的《营业执照》副本的原件及复印件;北京市劳动和社会保障局签发的《就业证》原件及复印件;北京市出入境检验检疫局出具的《健康证明书》原件;近期二寸半身正面免冠照片两张(黑白、彩色均可);填写《签证居留证申请表》加盖单位公章,并粘贴二寸正面免冠照片一张。在京工作不到1年的可以申请办理临时居留证,免交《健康证明书》。

居留证到期后可以申办延期,需提供:本人有效护照和居留证;《营业执照》副本原件及复印件、北京市劳动和社会保障局签发的《就业证》原件及复印件;填写《签证居留证申请表》加盖单位公章,并粘贴二寸正面免冠照片1张。

中关村科技园区管委会及直属部门、所属各园区管委会以及在上述园区内注册的高新技术企业邀请外国经贸科技人员(不含副部级以上人员和在外国企业中兼职的卸任外国政要)入境从事经贸科技活动的事项,由所在园区管委会审批。

邀请香港、澳门经贸科技人员(不含特区政府官方人员)来内地从事经贸科技活动的事项,由所在园区管委会审批。

其他邀请境外人员入境事项,由所在园区管委会受理,报中关村科技园区管委会,中关村科技园区管委会负责报市有关归口审批部门按现行规定审批。有关办理程序详见《中关村科技园区邀请境外经贸科技人员入境管理办法》。咨询电话:82690609、82690611。

21.4 如何办理外籍人员就业证

持外国护照在园区就业的留学人员及其他外籍人员,可以到北京市劳动局申请劳动就业许可证。咨询电话:63167702、63018339。

§22. 企业员工工资的结构

工资=月薪(基本工资+岗位工资)+物价补差+福利保险+奖金

1. 基本工资由学历、工作经验、基本能力及年限四部分组成,基本工资每年核定一次。

2. 岗位工资由岗位职能工资和特殊岗位津贴两部分构成。

3. 物价补差是根据国家公布指数确定。

4. 福利保险分为基本福利保险和激励福利保险。

5. 奖金有按月发的奖金和按季度或按年发放的奖金。

交通费:可按当月市内交通车票实报实销,或者按员工的工作岗位每月核发一个固定额度。

误餐费:一般按照工作日为基准,制定每日误餐费标准。误餐费按月发放。

取暖费:核定不同级别人员可享用的住房面积,计算出每年应补助的取暖费,按年发放。

§23. 企业应为员工提供哪些社会保障及如何办理

按国家及北京市的相关规定,为员工在北京市劳动保障部门指定的单位办理五种保险即养老保险、失业保险、工伤保险、生育保险、医疗保险及住房公积金(北京市劳动保障网:www.bjldbzj.gov.cn)。

23.1 养老保险

养老保险(或养老保险制度)是国家和社会根据一定的法律和法规,为解决劳动者在达到国家规定的解除劳动义务的劳动年龄界限,或因年老丧失劳动能力退出劳动岗位后的基本生活而建立的一种社会保险制度。基本养老保险实行社会统筹与个人账户相结合。

基数核定:

标准:上年度缴费职工月平均工资。

上限:上年度全市职工月平均工资的300%。

下限:上年度本市职工月最低工资标准。

缴存比例:企业按缴费基数的20%缴纳;个人缴费比例为8%。

——北京市人民政府1998年政府令第2号

企业新招收人员以本人到企业工作第一个月的工资作为当年缴费工资基数并按规定的比例缴纳养老保险费;第二年缴费工资基数按本人上一年实发工资的月平均工资确定。

在职业介绍服务中心存档的人员,企业集体委托存档的,可以在委托存档的职业介绍服务中心按本市企业缴纳基本养老保险费的标准办理缴纳基本养老保险费手续;个人委托存档的,以本市上一年职工月平均工资为基数,按本市企业和个人缴费标准比例之和,由个人缴纳基本养老保险费(个人委托存档人员在企业工作的,其企业缴费部分由企业承担)。

企业缴纳的20%全部划入社会统筹账户;个人缴纳的8%划入个人账户。

23.2 失业保险

失业保险是指国家通过立法强制实行的,由社会集中建立基金,对因失业而暂时中断生活来源的劳动者提供物质帮助的制度。

基数核定:同养老保险的缴费基数。

缴存比例:企业1.5%,个人0.5%。

——1999年北京市人民政府令第38号

23.3 工伤保险

工伤保险是指国家和社会为在生产、工作中遭受事故伤害和患职业性疾病的劳动者及亲属提供医疗救治、生活保障、经济补偿、医疗和职业康复等物质帮助的一种社会保障制度。

基数核定:上年度本企业职工月平均工资总额。

缴存比例:企业0.5%—2%,个人不缴。

——1999年北京市人民政府令第48号

23.4 生育保险

生育保险是为保障企业职工生育期间得到必要的经济补偿和医疗保障的一种社会保障制度。

基数核定:

标准:本人上一年月平均工资,月平均工资无法确定的,按照上一年本市职工月平均工资计算。

下限:上一年本市职工月平均工资的60%。

上限:上一年本市职工月平均工资的3倍。

缴存比例:企业0.8%,个人不缴纳。

生育保险基金支付范围包括:

(1) 生育津贴;

(2) 生育医疗费用;

(3) 计划生育手术医疗费用;

(4) 国家和本市规定的其他费用

——北京市人民政府令第154号

23.5 医疗保险

医疗保险就是当人们生病或受到伤害后,由国家或社会给予的一种物质帮助,即提供医疗服务或经济补偿的一种社会保障制度。我国基本医疗保险制度实行社会统筹和个人账户相结合,是总结借鉴国外发展社会保险和个人储蓄性保险的各自利弊,结合中国国情,确立的一种有中国特色的医疗保险制度。

基数核定:同养老保险的缴费基数。

缴存比例:企业9% +1%,个人2% +3元。

——2001年北京市人民政府第68号令

区、县社保基金管理机构为参加基本医疗保险的参保人员建立个人账户。用人单位和参保人员应当按月足额缴纳基本医疗保险费。

参保人员个人缴纳的费用全部计入个人账户,用人单位缴纳的基本医疗保险的一部分,按规定的比例也要划入个人账户。

个人账户的划入按年龄分为五个档次,其中在职人员分三档,即35岁以下职工、35岁至45岁的职工、45岁以上的职工;退休人员分为二档,70岁以下和70岁以上。由于按照规定退休人员不缴基本医疗保险费,所以本着照顾退休人员的原则,按年龄段由高到低的顺序划入,形成退休人员个人账户划入资金最多,职工按不同年龄段由高到低递减的结果。

用人单位缴纳基本医疗保险费的一部分划入个人账户的具体比例为:不满35周岁的职工按本人月缴费工资基数的0.8%划入个人账户;35周岁以上不满45周岁的职工按本人月缴费工资基数的1%划入个人账户;45周岁以上的职工按本人月缴费工资基数的2%划入个人账户;不满70周岁的退休人员按上一年本市职工月平均工资的4.3%划入个人账户,70周岁以上的退休人员,按上一年本市职工月平均工资的4.8%划入个人账户。

23.6 住房公积金

住房公积金是指企事业单位及其在职职工缴存的长期住房储金。住房公积金应用于职工购买、建造、翻建、大修自住住房,任何单位和个人不得挪作他用。

基数核定:

标准:上年度缴费职工月平均工资。住房公积金年度月基数按照北京市有关住房公积金年度交存的通知执行。突破住房公积金缴存额上限手续仍按照《关于办理住房公积金缴存额上限手续有关问题的通知》(〈2002〉京房改办字第100号)以及《关于规范办理突破住房公积金缴存额上限手续有关问题的通知》([2002]京房改办字第364号)办理。

缴存比例:企业8%,个人8%。

——《国务院关于修改〈住房公积金管理条例〉的决定》

企业与个人缴纳的款额全部划入个人账户。

23.7 社会保险登记、变更、注销、年检的办理

1. 社会保险登记

根据北京市政府规定参加社会保险的单位,必须办理社会保险登记,领取《社会保险登记证》(以下简称《登记证》)。

单位应当自领取营业执照或成立之日起30日内,向所属社保经(代)办机构申请社会保险登记,建立单位缴费信息数据库。

单位通过填写《北京市社会保险单位信息登记表》(表一)(以下简称《单位信息登记表》),并出示以下证件和资料:

(1) 企业持《企业法人营业执照》(副本及复印件)。

(2) 事业单位持《事业单位法人证书》(副本及复印件)。

（3）社会团体持《社会团体法人登记证》（副本及复印件）。

（4）国家机关持单位行政介绍信。

（5）国家质量技术监督部门颁布的组织机构统一代码证书（原件及复印件）。

（6）其他核准执业的有关证件、资料：

外商投资企业还须持有关部门签发的《中华人民共和国外商投资企业批准证书》；

外国、港澳台和外商机构在北京设立的办事处（机构），须出示市工商行政部门签发的《外国（地区）企业常驻代表机构登记证》或《外商投资企业办事机构注册证》；

国内驻京非法人资格的分支机构还须提供上级法人单位开具的办理参加北京市社会保险全权委托授权书。

（7）《高新技术企业批准证书》。

（8）人员类型：外埠城镇职工及外埠农民合同制职工持《外地来京人员务工花名册》、身份证复印件，但外埠城镇职工还需持户口本复印件，包括户主（正反面）、本人各一联及身份证复印件。本市农民合同制职工持《北京市用人单位招用农村劳动力花名册》及身份证复印件。在本市上过社会保险，有转移单的，必须带保险转移单。从没有参加过社会保险的，提供身份证复印件。

（9）单位法人身份证号，非法人企业负责人身份证号（外籍身份法人或负责人的护照号）。

（10）单位开户银行名称、账号、开户行及交换号。

（11）开户银行签订的同城委托协议书原件。

（12）参保人员名单及社会保障号（身份证号18位）。

（13）参加医保人员须交2张1寸彩色证件照。

对单位填报的《单位信息登记表》、提供的证件和资料，社保经（代）办机构即时受理，符合登记要求的为其开具《北京市社会保险缴费专户开户（变更、注销）通知》（以下简称《专户开户通知》），单位凭此通知5日内到指定银行开设缴费专户；社保经（代）办机构依据银行开户回执对单位予以登记并核发《登记证》。

2. 登记变更

单位发生社会保险登记事项变更时，应当自登记变更之日起30日内，持以下证件和资料向所属社保经（代）办机构申请办理社会保险登记变更手续。

①《北京市社会保险单位信息登记变更表》（表一—1）（以下简称《单位信息登记变更表》）；

②《登记证》；

③ 工商执照或有关机关批准变更证明；

④ 社保经(代)办机构规定的其他相关资料。单位社会保险登记变更材料齐全的,社保经(代)办机构审核后予以变更。单位信息变更事项涉及《登记证》内容,需要重新打印《登记证》的,社会保险登记证号不予变动,原《登记证》收回。

3. 登记注销

单位发生解散、破产、撤销、合并、被吊销营业执照以及其他情形,依法终止社会保险缴费义务时,应当自发生注销登记事项之日起 30 日内向所属社保经(代)办机构申请注销登记。单位申请注销登记时须填写《单位信息登记变更表》,并提供相关证明材料,经社保经(代)办机构审核后,为其办理注销社会保险登记手续,并收回《登记证》。

单位在办理注销社会保险登记前,应当结清应缴的社会保险费、滞纳金、罚款。

《登记证》由单位保管,不得伪造、转让、涂改、买卖和损毁。遗失社会保险登记证件的,应当及时向所属社保经(代)办机构提出书面申请并补办。

4. 登记年检

单位每年应按规定参加社会保险登记年检。

年检审核的主要内容包括:

① 办理社会保险登记、变更登记、以前年检等情况;

② 参加险种、参保人数及变更情况;

③ 申报缴费工资、缴纳社会保险费情况;

④ 社保经(代)办机构规定的其他内容。

年检时,单位须填写《北京市社会保险登记证年检表》(以下简称《登记证年检表》)并携带以下相关资料:

①《登记证》;

② 营业执照、批准成立证件或其他核准执业证件;

③ 组织机构统一代码证书;

④ 职工工资名册;

⑤ 社保经(代)办机构规定的其他有关证件和资料。

持以上材料到所属社保经(代)办机构进行社会保险登记年检。未经年检,证件自行失效。社保经(代)办机构审核通过的,在《登记证》上加盖核验印章。

23.8 社会保险缴费专户的管理

参保单位应在指定银行开设社会保险缴费专户。社会保险缴费专户仅用于社会保险费和其他指定费用的转账。缴费专户资金用于参保单位与北京市社会保险基金管理中心之间进行转账结算，不得提取现金或用于其他资金的结算。参保单位须在每月 1 日前将应缴纳的各项社会保险费足额存入缴费专户。

1. 缴费专户的开立

参保单位自社保经(代)办机构核准社会保险登记之日起 5 日内凭社保经(代)办机构开具的《专户开户通知》及按中国人民银行规定的相关开户手续到银行开设缴费专户，并将开户《回执》返回所属社保经(代)办机构。

2. 缴费专户的变更

参保单位发生涉及缴费专户信息的事项变更时，应到所属社保经(代)办机构领取《专户开户通知》，于 3 日内到开户银行办理缴费专户信息变更，并持回执返回社保经(代)办机构办理相关的单位信息变更登记手续。

3. 缴费专户的注销

参保单位因撤销、破产、分立、解散、兼并等原因需要注销缴费专户时，单位持所属社保经(代)办机构开具的《专户开户通知》，到银行办理清户手续。

23.9 关于“五险一金”的主要规定

1. 北京市企业城镇劳动者养老保险规定

基本养老保险是指依法由本市社会保险行政主管部门负责组织和管理，由企业和被保险人共同承担养老保险费缴纳义务，被保险人退休后依法享受养老保险待遇的基本养老保险制度。基本养老保险以保障离退休人员的基本生活为原则。

——1998 年北京市人民政府第 2 号令

2. 北京市失业保险规定

用人单位和职工个人应当按月足额缴纳失业保险费。

用人单位应缴纳的失业保险费，由社会保险经办机构委托用人单位的开户银行按月代为扣缴。职工个人应缴纳的失业保险费，由用人单位代为扣缴。

具备下列条件的失业人员，可以领取失业保险金；

(1) 按照规定参加失业保险，所在单位和本人已按规定履行缴费义务满 1

年的；

（2）非本人意愿中断就业的；

（3）已办理失业登记，并有求职要求的。

——1997年北京市人民政府第38号令

3. 北京市企业劳动者工伤保险规定

被保险人因工负伤治疗，享受工伤医疗待遇。

被保险人治疗工伤或职业病所需的挂号费、诊疗费、住院费、医疗费、药费、就医路费全额报销。

被保险人需要住院治疗的，按照当地因公出差伙食补助标准的2/3发给住院伙食补助费。经批准转外地治疗的，所需交通、食宿费用按照本企业职工因公出差标准报销。

市劳动保障行政部门负责制定工伤、职业病医疗管理办法，规范工伤医疗。

被保险人治疗非工伤所致的疾病，其医疗费用按照医疗保险的有关规定执行。

——1999年北京市人民政府第48号令

4. 生育保险

企业缴纳的生育保险费，由社会保险经办机构委托企业的开户银行以“委托银行收款（无付款期）”的结算方式按月扣缴。

生育保险费的征缴按照国务院《社会保险费征缴暂行条例》和《北京市社会保险费征缴若干规定》的规定执行。

职工享受生育保险待遇，应当符合国家和本市计划生育的有关规定。

下列生育、计划生育手术医疗费用生育保险基金不予支付：

（1）不符合国家或者本市计划生育规定的；

（2）不符合本市基本医疗保险就医规定的；

（3）不符合本市基本医疗保险药品目录、诊疗项目和医疗服务设施项目规定的；

（4）在国外或者香港、澳门特别行政区以及台湾地区发生的医疗费用；

（5）因医疗事故发生的医疗费用；

（6）治疗生育合并症的费用；

（7）按照国家或者本市规定应当由个人负担的费用。

——北京市人民政府令第154号

5. 北京市基本医疗保险规定

基本医疗保险费实行用人单位和职工个人双方负担、共同缴纳、全市统筹的原则。基本医疗保险基金实行社会统筹和个人账户相结合的原则。基本医疗保险的保障水平应当与本市社会生产力发展水平以及财政、用人单位和个人的承受能力相适应。

本市在实行基本医疗保险的基础上，建立大额医疗费用互助制度，实行国家公务员医疗补助办法，企业和事业单位可以建立补充医疗保险，鼓励用人单位和个人参加商业医疗保险。基本医疗保险费由用人单位和职工个人共同缴纳。用人单位和职工应当按时足额缴纳基本医疗保险费。不按时足额缴纳的，不计个人账户，基本医疗保险统筹基金不予支付其医疗费用。

——2001 年北京市人民政府第 68 号令

6.《住房公积金管理条例》

职工有下列情形之一的，可以提取职工住房公积金账户内的存储余额：

(1) 购买、建造、翻建、大修自住住房的；

(2) 离休、退休的；

(3) 完全丧失劳动能力，并与单位终止劳动关系的；

(4) 出境定居的；

(5) 偿还购房贷款本息的；

(6) 房租支出超出家庭工资收入 5% 的。

(7) 生活困难，正在领取城镇最低生活保障金的；

(8) 遇到突发事件，造成家庭生活严重困难的；

(9) 进城务工人员，与单位解除劳动关系的；

(10) 在职期间判处死刑、判处无期徒刑或有期徒刑刑期期满时达到国家法定退休年龄的；

(11) 死亡或者被宣告死亡的；

(12) 北京住房公积金管理委员会规定的其他情形。

——《国务院关于修改〈住房公积金管理条例〉的决定》

§24. 职工福利和劳动者权益保障的有关规定

24.1 有关节假日和休假制度

1. 节日

全体公民放假的节日：

(1) 新年，放假 1 天(1 月 1 日)；

(2) 春节，放假 3 天(农历正月初一、初二、初三)；

(3) 劳动节,放假3天(5月1日、2日、3日);

(4) 国庆节,放假3天(10月1日、2日、3日)。

2. 纪念日

部分公民放假的节日及纪念日:

(1) 妇女节(3月8日),妇女放假半天;

(2) 青年节(5月4日),14周岁以上的青年放假半天;

(3) 儿童节(6月1日),13周岁以下的少年儿童放假1天。

3. 休假

全体公民放假的假日,如果适逢星期六、星期日,应当在工作日补假。部分公民放假的假日,如果适逢星期六、星期日,则不补假。

——《全国年节及纪念日放假办法》,中华人民共和国国务院1999年第270号令

企业在确定职工休假天数时,要根据工作任务和各类人员的资历、岗位等不同情况,有所区别。

4. 婚假

员工按国家正式手续履行登记后,享受婚假。

婚假3天,晚婚(男25周岁、女23周岁及以上)假15天。

再婚只享受婚假,不享受晚婚假。

——《国家劳动总局、财政部关于国营企业职工请婚丧假和路程假问题的规定》

5. 丧假

直系亲属(指配偶、子女、父母或配偶之父母)死亡,公司酌情给假1—3天。

——《国家劳动总局、财政部关于国营企业职工请婚丧假和路程假问题的规定》

6. 带薪年假

公司员工可享受年假;根据职务和工龄,每年可享受不同时间的带薪年假;可参照:

1 < 工龄 ≤5年:年假7日;

5 < 工龄 ≤10年:年假10日;

工龄10年以上:年假15日。

——《中共中央、国务院关于职工休假问题的通知》,国发电(1991)2号

7. 产假或护理假

符合国家计划生育政策的,享受产假或护理假。

女职工正常生育的产假为90天;难产的增加15天,多胞胎生育的每多生育

1个婴儿增加15天,晚育的增加30天。男性职员妻子分娩给护理假5天。

女性职员产假应从预计分娩前2—4周开始使用。

女职工妊娠不满4个月流产的产假为15天至30天,妊娠满4个月以上流产的产假为42天。

8. 哺乳假

小孩1周岁以内,上班时间给母亲每天1小时哺乳时间。

9. 探亲假

与配偶分居两地,职员每年可享受一次为期30天的探亲假;

未婚且父母均在外地居住,职员每年可享受为期20天的探亲假;

已婚而父母均在外地居住,职员每4年可享受为期20天的探亲假。

企业可根据自身情况,参照执行。

24.2 员工加班的有关规定

用人单位由于生产经营需要,经与工会和劳动者协商后可以延长工作时间,一般每日不得超过1小时;因特殊原因需要延长工作时间的,在保障劳动者身体健康的条件下延长工作时间每日不得超过3小时,但是每月不得超过36小时。

用人单位应当按照下列标准支付高于劳动者正常工作时间工资的工资报酬:

1. 安排劳动者延长工作时间的,支付不低于工资的150%的工资报酬;

2. 休息日安排劳动者工作又不能安排补休的,支付不低于工资的200%的工资报酬;

3. 法定休假日安排劳动者工作的,支付不低于工资的300%的工资报酬。

——《中华人民共和国劳动法》

24.3 劳动安全和人身伤害补偿的有关规定

用人单位和职工应当遵守有关安全生产和职业病防治的法律法规,执行安全卫生规程和标准,预防工伤事故发生,避免和减少职业病危害。职工发生工伤时,用人单位应当采取措施使工伤职工得到及时救治。

——《工伤保险条例》,中华人民共和国国务院2003年令第375号

因生命、健康、身体遭受侵害,赔偿权利人起诉请求赔偿义务人赔偿财产损失和精神损害的,人民法院应予受理。

残疾赔偿金根据受害人丧失劳动能力程度或者伤残等级,按照受诉法院所

在地上一年度城镇居民人均可支配收入或者农村居民人均纯收入标准,自定残之日起按20年计算。但60周岁以上的,年龄每增加1岁减少1年;75周岁以上的,按5年计算。死亡赔偿金按照受诉法院所在地上一年度城镇居民人均可支配收入或者农村居民人均纯收入标准,按20年计算。但60周岁以上的,年龄每增加1岁减少1年;75周岁以上的,按5年计算。

——《最高人民法院关于审理人身损害赔偿案件适用法律若干问题的解释》 法释(2003)20号

§25. 高新技术企业员工的人事档案管理

25.1 公司人事部门档案管理内容

为实现公司人事档案管理科学化、制度化,发挥人事档案的最大效用,应制定人事档案管理制度。

公司人事档案分为两部分:公司部分和员工部分。

公司部分档案分设以下内容:

(1) 人事管理各项规章制度;

(2) 公司组织结构图;

(3) 公司各部门岗位工作说明书和工作规范;

(4) 员工花名册;

(5) 保险资料;

(6) 公司人力资源管理统计表;

(7) 其他应列入公司人事档案的项目。

员工部分档案分为:员工基本档案、培训档案、员工工作业绩档案。

(1) 员工基本档案 员工基本档案是关于员工个人及有关方面历史情况的材料。其内容主要包括:

① 员工履历表及入职时所填写的《职员登记表》、入职单。

② 员工身份、学历、职称等证件复印件。

③ 员工以往工作或学习的单位对其的鉴定和评价资料以及其学历、专长、业务及有关能力的评定和考核资料。

④ 员工以往各方面奖惩证明。

⑤ 劳动合同书等。

(2) 资料变更

员工所提供履历资料如发生变化,员工应以书面方式及时准确报知人力资源部,以便使员工个人档案资料内有关记录得以相应更正,确保资料正确无误。

(3) 员工人事资料的使用

员工人事档案资料为公司管理及决策部门提供员工各方面基本数据,并为人力资源统计分析提供资料;通过分析结果了解人员结构的变动情况,为制定公司人力资源发展规划提供依据。

(4) 培训档案

① 员工培训档案

员工培训档案是对员工自进入公司工作开始所参与过的各种培训活动的详细记录。

② 员工培训记录内容

包括岗前培训记录、岗位培训记录、工作期间员工自费参加各种培训的记录及培训结果等记录资料。

③ 培训档案的使用

员工培训档案将做为对员工考评、晋升、加薪时的参考依据;员工培训档案也是公司人力资源部组织培训、发掘与调配人才的原始依据。

(5) 员工工作业绩档案

将员工各阶段、各时期的工作评价和考核及主要表现记录在案,便于正确全面地评价员工。

工作业绩档案主要包括:

① 考评记录:公司实行制度化的评估工作,对员工工作表现定期定时进行考评。考评记录可以比较全面地反映出员工的工作概况,具有重要作用。

② 出勤记录:员工每月的考勤统计按年度汇总,存入员工工作档案。员工出勤情况的记录是员工工作态度的侧面反映,体现了员工对企业的忠诚和对工作的责任感。

③ 奖惩记录:员工在日常工作中表现突出或违反纪律受到各种奖励或处罚的记录,是对其工作能力、可信赖程度、工作责任心及工作态度的一种检验尺度,也是考察员工表现,使用与提拔员工的重要依据。

④ 职级变更记录:员工在工作中,由于工作表现及服务年限因素,其职务、级别与工资待遇等内容会有变化,这种变动也体现了员工工作能力、工作表现、贡献大小。员工工作档案中对员工职级的变动记录是查考员工工作表现的客观依据。

公司人事档案管理工作,由公司人力资源部负责,必须严守秘密,不得泄露。

档案借阅应按以下原则和程序办理：

(1) 非人力资源部人员不得自行检取档案。

(2) 凡借阅档案者，均须填写书面申请表，由上级主管领导批准并经人力资源部主管批准后，方可办理借阅手续。

(3) 档案借阅原则上就地阅读，若确须带出，经人力资源部上级主管批准后，方可带出，并在规定之日送还。

(4) 借阅档案应严守秘密，非经人力资源部门主管批准不得抄录、复印档案内容。

(5) 借阅人不得撤换、涂改、损坏及批阅档案内文件，一经发现，应追究其法律责任。

(6) 档案借阅最多 2 个工作日，必须按时送还。

(7) 凡属涉及公司机密的档案，须经总裁批准后方可借阅。

(8) 人力资源部负责外借档案的催还。

25.2 员工个人人事档案存放

有人事档案管理权的企业可以保管员工档案，无人事档案管理权的企业可以委托政府批准的人才中介服务机构管理企业人事档案。

§26. 关于员工辞职和辞退员工的有关规定

26.1 劳动合同的解除

1. 劳动合同当事人协商一致，可以解除劳动合同。

2. 劳动者有下列情形之一的，用人单位可以解除劳动合同：

(1) 在试用期内被证明不符合录用条件的；

(2) 严重违反劳动纪律或者用人单位规章制度，按照用人单位规定或者劳动合同约定可以解除劳动合同的，但用人单位的规章制度与法律、法规、规章相抵触的除外；

(3) 严重失职、营私舞弊，对用人单位利益造成重大损害的；

(4) 被依法追究刑事责任的。

3. 有下列情形之一的，用人单位可以解除劳动合同，但应当提前30日以书面形式通知劳动者本人：

(1) 劳动者患病或者非因工负伤,医疗期满后不能从事原工作,也不能从事由用人单位另行安排的工作或者不符合国家和本市从事有关行业、工种岗位规定,用人单位无法另行安排工作的;

(2) 劳动者不能胜任工作,经过培训或者调整工作岗位,仍不能胜任工作的;

(3) 劳动合同订立时所依据的客观情况发生重大变化,致使原劳动合同无法履行,经当事人协商不能就变更劳动合同达成协议的。

4. 用人单位有下列情形之一,确需裁减人员的,应当提前30日向工会或者全体职工说明情况,听取工会或者职工的意见,经向劳动和社会保障行政部门报告后,可以裁减人员:

(1) 濒临破产进行法定整顿期间的;

(2) 因防治工业污染源搬迁的;

(3) 生产经营发生严重困难的;用人单位依据前款规定裁减人员,在6个月内录用人员的,应当优先录用被裁减人员。

5. 劳动者解除劳动合同,应当提前30日或者按照劳动合同约定的提前通知期,以书面形式通知用人单位。

6. 劳动者给用人单位造成经济损失尚未处理完毕或者未按照劳动合同约定承担违约责任的,不得依据前款规定解除劳动合同。

7. 有下列情形之一的,劳动者可以随时通知用人单位解除劳动合同,用人单位应当支付劳动者相应的劳动报酬并依法缴纳社会保险费:

(1) 在试用期内的;

(2) 用人单位以暴力、威胁或者非法限制人身自由的手段强迫劳动的;

(3) 用人单位未按照劳动合同约定支付劳动报酬或者提供劳动条件的;

(4) 用人单位未依法为劳动者缴纳社会保险费的。

8. 当事人依据本规定解除劳动合同的,用人单位应当向劳动者出具解除劳动合同的书面证明,并办理有关手续。

——《北京市劳动合同规定》,2002年2月1日发布

26.2 用人单位解除劳动合同的经济补偿

26.2.1 支付经济补偿金的标准和范围

劳动部《关于印发〈违反和解除劳动合同的经济补偿办法〉的通知》(劳部发[1994]481号)

(一) **第二条** 对劳动者的经济补偿金,由用人单位一次性发给。

（二）**第五条** 经劳动合同当事人协商一致，由用人单位解除劳动合同的，用人单位应根据劳动者在本单位工作年限，每满1年发给相当于1个月的经济补偿金，最多不超过12个月。工作时间不满1年的按1年的标准发给经济补偿金。

（三）**第六条** 劳动者患病或者非因工负伤，经劳动鉴定委员会确认不能从事原工作、也不能从事用人单位另行安排的工作而解除劳动合同的，用人单位应按其在本单位的工作年限，每满1年发给相当于1个月工资的经济补偿金，同时还应发给不低于6个月工资的医疗补助费。患重病和绝症的还应增加医疗补助费，患重病的增加部分不低于医疗补助费的50%，患绝症的增加部分不低于医疗补助费的100%。

（四）**第七条** 劳动者不能胜任工作，经过培训或者调整工作岗位仍不能胜任工作，由用人单位解除劳动合同的，用人单位应按其在本单位工作的年限，工作时间每满1年，发给相当于1个月工资的经济补偿金，最多不超过12个月。

（五）**第八条** 劳动合同订立时所依据的客观情况发生重大变化，致使原劳动合同无法履行，经当事人协商不能就变更劳动合同达成协议，由用人单位解除劳动合同的，用人单位按劳动者在本单位工作的年限，工作时间每满1年发给相当于1个月工资的经济补偿金。

（六）**第九条** 用人单位濒临破产进行法定整顿期间或者生产经营状况发生严重困难，必须裁减人员的，用人单位按被裁减人员在本单位工作的年限支付经济补偿金。在本单位工作的时间每满1年，发给相当于1个月工资的经济补偿金。

（七）**第十条** 用人单位解除劳动合同后，未按规定发给劳动者经济补偿金的，除全额发给经济补偿金外，还须按该经济补偿金数额的50%支付额外经济补偿金。

（八）**第十一条** 本办法中经济补偿金的工资计算标准是指企业正常生产情况下劳动者解除合同前12个月的月平均工资。用人单位依据本办法的第6条、第8条、第9条解除劳动合同时，劳动者的月平均工资低于企业月平均工资的，按企业月平均工资的标准支付。

北京市劳动局《关于转发劳动部〈关于印发违反和解除劳动合同的经济补偿办法的通知〉的通知》（京劳关发[1995]45号）

（一）《办法》第5条中“工作时间不满1年的按1年的标准发给经济补偿金”适用于《办法》中第6、7、8、9条。

（二）《办法》中第5、6条的经济补偿金，按劳动者解除合同前12月的月平均工资计算。

（三）《办法》中第6、8、9条经济补偿金，按本单位上年月平均工资1个月的标准计算。如果劳动者解除合同前12个月的月平均工资高于本单位上年月平均工资的，按本人月平均工资计算。

劳动部办公厅《关于对解除劳动合同经济补偿问题的复函》（劳办发[1997]98号）

（一）关于对《违反和解除劳动合同的经济补偿办法》（劳部发[1994]481号）第5条中的"工作时间不满1年的按1年的标准发给经济补偿金"的理解问题。这里的"工作时间不满1年"是指两种情形，第一种是指职工在本单位的工作时间不满1年的；第二种是指职工在本单位的工作时间超过1年但余下的工作时间不满1年的。计发经济补偿金时对上述不满1年的工作时间都按工作1年的标准计算。

（二）《违反和解除劳动合同的经济补偿办法》第5条关于"工作时间不满1年的按1年的标准发给经济补偿金"的规定，适用于该办法中的第6条、第7条、第8条和第9条。

北京市劳动局《关于确定农民合同制工人企业工作年限问题的复函》（京劳关函[1997]64号）

企业依据国家有关规定解除农民合同制工人的劳动合同，应按照北京市劳动局1995年3月10日发出的《关于转发劳动部〈关于印发违反和解除劳动合同的经济补偿办法的通知〉的通知》（京劳关发[1995]45号）的规定支付经济补偿金。确定农民合同制工人在本单位的工作年限应从明确农民合同制工人身份开始起算。在明确农民合同制工人身份之前从事的临时性工作，不作为计发经济补偿金或生活补助费的年限。

北京市劳动局《关于进一步规范劳动关系的通知》（京劳社关发[1999]34号）

（一）企业依据第3条、第6条第2款、第11条规定解除职工劳动合同，应比照原劳动部《违反和解除劳动合同的经济补偿办法》（劳部发[1994]481号）第5条规定的标准支付经济补偿金。

（二）计算经济补偿金的标准低于最低工资标准的，按解除劳动合同时的本市最低工资标准计算经济补偿金。

（三）企业富余职工在本企业自办的具有独立法人资格的经济实体实现再就业的，企业与其解除劳动合同时也可不支付经济补偿金，但职工在原企业工作时间应计算为同一单位连续工作时间。

26.2.2 不支付经济补偿金的范围

北京市劳动局《关于印发〈北京市劳动合同管理办法〉(试行)的通知》(京劳关发[1996]153号)

第八条

因工作需要,经组织决定调整工作而转移工作单位的职工,应与原用人单位解除劳动合同,与新的用人单位签订劳动合同,原用人单位不支付经济补偿金。

劳动部《关于实行劳动合同制度若干问题的通知》(劳部发[1996]354号)

(一) 劳动者主动提出解除劳动合同的,用人单位可以不支付经济补偿金。

(二) 劳动者在劳动合同期限内,由于主管部门调动或转移工作单位而被解除劳动合同,未造成失业的,用人单位可以不支付经济补偿金。

劳动部办公厅《对〈关于实行劳动合同制度若干问题的请示〉的复函》(劳办发[1997]88号)

关于离退休人员的再次聘用问题。各地应采取适当的调控措施,优先解决适龄劳动者的就业和再就业问题。对被再次聘用的已享受养老保险待遇的离退休人员,根据劳动部《关于实行劳动合同制度若干问题的通知》(劳部发[1996]354号)第13条的规定,其聘用协议可以明确工作内容、报酬、医疗、劳动保护待遇等权利、义务。离退休人员与用人单位应当按照聘用协议的约定履行义务,聘用协议约定提前解除书面协议的,应当按照双方约定办理,未约定的,应当协商解决。离退休人员聘用协议的解除不能依据《劳动法》第28条执行。离退休人员与用人单位发生争议,如果属于劳动争议仲裁委员会受案范围的,劳动争议仲裁委员会应予受理。

§27. 发生劳资纠纷如何处理

27.1 员工与企业发生纠纷的主要情况及解决途径

27.1.1 存在事实劳动关系,但未订立劳动合同

解决方法:

用人单位与劳动者存在劳动关系未订立劳动合同,劳动者要求签订劳动合同的,用人单位不得解除劳动关系,并应当与劳动者签订劳动合同。双方当事人就劳动合同期限协商不一致的,劳动合同期限从签字之日起不得少于1年。

——《北京市劳动合同规定》,2002年2月1日发布

27.1.2 劳动合同的条款不合理,随意订立试用期限

解决方法:

劳动合同可以约定试用期。劳动合同期限在6个月以内的,试用期不得超过15日;劳动合同期限在6个月以上1年以内的,试用期不得超过30日;劳动合同期限在1年以上2年以内的,试用期不得超过60日;劳动合同期限在2年以上的,试用期不得超过6个月。试用期包括在劳动合同期限内。

——《北京市劳动合同规定》,2002年2月1日发布

27.1.3 劳动合同期满后,员工仍在企业中工作数日,企业终止劳动合同而不支付经济补偿金

解决方法:

劳动法和劳动部的有关解释规定,劳动合同期满后,劳动者仍在用人单位工作的,视为形成了新的事实劳动关系。用人单位如要解除与劳动者的这种事实劳动关系,除非劳动者存在《劳动法》第25条规定的重大过错,都要支付经济补偿金(每工作1年发给相当于1个月工资的补偿金)或者赔偿金。

27.1.4 企业在劳动法规定的范围内加班时,不按照劳动法规定的标准向职工支付加班工资

解决方法:

对于延长工作时间的劳动报酬(即加班工资),在工资单中必须单独标明。对于加班工资,法律规定(《中华人民共和国劳动法》主席令第28号)有明确的标准,企业不得违反该规定。但实践中,许多企业为计算工资方便,把加班工资计算在普通工资中,并未单列加班工资。这样发生纠纷,不但应按照规定标准额外支付加班工资,而且劳动者可随时解除劳动合同(关系)并要求获得补偿金和赔偿金的权利。

27.1.5 企业不为员工办理社会保险

解决方法:

补缴入职以来的所有国家规定的社会保险费用。

27.1.6 无故拖欠员工工资

解决方法:

根据劳动部《对〈工资支付暂行规定〉有关问题的补充规定》,除两种情况(遇到非人力所能抗拒的自然灾害、战争等原因;用人单位确因生产经营困难、资金周转受到影响,在征得本单位工会同意后,可暂时延期支付工资)外,其他情况下拖欠工资均属“无故拖欠”。

27.1.7 因辞退引发的经济补偿金纠纷

解决方法：

根据员工在本单位工作年限，每满1年发给相当于1个月工资的经济补偿金，最多不超过12个月。工作时间不满1年的按1年的标准发给经济补偿金。员工的月平均工资低于企业月平均工资的，按企业月平均工资的标准支付。

——《违反和解除劳动合同的经济补偿办法》劳部发(1994)481号

27.2 相关的劳动仲裁机构

机构名称	地址	电话	邮编
北京市劳动争议仲裁委员会	宣武区槐柏树街2号	63021821	100050
朝阳区劳动争议仲裁委员会	朝阳区霄云路34号	64632521	100027
海淀区劳动争议仲裁委员会	苏州街31号	62622779	100080
丰台区劳动争议仲裁委员会	丰台区丰台镇东安街三条1号	63812538	100071
大兴区劳动争议仲裁委员会	大兴区兴丰南大街54号	69202199	102600
昌平区劳动争议仲裁委员会	昌平区政府街3号	69741039	102200
开发区劳动争议仲裁委员会	万源街4号人劳局	67880189	100176

企业税务

§28. 中国的基本税收制度

税收的实质是国家为了行使职能，取得财政收入的一种方式。

国家以社会管理者的身份，用法律、法规等形式对征收捐税加以规定，并依照法律强制征税。

国家征税后，税款即成为财政收入，不再归还纳税人，也不支付任何报酬。

在征税之前，以法的形式预先规定课税对象、课税额度和课税方法。

税法是税收的法律表现形式，税收则是税法所确定的具体内容。我国的税收就是国家凭借其权力，利用税收工具的强制性、无偿性、固定性的特征参与社会产品和国民收入分配。

税收收入是政府取得财政收入的基本来源，而财政收入是维持国家机器正常运转的经济基础，税收是国家宏观调控的重要手段，是调整国家与企业和公民个人分配关系的最基本、最直接的方式。

税法的构成要素一般包括总则、纳税义务人、征税对象、税目、税率、纳税环节、纳税期限、纳税地点、减税免税、罚则、附则等项目，我国现行税收共有24个税种。

§29. 高新技术企业应缴纳的税种和税收征管规定

我国现行税收法律体系共有24个税种，按性质和作用大致分为七类：

1. 流转税类。包括增值税、消费税和营业税。主要在生产、流通或者服务业中发挥调节作用。

2. 资源税类。包括资源税、城镇土地使用税。主要是对因开发和利用自然资源差异而形成的级差收入发挥调节作用。

3. 所得税类。包括企业所得税、外商投资企业和外国企业所得税、个人所得税。主要是在国民收入形成后，对生产经营者的利润和个人的纯收入发挥调节作用。

4. 特定目的税类。包括筵席税、城市维护建设税、土地增值税、车辆购置税、耕地占用税，主要是为了达到特定目的，对特定对象和特定行为发挥调节作用。

5. 财产和行为税类。包括房产税、城市房地产税、车船使用税、车船使用牌照税、印花税、屠宰税、契税，主要是对某些财产和行为发挥调节作用。

6. 农业税类。包括农业税、牧业税，主要是对取得农业或者牧业收入的企业、单位和个人征收。

7. 关税。主要对进出我国国境的货物、物品征收。

高新技术企业应缴纳的税种与我国现行税收体系的24个税种一致。

高新技术企业的部分税种征收税率享受优惠政策，具体规定参阅本书“高新技术企业的税收优惠”篇。

按照全国人大常委会发布实施的《税收征收管理法》，由税务机关负责税务的征收管理。

国家税务局系统包括省、自治区、直辖市国家税务局，地区、地级市、自治州、盟国家税务局，县、县级市、旗国家税务局，征收分局、税务所。

国家税务局系统负责征收和管理的项目有：增值税，消费税，车辆购置税，铁道部门、各银行总行、各保险总公司集中缴纳的营业税、所得税、城市维护建设税，中央企业缴纳的所得税，中央与地方所属企业、事业单位组成的联营企业、股份制企业缴纳的所得税，地方银行、非银行金融企业缴纳的所得税，海洋石油企业缴纳的所得税、资源税，外商投资企业和外国企业所得税，证券交易税，个人所得税中对储蓄存款利息所得征收的部分，中央税的滞纳金、补税、罚款。

地方税务局系统包括省、自治区、直辖市地方税务局，地区、地级市、自治州、盟地方税务局，县、县级市、旗地方税务局，征收分局、税务所。

地方税务局系统负责征收和管理的项目有：营业税，城市维护建设税，地方国有企业、集体企业、私营企业缴纳的所得税、个人所得税，资源税，城镇土地使用税，耕地占用税，土地增值税，房产税，城市房地产税，车船使用税，车船使用牌照税，印花税，契税，屠宰税，筵席税，农业税、牧业税及其地方附加，地方税的滞纳金、补税、罚款。

§30. 企业纳税需注意的问题

纳税人必须依照法律、行政法规规定或者税务机关依照法律、行政法规的规定确定的申报期限、申报内容如实办理纳税申报，报送纳税申报表、财务会计报表以及税务机关根据实际需要要求纳税人报送的其他纳税资料。

扣缴义务人必须依照法律、行政法规规定或者税务机关依照法律、行政法规的规定确定的申报期限、申报内容如实报送代扣代缴、代收代缴税款报告表以及税务机关根据实际需要要求扣缴义务人报送的其他有关资料。

纳税人、扣缴义务人按照法律、行政法规规定或者税务机关依照法律、行政法规的规定确定的期限，缴纳或者解缴税款。

纳税人可以依照法律、行政法规的规定书面申请减税、免税。

减税、免税的申请须经法律、行政法规规定的减税、免税审查批准机关审批。

税务机关征收税款时，必须给纳税人开具完税凭证。扣缴义务人代扣、代收税款时，纳税人要求扣缴义务人开具代扣、代收税款凭证的，扣缴义务人应当开具。

纳税人有下列情形之一的，税务机关有权核定其应纳税额：

1. 依照法律、行政法规的规定可以不设置账簿的；

2. 依照法律、行政法规的规定应当设置账簿但未设置的；

3. 擅自销毁账簿或者拒不提供纳税资料的；

4. 虽设置账簿，但账目混乱或者成本资料、收入凭证、费用凭证残缺不全，难以查账的；

5. 发生纳税义务，未按照规定的期限办理纳税申报，经税务机关责令限期申报，逾期仍不申报的；

6. 纳税人申报的计税依据明显偏低,又无正当理由的。

税务机关有权进行下列税务检查:

1. 检查纳税人的账簿、记账凭证、报表和有关资料,检查扣缴义务人代扣代缴、代收代缴税款账簿、记账凭证和有关资料;

2. 到纳税人的生产、经营场所和货物存放地检查纳税人应纳税的商品、货物或者其他财产,检查扣缴义务人与代扣代缴、代收代缴税款有关的经营情况;

3. 责成纳税人、扣缴义务人提供与纳税或者代扣代缴、代收代缴税款有关的文件、证明材料和有关资料;

4. 询问纳税人、扣缴义务人与纳税或者代扣代缴、代收代缴税款有关的问题和情况;

5. 到车站、码头、机场、邮政企业及其分支机构检查纳税人托运、邮寄应纳税商品、货物或者其他财产的有关单据、凭证和有关资料;

6. 经县以上税务局(分局)局长批准,凭全国统一格式的检查存款账户许可证明,查询从事生产、经营的纳税人、扣缴义务人在银行或者其他金融机构的存款账户。税务机关在调查税收违法案件时,经设区的市、自治州以上税务局(分局)局长批准,可以查询案件涉嫌人员的储蓄存款。税务机关查询所获得的资料,不得用于税收以外的用途。

纳税人未按照规定的期限办理纳税申报和报送纳税资料的,或者扣缴义务人未按照规定的期限向税务机关报送代扣代缴、代收代缴税款报告表和有关资料的,由税务机关责令限期改正,可以处 2000 元以下的罚款;情节严重的,可以处 2000 元以上 1 万元以下的罚款。

纳税人伪造、变造、隐匿、擅自销毁账簿、记账凭证,或者在账簿上多列支出或者不列、少列收入,或者经税务机关通知申报而拒不申报或者进行虚假的纳税申报,不缴或者少缴应纳税款的,是偷税。对纳税人偷税的,由税务机关追缴其不缴或者少缴的税款、滞纳金,并处不缴或者少缴的税款 50% 以上 5 倍以下的罚款;构成犯罪的,依法追究刑事责任。

纳税人、扣缴义务人编造虚假计税依据的,由税务机关责令限期改正,并处 5 万元以下的罚款。

纳税人不进行纳税申报,不缴或者少缴应纳税款的,由税务机关追缴其不缴或者少缴的税款、滞纳金,并处不缴或者少缴的税款 50% 以上 5 倍以下的罚款。

纳税人欠缴应纳税款,采取转移或者隐匿财产的手段,妨碍税务机关追缴欠缴税款的,由税务机关追缴欠缴的税款、滞纳金,并处欠缴税款 50% 以上 5 倍以下的罚款;构成犯罪的,依法追究刑事责任。

——《中华人民共和国税收征收管理法》

§31. 中关村科技园区的高新技术企业可以享受哪些税收优惠政策

31.1 高新技术企业的税收优惠

• 对中关村科技园区内的新技术企业,减按15%税率征收所得税。企业出口产品的产值达到当年总产值40%以上的,经税务部门核定,减按10%税率征收所得税。新技术企业自开办之日起,3年内免征所得税。经北京市人民政府指定的部门批准,第4至6年可按前项规定的税率,减半征收所得税。

——《北京市新技术产业开发试验区暂行条例》(京政发[1988]49号)第5条

• 经营期在10年以上的生产性企业,从开始获利的年度起,第1年和第2年免征企业所得税;第3年至第5年减半征收企业所得税,减半征收的企业所得税,企业可以提出申请,经同级财政部门核准,予以全部返还。免减期满后,仍为先进技术的,延长3年减半征收企业所得税,减半的税率不足10%的,按10%的税率征收。

——《北京市关于鼓励外商投资高新技术产业的若干规定》(京政发[1997]14号)第6条

• 高新技术企业当年发生的技术开发费比上年实际增长10%(含10%)以上的,当年经主管税务机关批准,可再按技术开发费实际发生额的50%抵扣当年应纳税所得额。

——《北京市关于进一步促进高新技术产业发展的若干规定》(京政发[2001]38号)第11条

• 高新技术企业在工资总额增长幅度低于经济效益增长幅度、职工平均工资增长幅度低于劳动生产率增长幅度的,实际发放的工资在计算企业所得税应纳税所得额时允许据实扣除。

• 高新技术企业研制开发新产品、新技术、新工艺当年所发生的各项费用和为此购置的单台价值在10万元以下试制用关键设备、测试仪器的费用,可一次或分次摊入成本;其当年实际发生额比上年增长10%(含10%)以上的,可再按技术开发费实际发生额的50%直接抵扣当年应纳税所得额。

• 高新技术企业购买国内外先进技术、专利所发生的费用,经税务部门批准,可在两年内摊销完毕。

——《北京市关于进一步促进高新技术产业发展的若干规定》(京政发[2001]38号)第18条

• 企业事业单位进行技术转让,以及在技术转让过程中发生的与技术有关的技术咨询、技术服务、技术培训的所得,年净收入在30万元以下的暂免征收所得税;超过30万元的部分依法缴纳所得税。

——《财政部、国家税务总局关于企业所得税若干优惠政策的通知》(财税字[94]001号)第5条

• 高新技术产品的销售收入占技工贸总收入55%以上的民营科技生产型企业,其当年直接用于研究开发新产品、新技术、新工艺所发生的费用除按规定据实列支外,比上一年实际发生额增长10%(含10%)以上需直接抵扣当年应纳税所得额的,应按纳税关系向税务部门申请批准。

——《北京市人民政府办公厅转发市科委等九部门关于鼓励民营科技企业发展若干规定实施办法的通知》(京政办发[1998]30号第5条)

• 对社会力量,包括企业单位(不含外商投资企业和外国企业)、事业单位、社会团体、个人和个体工商户(下同),资助非关联的科研机构和高等学校研究开发新产品、新技术、新工艺所发生的研究开发经费,经主管税务审核确定,其资助支出可以全额在当年度应纳税所得额中扣除。当年度应纳税所得额不足抵扣的,不得结转抵扣。

——《关于贯彻落实〈中共中央国务院关于加强技术创新,发展高科技,实现产业化的决定〉有关税收问题的通知》(财税字[1999]273号第3条)

• 外商投资企业和外国企业资助非关联科研机构和高等学校研究开发经费,参照《中华人民共和国外商投资企业和外国企业所得税法》中有关捐赠的税务处理办法,可以在资助企业计算企业应纳税所得税额时全额扣除。

——《关于贯彻落实〈中共中央国务院关于加强技术创新,发展高科技,实现产业化的决定〉有关税收问题的通知》(财税字[1999]273号)第4条

• 对企业(包括外商投资企业、外国企业)为生产《国家高新技术产品目录》的产品而进口所需的自用设备及按合同随设备进口的技术及配套件、备件,除按照国发〔1997〕37号文件规定《国内投资项目不予免税的进口商品目录》所列商品外,免征关税和进口环节增值税;对企业引进属于《国家高新技术产品目录》所列的先进技术,按合同规定向境外支付的软件费,免征关税和进口环节增值税。对列入科技部、外经贸部《中国高新技术商品出口目录》的产品,凡出口退税率未达到征税率的,经国家税务总局核准,产品出口后,可按征税率及现行

出口退税管理规定办理退税。

——《关于贯彻落实〈中共中央国务院关于加强技术创新，发展高科技，实现产业化的决定〉有关税收问题的通知》（财税字[1999]273号）第5条

• 试验区内的新技术企业生产出口产品所需的进口原材料和零部件，免领进口许可证，海关凭合同和北京市人民政府指定部门的批准文件验收。经海关批准，在试验区内可以设立保税仓库、保税工厂，海关按照进料加工，对进口的原材料和零部件进行监督；按实际加工出口数量，免征进口关税和进口环节产品税或增值税。出口产品免征出口关税。保税货物转为内销，必须经原审批部门批准和海关许可，并照章纳税。属于国家限制进口或者实行进口许可证管理的产品，需按国家的有关规定补办进口批件或进口许可证。新技术企业用于新技术开发，进口国内不能生产的仪器和设备，凭审批部门的批准文件，经海关审核后，5年内免征进口关税。

——《北京市新技术产业开发试验区暂行条例》（京政发[1988]49号）第7条

31.2 软件企业的有关税收优惠

• 自1999年10月1日起，外商投资企业从事自行开发生产、销售计算机软件产品，可按法定17%的税率征收后，对实际税负超过6%的部分实行即征即退。

——《当前进一步鼓励外商投资的有关政策》（京经贸资字[2000]183号）第6条

• 在我国境内设立的软件企业可享受企业所得税优惠政策。新创办软件企业经认定后，自获利年度起，享受企业所得税“两免三减半”的优惠政策。

——《鼓励软件产业和集成电路产业发展的若干政策》（国发[2000]18号）第5条

• （中关村科技园区内）开发生产软件产品的企业，可就其软件产品的销售额，比照简易办法按6%的征收率计算缴纳增值税。

——《关于中关村科技园区软件开发生产企业有关税收政策的通知》（财税字[1999]192号）第1条

• 新创办的软件企业经认定后，自获利年度起，第1年和第2年免征企业所得税，第3年至第5年减半征收企业所得税。在中关村科技园区内注册并经认定的软件企业，也可以选择享受园区内高新技术企业的企业所得税优惠政策。软件企业人员工资和培训费用，可按实际发生额在计算应纳税所得额时扣除。对国家规划布局内的重点软件企业，如当年未享受免税优惠的，减按10%的税

率征收企业所得税。

——《北京市人民政府关于贯彻国务院鼓励软件产业和集成电路产业发展若干政策的实施意见》(京政发[2001]4号)第10条

• 从事软件开发、集成电路制造及其他业务的高新技术企业,互联网站,从事高新技术创业投资的风险投资企业,自登记成立之日起5个纳税年度内,经主管税务机关审核,广告支出可据实扣除。高新技术企业、风险投资企业以及需要提升地位的新生成长型企业,经报国家税务总局审核批准,企业在拓展市场特殊时期的广告支出可据实扣除或适当提高扣除比例。

——《国家税务总局关于调整部分行业广告费用所得税前扣除标准的通知》(国税发[2001] 89号)第2条

• 软件企业进口所需的自用设备,以及按照合同随设备进口的技术(含软件)及配套件、备件,除列入《外商投资项目不予免税的进口商品目录》和《国内投资项目不予免税的进口商品目录》的商品外,可免征关税和进口环节增值税。企业凭软件认定证书直接向海关申报,办理有关免税手续。

——《北京市人民政府关于贯彻国务院鼓励软件产业和集成电路产业发展若干政策的实施意见》(京政发[2001]4号)第11条

31.3 集成电路行业的有关税收优惠

• 投资额超过80亿元人民币或集成电路线宽小于0.25微米的集成电路生产企业,进口自用生产原材料、消耗品,免征关税和进口环节增值税。

——《北京市人民政府关于贯彻国务院鼓励软件产业和集成电路产业发展若干政策的实施意见》(京政发[2001]4号)第11条

• 依据《鼓励软件产业和集成电路产业发展的若干政策》及国家有关部门制定的税收政策,新创办的软件企业经认定后,自获利年度起,第一年和第二年免征企业所得税,第三年至第五年减半征收企业所得税。在中关村科技园区内注册并经认定的软件企业,也可以选择享受园区内高新技术企业的企业所得税优惠政策。软件企业人员工资和培训费用,可按实际发生额在计算应纳税所得额时扣除。对国家规划布局内的重点软件企业,如当年未享受免税优惠的,减按10%的税率征收企业所得税。

——《北京市人民政府关于贯彻国务院鼓励软件产业和集成电路产业发展若干政策的实施意见》(京政发[2001]4号第10条)

• 集成电路生产企业引进集成电路技术和成套生产设备,单项进口的集成电路专用设备与仪器,按《外商投资产业指导目录》和《当前国家重点鼓励发展的产业、产品和技术目录》的有关规定办理,免征进口关税和进口环节增值税。

——《国务院关于印发鼓励软件产业和集成电路产业发展的若干政策的通知》(国发[2000]18号)第47条

• 对于符合外商投资知识密集和技术密集型企业条件或外商投资额3000万美元以上的集成电路项目,经项目审批部门与税务部门共同审核批准后,企业可享受从获利年度起,第1年和第2年免征企业所得税、第3年至第5年减半征收企业所得税、税率为15%的企业所得税优惠政策;能达到先进技术标准的,可再减半征收3年。

——《北京市人民政府关于贯彻国务院鼓励软件产业和集成电路产业发展若干政策的实施意见》(京政发[2001]4号)第36条

31.4 技术开发、技术咨询和技术服务的有关税收优惠

• 留学人员来京创业、工作,从事技术转让、技术开发业务和与之相关的技术咨询、技术服务取得的收入,经有关部门认定,免征营业税。留学人员在中关村科技园区内创办高新技术企业的,可享受本市高新技术企业的各项优惠政策。

——《关于印发北京市鼓励留学人员来京创业工作若干规定的通知》(京政发[2000]19号)第10条

• 企业事业单位进行技术转让,以及在技术转让过程中发生的与技术有关的技术咨询、技术服务、技术培训的所得,年净收入在30万元以下的暂免征收所得税;超过30万元的部分依法缴纳所得税。

——《财政部、国家税务总局关于企业所得税若干优惠政策的通知》(财税字[94]001号)第5条

• 研发机构实行独立核算的,其从事技术开发、技术转让以及与之相关的技术咨询、技术服务、技术培训活动的技术性年净收入在30万元以下部分,可向地方税务管理部门申请免征企业所得税。

• 研发机构实行独立核算的,其从事技术开发、技术转让以及与之相关的技术咨询、技术服务、技术培训活动,经技术合同登记机构认定,可向地方税务管理部门申请免征营业税;研究开发的软件,经国家版权局注册登记,在销售时将著作权、所有权一并转让所取得的业务收入,免征营业税。上述技术性年净收入在30万元以下部分,可向地方税务管理部门申请免征企业所得税。

——《北京市鼓励在京设立科技研究开发机构的规定》(京政发[2002]23号)第14条

• 研发机构研究开发新产品、新技术、新工艺发生的各项费用,比上年实际

发生额增长10%以上(含10%)的,经税务管理部门审核批准,可再按技术开发费实际发生额的50%直接抵扣当年应纳税所得额。具体办法按照税务管理部门有关规定办理。

——《北京市鼓励在京设立科技研究开发机构的规定》(京政发[2002]23号)第15条

• (外商投资企业)进行技术开发当年在中国境内发生的技术开发费比上年实际增长10%(含10%)以上的,经税务机关审核批准,允许再按当年技术开发费实际发生额的50%抵扣当年度的应纳税所得额。

——《当前进一步鼓励外商投资的有关政策》(京经贸资字[2000]183号)第8条

31.5 有关营业税的税收优惠政策

• 对单位和个人在本市从事技术转让、技术开发业务和与之相关的技术咨询、技术服务取得的收入,免征营业税;对从事软件著作权转让业务和软件研制开发业务,比照技术转让与技术开发业务免征营业税。

——《北京市关于进一步促进高技术产业发展的若干规定》(京政发[2001]38号)第12条

• 留学人员申请办理退税,在科技和税务部门审核批准以前,纳税人应当先按有关规定缴纳营业税,待科技、税务部门审核后,再从以后应纳的营业税款中抵交,如以后一年内未发生应纳营业税的行为,或其应纳税款不足以抵免税额的,纳税人可向负责征收的税务机关申请办理退税。

——《北京市鼓励留学人员来京创业工作的若干规定实施办法》(京人发[2001]123号)第26条

• 除留学人员所有的外商投资企业或者留学人员以外籍个人名义从境外向中国境内转让技术项目外,凡免征营业税金额在50万元以下的,暂由市地方税务局授权各区、县地方税务局审核批准,并报市地方税务局备案。其余技术交易申请免征营业税项目,一律由各区、县主管地方税务机关提供初步审核资料及意见,报经市地方税务局确定。

——《北京市鼓励留学人员来京创业工作的若干规定实施办法》(京人发[2001]123号)第27条

• 当事人可持经认定登记的技术合同文本、《技术性收入核定表》、《技术交易奖酬金领取单》三项证明到主管税务机关申请办理减免税手续。外国企业和外籍个人从境外向中国境内转让技术需要免征营业税的,也可凭认定登记的技术合同及有关证明到主管税务机关申请办理减免税手续。

——《北京市技术合同认定登记管理办法》(京科政发[2002]622号)第21条

• 对外商投资企业、外商投资设立的研究开发中心、外国企业和外籍个人从事技术转让、技术开发业务和与之相关的技术咨询、技术服务业务取得的收入,免征营业税。

——《当前进一步鼓励外商投资的有关政策》(京经贸资字[2000]183号)第7条

31.6 有关增值税的税收优惠政策

• 对增值税一般纳税人销售其自产的软件产品,2010年前按17%的法定税率征收增值税,对实际税负超过3%的部分即征即退。

——《鼓励软件产业和集成电路产业发展的若干政策》(国发[2000]18号)第5条

• 自1999年10月1日起,外商投资企业从事自行开发生产、销售计算机软件产品,可按法定17%的税率征收后,对实际税负超过6%的部分实行即征即退。

——《当前进一步鼓励外商投资的有关政策》(京经贸资字[2000]183号)第6条

• 计算机软件产品是指记载有计算机程序及其有关文档的存储介质(包括软盘、硬盘、光盘等)。对经过国家版权局注册登记,在销售时一并转让著作权、所有权的计算机软件征收营业税,不征收增值税。

• 一般纳税人销售其自行开发生产的计算机软件产品,可按法定17%的税率征收后,对实际税负超过6%的部分实行即征即退。属生产企业的小规模纳税人,生产销售计算机软件按6%的征收率计算缴纳增值税;属商业企业的小规模纳税人,销售计算机软件按4%的征收率计算缴纳增值税,并可由税务机关分别按不同的征收率代开增值税发票。

——《关于贯彻落实〈中共中央国务院关于加强技术创新,发展高科技,实现产业化的决定〉有关税收问题的通知》(财税字[1999]273号)第1条

• (中关村科技园区内)开发生产软件产品的企业,可就其软件产品的销售额,比照简易办法按6%的征收率计算缴纳增值税。

——《关于中关村科技园区软件开发生产企业有关税收政策的通知》(财税字[1999]192号)第1条

31.7 有关房产税的税收优惠政策

• 为平衡与国内企业及个人的房地产税税负水平，市局曾以京税外[1994]138号规定“对在京的外商投资企业，外国企业在京机构、场所和外籍个人以及华侨、港、澳、台同胞拥有的房产依照《城市房产税暂行条例》应缴纳的房产税，在1994年内继续给予按应纳税额减征30%的照顾。”现减税期已满，根据我市实际情况，经研究，对在京的外商投资企业、外国企业在京机构、场所和外籍个人以及华侨、港、澳、台同胞拥有的房产依照《城市房产税暂行条例》应纳税的税额减征30%的照顾。

——《市国家税务局关于对依据〈城市房地产税暂行条例〉缴纳房地产税的在京外商投资企业和个人继续减征房产税问题的通知》(京国税外[1995]005)第2条

• 以自筹资金新建技术开发的生产、经营性用房，自1988年起，5年内免征建筑税。

——《北京市新技术产业开发试验区暂行条例》(京政发[1988]49号)第5条

• 研发机构在京一次性购买1000平方米以上(含1000平方米)商品房用于办公，符合《北京市关于扩大对内开放促进首都经济发展的若干规定》(京政发[2002]12号)等有关规定的，可向市经委申请享受缴纳契税税款50%的财政支持。

——《北京市鼓励在京设立科技研究开发机构的规定》(京政发[2002]23号)第18条

31.8 有关关税的税收优惠政策

• 对已设立的鼓励类和限制乙类外商投资企业、外商投资研究开发中心、先进技术型和产品出口型外商投资企业(以下简称五类企业)技术改造在原批准的生产经营范围内进口国内不能生产或性能不能满足需要的自用设备及其配套的技术、配件、备件，可按《国务院关于调整进口设备税收政策的通知》(国发[1997]37号)的规定免征进口关税和进口环节税。

——《当前进一步鼓励外商投资的有关政策》(京经贸资字[2000]183号)第1条

• 外商投资设立的研究开发中心，在投资总额内进口国内不能生产或性能不能满足需要的自用设备及其配套的技术、配件、备件,可按《国务院关于调整进口设备税收政策的通知》(国发[1997]37号)的规定免征进口关税和进口环节税。

——《当前进一步鼓励外商投资的有关政策》(京经贸资字[2000]183号)第2条

• 研发机构进口的自用设备、物品等,符合国家现行优惠政策的,免征关税和进出口环节增值税。

——《北京市鼓励在京设立科技研究开发机构的规定》(京政发[2002]23号)第11条

• 研发机构中经有关部门认定为外国专家、港澳台专家、华侨专家的人员,其携运入境的图书资料、科研仪器、工具、样品、试剂等教学、科研物品,除国家规定不予免税的商品外,在自用合理数量范围内,免征关税。获准入境并在北京居留一年以上的外国公民、华侨和港澳台同胞等研发机构常驻人员,在签证有效期内初次来华携带的便携式计算机,经北京海关审核,在每个品种一台的数量限制内,予以免征关税。

——《北京市鼓励在京设立科技研究开发机构的规定》(京政发[2002]23号)第13条

• 来京投资企业进口符合有关规定的自用生产设备,免征关税和进口环节增值税;资信良好的来京投资企业享受便捷通关待遇,并在重点口岸设立特快报关窗口。

——《北京市关于扩大对内开放促进首都经济发展的若干规定》(京政发[2002]12号)第14条

• 在国家认可的科研教学机构工作的留学人员因工作需要,需从境外进口的科研、教学用品,由其所在单位向北京海关申请,经批准可以免税进口,所需外汇凭规定的有效证明和商业单据,报外汇管理部门批准,向外汇指定银行购买。

——《北京市鼓励留学人员来京创业工作的若干规定实施办法》(京人发[2001]123号)第30条

• 对企业(包括外商投资企业、外国企业)为生产《国家高新技术产品目录》的产品而进口所需的自用设备及按照合同随设备进口的技术及配套件、备件,除按照国发[1997]37号文件规定《国内投资项目不予免税的进口商品目录》所列商品外,免征关税和进口环节增值税。

• 外商投资企业和外国企业资助非关联科研机构和高等学校研究开发经费,参照《中华人民共和国外商投资企业和外国企业所得税法》中有关捐赠的税务处理办法,可以在资助企业计算企业应纳税所得税额时全额扣除。

——《关于贯彻落实〈中共中央国务院关于加强技术创新,发展高科技,实现产业化的决定〉有关税收问题的通知》(财税字[1999]273 号第 4 条)

• 对企业引进属于《国家高新技术产品目录》所列的先进技术,按合同规定向境外支付的软件费,免征关税和进口环节增值税。对列入科技部、外经贸部《中国高新技术商品出口目录》的产品,凡出口退税率未达到征税率的,经国家税务总局核准,产品出口后,可按征税率及现行出口退税管理规定办理退税。

——《关于贯彻落实〈中共中央国务院关于加强技术创新,发展高科技,实现产业化的决定〉有关税收问题的通知》(财税字[1999]273 号)第 5 条

• 投资额超过 80 亿元人民币或集成电路线宽小于 0.25 微米的集成电路生产企业,进口自用生产原材料、消耗品,免征关税和进口环节增值税。

• 软件企业进口所需的自用设备,以及按照合同随设备进口的技术(含软件)及配套件、备件,除列入《外商投资项目不予免税的进口商品目录》和《国内投资项目不予免税的进口商品目录》的商品外,可免征关税和进口环节增值税。企业凭软件企业认定证书直接向海关申报,办理有关免税手续。

——《北京市人民政府关于贯彻国务院鼓励软件产业和集成电路产业发展若干政策的实施意见》(京政发[2001]4 号)第 11 条

• 跨国公司地区总部根据实际需要,经海关批准,可以设立保税仓库、保税工厂。

——《北京市人民政府关于鼓励跨国公司在京设立地区总部的若干规定》(京政发[1999]4 号)第 11 条

• 对高等院校、科研院所进口的直接用于科研教学的仪器仪表等符合国家对科教用品免税规定的物品,免征进口关税和进口环节税;对高等院校、科研院所以及高新技术企业承担的符合国家鼓励类产业项目的进口自用设备,经政府有关部门批准,除国家规定不可免税的商品外,免征进口关税和进口环节税。

——《北京市关于进一步促进高新技术产业发展的若干政策》(京政发[2001]38 号)第 3 条

• 试验区内的新技术企业生产出口产品所需的进口原材料和零部件,免领进口许可证,海关凭合同和北京市人民政府指定部门的批准文件验收。经海关批准,在试验区内可以设立保税仓库、保税工厂,海关按照进料加工,对进口的原材料和零部件进行监督;按实际加工出口数量,免征进口关税和进口环节产品税或增值税。出口产品免征出口关税。保税货物转为内销,必须经原审批部门批准和海关许可,并照章纳税。属于国家限制进口或者实行进口许可证管理的产品,需按国家的有关规定补办进口批件或进口许可证。

新技术企业用于新技术开发,进口国内不能生产的仪器和设备,凭审批部门的批准文件,经海关审核后,5 年内免征进口关税。

——《北京市新技术产业开发试验区暂行条例》(京政发[1988]49 号)第 7条

31.9 有关个人所得税的税收优惠政策

• 市财政预算中安排专项资金,用于软件企业高级管理人员和技术人员兴办高新技术企业或增加本企业资本金投入以及个人第一次购买住房、轿车的资金补助,补助标准不超过个人上年已纳个人所得税的 80%。市科委牵头制定有关专项资金的使用管理办法,并具体组织实施。根据企业自愿的原则,软件企业从业人员住房公积金的缴存比例可提高到 20%。

——《北京市人民政府印发关于贯彻国务院鼓励软件产业和集成电路产业发展若干政策实施意见的通知》(京政发 [2001]4 号)第 18 条

• 凡经市经委根据《来京投资企业及其高级管理人员认定办法》认定的来京投资企业高级管理人员,企业可以为其申请一次性购房专项奖励。购房专项奖励标准为来京投资企业高级管理人员本人购房时间上一年度缴纳个人所得税数额地方留成部分的 80%。

——《北京市人民政府印发北京市关于扩大对内开放促进首都经济发展若干规定的通知》(京政发[2002]12 号)第 6 条、第 7 条

• 对在高新技术成果转化中做出重大贡献的专业技术人员和管理人员,由市政府授予荣誉称号并安排专项资金给予奖励,对所获奖金免征个人所得税。

——《北京市支持高新技术成果转化项目等税收政策实施办法》(京地税企[2001]694 号)第 2 条

• 对高新技术成果完成人和从事成果产业化实施的科技人员、管理人员的奖励和股权收益,用于再投入高新技术成果产业化项目的,免征个人所得税。

——《北京市关于进一步促进高新技术产业发展的若干政策》(京政发[2001]38 号)第 2 条

• 科研机构、高等学校转化职务科技成果以股份或出资比例等股权形式给予科技人员个人奖励,经主管税务机关审核后,暂不征收个人所得税。

——《国家税务总局关于促进科技成果转化有关个人所得税问题的通知》(国税发[1999]125 号)第 5 条

• 研发机构中的高级管理人员在本市首次购买商品住房,符合《北京市关于扩大对内开放促进首都经济发展的若干规定》(京政发[2002]12 号)等有关规定

的,可向市经委申请按其本人上年已纳个人所得税数额的一定比例给予奖励。

——《北京市鼓励在京设立科技研究开发机构的规定》(京政发[2002]23号)第24条

• 个人的所得(不含偶然所得,经国务院财政部门确定征税的其他所得)用于资助的,可以全额在下月(工资、薪金所得)或下次(按次计征的所得)或当年(按年计征的所得)计征个人所得税时,从应纳税所得额中扣除,不足抵扣的,不得结转抵扣。

——《国家税务总局关于贯彻落实中共中央国务院关于加强技术创新,发展高科技,实现产业化的决定有关所得税问题的通知》(国税发[2000]24号)第3条

• 科研机构、高等学校转化职务科技成果以股份或出资比例等股权形式给予科技人员个人奖励,经主管税务机关审核后,暂不征收个人所得税。

——《国家税务总局关于促进科技成果转化有关个人所得税问题的通知》(国税发[1999]125号)第1条

§32. 有关个人纳税的申报和计算

工资、薪金所得,以每月收入额减除费用1600元后的余额为应纳税所得额(中国公民的境外工资、薪金所得,外籍人员及华侨、港、澳、台同胞的工资、薪金所得在每月减除1600元费用的基础上,再减除3200元的附加减除费用),适用5%至45%九级超额累进税率计算应纳税额。

应纳税额=应纳税所得额*适用税率-速算扣除数

级数	全月应纳税所得额	税率(%)	速算扣除数
1	不超过500元的部分	5	0
2	超过500元至2000元的部分	10	25
3	超过2000元至5000元的部分	15	125
4	超过5000元至20000元的部分	20	375
5	超过20000元至40000元的部分	25	1375
6	超过40000元至60000元的部分	30	3375
7	超过60000元至80000元的部分	35	6375
8	超过80000元至100000元的部分	40	10375
9	超过100000元的部分	45	15375

——《中华人民共和国个人所得税法》

企业信用

§33. 企业信用和企业信用管理

信用是一种建立在信任(Trust)基础上的能力,不用立即付款就可获得资金、物资和服务的能力。这种能力受到如下条件的约束:受信方在其应允的期限内为所获得的资金、物资和服务而付款,上述期限必须得到授信方的认可。由此可见,信用是受信方和授信方的双方约定,发生在两者之间。现实经济生活中,信用主要体现为金融领域的信用贷款和商业、个人消费领域的赊销行为。

信用分类:

1. 商业信用(Business Credit):在商品销售过程中,一个企业授予另一个企业的信用。如原材料生产厂商授予企业,或生产厂商授予产品批发商,产品批发商授予企业的信用。

2. 消费者信用或个人信用(Consumer Credit or Personal Credit):产品厂商、零售商、银行授予个人的信用,用于购买商品或借款。如消费者用分期付款方式购买汽车、住房、大件耐用消费品时,银行授予个人的信用。

3. 银行信用(Bank Credit):由银行或其他金融机构授予企业或个人的信用,其主要目的是补足企业或个人营运资金(working capital)的不足。如企业在经营过程中向银行申请的短期贷款。

4. 投资信用(Investment Credit):由银行或其他金融机构授予企业的信用,主要用于购买如土地、建筑物、设备等大型固定资产。如部分企业向银行申请的长期贷款。

5. 公共信用(Public Credit):政府机构为完成政府职能,而获得的信用。

企业信用管理,是指通过制定信用管理政策,指导和协调企业各部门的活动,对信用交易前期的客户资信调查与评估、中期的债权保障和后期的应收账款管理与追收进行全面系统管理的科学。企业信用管理可概括叫做“三机制一部门”原则。“三机制”是指要建立企业内部系统完善的信用管理三个机制,包括前期管理的企业资信调查和评估机制、中期管理的债权保障机制和后期管理的应收账款管理和回收机制。同时,从企业组织结构上讲,是要在企业内部设立信用管理的部门或专业信用管理人员,由专门的机构和人员来管理客户信用。信用管理要达到的目的有两个,一是最大限度地扩大销售,达到销售最优化;二是最大限度地控制风险，将坏账和逾期账款控制在企业可接受的范围内。（可参见 www. ibd. com. cn/proseminar/no3/hanjiaping. asp）

§34. 中关村企业信用体系建设

34.1　中关村企业信用报告

信用报告是对企业信用状况的基本描述以及对其信用能力和意愿的评价。内容包括企业的基本情况、主要财务数据、主要的违约记录、主导产品和企业经营情况以及相应的综合判断和分析。中关村企业信用报告（以下简称信用报告）是指为了满足社会各界对企业信用档案和其他信用信息的需要，由信用服务中介机构在有效整合企业相关信息并在实地考察基础上，为中关村科技园区企业提供的一种信用产品。信用报告提供企业信用状况的初步评价，不做深度资信评级。

推行信用报告的目的是为了进一步推动中关村科技园区企业信用体系建设试点工作，增强企业信用管理意识，树立企业自身社会信誉，在园区内逐步形成诚实守信、公平竞争的市场经济运行环境。

为使信用报告的评定结果的描述有统一标准，评定结果将根据企业信用状况分五个级别，分别为 ZC1、ZC2、ZC3、ZC4、ZC5。其基本含义为：

ZC1 级：企业在经营、信贷、纳税等方面信誉度很高，享有很好的社会信誉，有着突出的经营业绩，企业财务状况好，在行业中处于领先地位。企业的信用风险低。

ZC2 级：企业在经营、信贷、纳税等方面信誉度较高，享有较好的社会信誉，有较好的经营业绩，企业财务状况较好，在行业中处于先进地位。企业的信用风险较低。

ZC3 级：企业在经营、信贷、纳税等方面信誉良好，享有良好的社会信誉，有着良好的经营业绩，企业财务状况良好，在行业中处于一般地位。企业的信用风险一般。

ZC4 级：企业在经营、信贷、纳税等方面信誉度一般，社会信誉一般，经营业绩一般，企业财务状况不佳。企业的信用风险较高。

ZC5 级：企业在经营、信贷、纳税等方面存在不良记录，社会信誉差，经营业绩较差，企业财务状况差。企业的信用风险高。

信用报告由中关村科技园区管委会参照国际通行准则，认定资质较好的信用服务中介机构出具。目前认定的中介机构有:中诚信国际信用评级有限责任公司,北京信用管理有限公司,联合资信评估有限公司,华夏国际企业信用咨询有限公司,北京新华信商业信息咨询有限公司,大公国际资信评估有限公司。

信用报告将为中关村科技园区企业贷款、融资担保、争取各种政府资源等方面提供一个高效的信用评估辅助平台。

——《关于推行中关村企业信用报告的实施办法》

34.2 中关村园区企业征信报告

34.2.1 征信报告的使用说明

《中关村园区企业征信报告》是由中关村管委会认定的信用中介机构在采集、整理和分析园区企业相关信用信息基础上,形成的园区企业信用调查报告。征信报告的使用对象为中关村园区高新技术企业。

征信报告分为《标准征信报告》和《深度征信报告》。《标准征信报告》只对企业的信用信息做如实的记载,不做任何评价。《深度征信报告》根据所采集的企业信用信息进行适当的分析评价,并依次得出以下信用等级:

深度征信报告的信用等级

信用等级	内容说明
ZCAA	无任何负面信用记录,且其他主要征信内容综合评价很高
ZCA	无任何负面信用记录,且其他主要征信内容综合评价较高
ZCBB	无任何负面信用记录,且其他主要征信内容综合评价一般
ZCB	无任何负面信用记录,且其他主要征信内容综合评价较差
ZCN^+	有非恶意负面信用记录
ZCN^-	有恶意负面信用记录

征信报告有效期暂定一年。在有效期内,已经使用信用评级报告并达到ZC3级以上的企业,可以不再申请使用征信报告,具备申请有关优惠政策及财政资金的资格。

征信报告采用政府限价原则,每份标准征信报告不超过300元,每份深度征信报告不超过1000元。按照中关村园区中小企业中介扶持资金的原则,对使用征信报告企业给予购买费用50%的补贴。

34.2.2 使用征信报告的企业可以获得的服务

1. 申请中关村园区发展专项资金资助;

2. 享受信用促进会提供的相关服务:

使用深度征信报告且信用等级达到ZCBB(含)以上的园区企业具备信用促

进会标准会员入会资格,并享受为标准会员提供的所有服务,包括但不限于:(1)如有融资需求,可优先向金融、担保和投资机构推荐;(2)义务宣传讲解标准会员可享受的各种政府优惠政策;(3)免费参加信用促进会举办的各种培训讲座活动;(4)参与年度优秀信用企业评选,对当选企业进行宣传;(5)经当事人同意,向交易对方出具其信用等级证明。

使用深度征信报告或一般征信报告,且无任何负面信用记录的企业均具备信用促进会预备会员资格,并享受为预备会员提供的所有服务,包括但不限于:(1)如有融资需求,可向金融、担保和投资机构推荐;(2)义务宣传讲解预备会员可享受的各种政府优惠政策;(3)免费参加信用促进会举办的各种培训讲座活动;(4)注重跟踪与培育预备会员的信用,及时宣传和重点推荐;(5)信用增级的预备会员,并促成其最终成为标准会员;(6)经当事人同意,向交易对方出具其信用信息证明。

使用深度征信报告达到ZCBB(含)以上等级的企业名单还将登录在北京企业信用信息系统,作为良好信息向社会发布。

34.2.3 征信报告的申请与受理

1. 征信采用主动征信、政府引导、市场化运作模式。根据自愿原则,企业向经管委会认定的信用中介机构直接申请,并提交相应材料,由信用中介机构出具信用报告。

2. 征信报告的工作流程

时间	工作流程	工作内容及提交文件
1个工作日	前期准备	签订委托书 企业向信用中介机构提交材料: (1)企业营业执照复印件 (2)高新技术企业证书复印件 (3)信用中介机构提出的其他有关文件
1个工作日	调查阶段	信用中介机构根据不同情况开展访谈、数据调查等工作
3个工作日	出具报告	信用中介机构提出征信报告

3. 信用中介机构必须与企业签订委托协议书,收齐企业的相关材料并经过必要的调查程序,于5个工作日内出具征信报告。征信报告一式三份,企业、信用中介机构、信用促进会各一份。

4. 中关村企业信用促进会负责联络和监督信用中介机构,管理征信信息数据库,信用中介机构须向信用促进会申请编号。

34.2.4 对信用中介机构的监督

1. 参与征信工作的信用中介机构由中关村管委会认定,并需向信用促进会履行备案程序。目前参与园区征信工作的为六家中介机构。

2. 中关村管委会将逐步完善信用中介机构参与园区信用体系建设工作的进入和退出机制。信用促进会定期对信用中介机构开展质量评估,提出质量评估报告,对信用中介机构的服务效果提出意见。

34.2.5 信用中介机构名单(排名不分先后)

北京信用管理有限公司

地址:海淀区西四环北路116号(100089)

电话:010-88470908/18/28

E-mail:anming@ creditbeijing. com. cn

中国诚信信用管理有限公司

地址:朝阳区东三环北路东方东路8号(100027)

电话:010-64612828

E-mail:service@ ccx. cn

联合信用管理有限公司

地址:朝阳区安慧里四区16号楼中国化工大厦1413—1419(五矿大厦西侧)(100101)

电话:010-84885907/5931转1022、1021、1027

E-mail:lianhexy@ 126. com

大公国际资信评估有限公司

地址:朝阳区霄云路26号鹏润大厦20层(100016)

电话:010-64606677

E-mail:master@ dagongcredit. com

华夏国际信用咨询有限公司

地址:朝阳区东三环中路乙10号艾维克大厦10层(100022)

电话:010-65670387

E-mail:services@ huaxiacredit. com

北京新华信商业信息咨询有限公司

地址:朝阳区九仙桥路14号兆维大厦七层(100016)

电话:010-58671888

E-mail:creditservice@ sbd. com. cn

——《关于推行中关村园区企业征信报告的实施办法》

34.3 中关村企业信用公开数据

34.3.1 表一、中关村科技园区企业信用信息直接公开数据表

1. 基本数据:

注册号、企业名称、住所、法定代表人、注册资金、经营范围、行业代码、企业类型、设立日期、电话、邮政编码、登记机关

2. 不良经营记录:处罚原因、处罚依据、处罚日期、处罚结果

3. 统计登记情况:登记日期、统计登记证号

4. 企业是否依法参加了社会保险

5. 是否通过了劳动年检

6. 高新技术企业认定情况、年检情况

7. 税务登记情况:登记日期、税务号

注明:以上数据每三月更新一次。

34.3.2 表二、中关村科技园区企业信用信息自动公开数据表

1. 基本数据:注册号、企业名称、住所、法定代表人、注册资金、外方出资额、经营范围、有无上级主管、行业代码、企业类型、设立日期、核准日期、经营期限、是否年检、年检等级、企业状态、电话、邮政编码、登记机关

2. 股东情况:

法人股东表:法人投资者名称、法定代表人、出资额、出资比例(百分比)、住所(投资人住所)、企业类型(投资人性质)

自然人股东表:姓名、身份证号码(证件号码)、住所、出资额、出资比例(百分比)

3. 董事、监事、经理情况:姓名、性别、职务、身份证号码(证件号码)、产生方式

4. 分期入资情况(仅对外资、极少数风险投资内资):中方名称、外方名称、中方应缴(中方应入资额)、外方应缴(外方应入资额)、缴资日期(入资日期)、中方实入资额、外方实入资额

5. 不良经营记录:处罚原因(案件性质)、处罚依据、处罚日期(案件结果日期)、处罚结果(案件结果)

6. 重合同守信誉情况:命名年度、命名文件号、合同管理机构

7. 统计登记情况:登记日期、统计登记证号

8. 高新技术企业认定情况、年检情况

9. 统计执法情况:处罚原因、处罚依据、处罚日期、处罚结果

10. 人力资源情况:从业人员数、其中留学归国人员数,按文化程度分组、按技术职称分组、按来源分组

11. 企业是否依法参加了社会保险,参加了几项保险

12. 企业是否按时足额缴费

13. 企业是否通过了劳动年检

14. 企业发生劳动违法案件的种类、次数、时间、涉及的职工人数

15. 处罚情况:处罚原因、处罚依据、处罚日期、处罚结果

16. 企业所受举报、监督记录

17. 企业劳动争议的内容、胜诉和败诉情况

18. 企业参保人员情况

19. 按贷款风险程度分类(五级分类):正常、关注、次级、可疑和损失

20. 按贷款逾期的期限长短分类(四级分类):正常、逾期、呆滞、呆账

21. 产品生产情况:生产许可证、有效期;安全认证号、有效期;认证种类

22. 不良记录情况:产品名称、抽查类别、时间、结论

23. 税务登记情况:登记日期、税务号

24. 未申报

25. 欠税情况:金额

26. 处罚情况:处罚原因、处罚依据、处罚日期、处罚结果

注明:以上数据每三月更新一次,由信用信息中心向信用服务中介机构开放

34.3.3 表三、中关村企业信用信息自愿公开表

1. 基本账户开户行

2. 信贷业务情况:

最高余额:(1)贷款;(2)银行承兑汇票;(3)信用证;(4)保函。

当前余额:(1)贷款;(2)银行承兑汇票;(3)信用证;(4)保函。

3. 抵押、质押、担保记录

4. 还款记录情况

5. 开始纳税时间

6. 各税种纳税情况

7. 主要产品质量情况:质量检验情况

8. 企业财务状况情况:包括资产负债、损益、利润分配等

9. 企业生产经营情况:包括产值、收入、出口创汇、使用面积等

10. 企业从业人员劳动报酬情况

11. 企业主要产品及相关指标

12. 企业在研项目情况

13. 企业科技活动情况:包括科技活动经费筹集、科技活动经费支出、研究与发展经费支出、企业获奖成果、企业引进技术情况等。

注明:以上数据每三月更新一次,在企业向信用服务中介机构授权的前提下,由信用信息中心向信用服务中介机构开放。

34.4 中关村企业信用促进会

该促进会于2003年7月由中关村园区各高新技术企业、有关中介机构、社团组织等单位自愿发起成立,其旨在规范企业的信用行为,为会员融资、担保、投资和商业交易提供更加便捷的服务,打造"信用中关村"品牌,推进园区信用体系的建设。

通信地址:北京海淀区北四环西路67号大地科技大厦903室北京中关村企业信用促进会

邮政编码:100080

电话:82888208、82888681、82886570

传真:82886657

网址:http://www.ecpa.org.cn/

E-mail:ecpa@ecpa.org.cn

投融资

§35. 中小企业的十种融资方式

1. 国内证券市场:目前国内供中小企业融资的证券市场有主板和中小企业板。

2. 香港创业板市场:香港证监部门目前仍积极鼓励内地民企、特别是中小科技企业到香港创业板上市;如果中小企业资产质量较好,产品科技含量较高,有一定的现金流,愿意支付约占融资额1/4至1/8的中间费用,仍可将该市场作为融资的途径。

3. 海外创业板:除了美国纳斯达克市场之外,新加坡、加拿大、澳洲和新西兰等国,均设立了针对中小科技企业上市融资的创业板。一些新兴市场,如新加坡、澳大利亚等地的创业板,十分欢迎中国内地的科技企业上市。

4. 产权交易市场:产权交易在国内方兴未艾,各地都设立了股权、资产交易的中介市场。产权交易比较规范,对出售的资产、股权均有相应的价格评估体系,交易方式基本市场化。中小科技企业为了解决资金紧缺,可将部分股权专利(无形资产)及有形资产在产权交易所挂牌,既可以解决企业内部资金紧缺的问题,又可以为进一步的资本市场运作打好基础。

5. 上市公司并购:相比之下,通过并购整体条件较佳的中小科技企业比新上同类项目投资省、见效快。因此,符合上市公司收购条件的中小科技企业,可积极与有产业关联度的上市公司接触,寻找其收购股权或资产、专利、项目的机会。中小科技企业借此途径也达到了间接上市的目的。

6. 大型集团公司托管:中小科技企业可与大型集团公司(国企或民营)建立委托关系,即将自身纳入该大型集团公司的管理"系"内,在资金、技术、信息、市场、人才等要素方面充分共享。

7. 发行企业债券:企业债券用途多为新建项目,利息高于同期银行利率。

8. 发行信托产品:信托产品属于金融创新品种,中小科技企业如果有成熟的发展项目及良好的盈利模式,可尝试用此方式委托投资公司协助融资。

9. 资产证券化:中小企业将资产抵押给投资银行(证券公司或商业银行),由投资银行发行相应等价的资产证券化品种,发券募集的资金由中小企业使用,资产证券化品种可通过专门的市场进行交易。

10. 资产股份化:中小企业可以根据公司资产实际情况,将净资产作为股份划分,采取 MBO(管理层持股)、ESO(员工持股)及向特定的股东发售股份的方式募集资金,并实现股份的多元化。

§36. 股权融资

股权融资,也称所有权融资,是企业向其股东(或投资者)筹集资金,是企业创办或增资扩股时采取的融资方式。股权融资获得的资金就是企业的股本,由于它代表着对企业的所有权,故称所有权资金,是企业权益资金或权益资本的主要构成部分。

企业股权融资是通过直接吸引投资者或者企业上市达到股权融资目的。

36.1 专场项目推介会

项目推介会是园区管委会或者投融资的中介服务机构帮助项目方和资金方

提供的一个投融资平台，项目方和资金方可以通过推介会互相接触、面谈达到投融资的目的。园区内每年都有定时与不定时的专场项目推介会：

(1) 5月中国北京国际科技产业博览会。

(2) 9月份中关村电脑节。

(3) 中关村留学人员精品项目推介会(三三会，即在每个月的第“三”周的星期“三”推出“三”个精品项目)。

(4) 为海外留学人员、中关村考察团人员组织的项目推介会。

此外中关村管委会和留学人员创业园将不定期地为优秀留学人员举办专场项目推介会。企业可以通过中关村管委会网站(www. zgc. gov. cn)了解相关信息。

36.2 产权交易场所挂牌交易

北京产权交易所是由北京市政府批准成立的区域性权益资本市场。其目的是为广大高科技、高成长企业提供股权融资服务，促进投资进入退出机制的形成。挂牌融资的主要优势体现在：

1. 政府政策的支持；
2. 广泛的投融资信息、与国内外投资者畅通的渠道；
3. 完备的专家顾问体系；
4. 独特的经纪商制度，广大经纪商为投融资进行沟通与撮合的专业化工作热情。

36.2.1 如何进行产权交易场所挂牌

1. 与产权经纪商(如中海源)取得联系，明确融资意向；
2. 与经纪商达成委托协议；
3. 在交易所挂牌融资；
4. 查询、磋商、推介、谈判；
5. 成交；
6. 结算交割；
7. 办理变更手续。

36.2.2 产权交易场所挂牌交易应提供的材料

1. 出让方的资格证明或者其他有效证明(企业法人营业执照、个人身份证复印件)；
2. 产权权属证明(专利技术证明等)；
3. 出让产权或者技术的证明(董事会决议或者股东大会决议)；

4. 公司章程(技术类除外);
5. 出让的标的情况说明(可研报告或者商业计划书);
6.《产权转让申请书》一份。

36.2.3 产权交易场所的地址、电话

地址:中国北京市海淀区知春路23号大运村量子银座2层
电话:010-82358800
网址:http://www.cbex.com.cn/

36.3 企业上市

36.3.1 企业境内上市

企业可以通过国内主板上市、中小企业板和香港创业板上市来达到融资的目的。国内主板、中小企业板与香港创业板在上市标准方面均提出了实质性条件要求,但各自的标准又有所不同。

1. 在营运记录及盈利方面,国内主板和中小企业板要求有连续3年的营运记录及盈利记录,香港创业板均没有盈利方面的要求,且营运记录也缩短到了2年。

2. 在股本规模方面,国内主板和中小企业板市场要求发行后的股本总额不少于人民币5000万元,香港创业板上市时的市值要求为不低于4600万元港币。

3. 在股本结构方面,国内主板、中小企业板与香港创业板对于发行人认购的股本数额所占股本总额比重基本相同,均是不少于公司拟发行股本总额的35%,其中香港创业板要求的是管理层及高持股股东的合共持股不少于公司已发行股本的35%;而对于社会公众持股占股本总额的比重,三家市场的要求则有所不同,国内主板与中小企业板均为25%,香港创业板的这一比例要求为20%;在公众股东数量方面,国内主板和中小企业板的要求是持有面值不低于1000元以上的个人股东不少于1000个,香港创业板的公众股东人数为不少于100人。

4. 在资产质量方面,香港创业板由于只关注企业上市的审核,因而并没有发行前企业资产质量的相关规定。国内主板要求公司在发行前净资产在总资产中所占比例不低于30%,无形资产在净资产中所占比例不高于20%。在资产负债比率方面,规定企业在申请发行时的资产负债率不高于70%,也就是净资产在总资产中所占比例不低于30%。

36.3.2 企业境外上市

企业融资可以通过境外上市来融资,境外上市的市场主要包括美国的NASDAQ、加拿大二板市场、新加坡二板市场、欧洲证券商协会自动报价系统(EAS-

DAQ)、英国AIM证券市场和TECHMARK市场等,每个市场都有不同的要求和操作规则。境外市场对中国企业上市的具体要求虽然有所不同,但通常都包括三个方面。一是财务状况,通常规定上市公司过去一定年限内最低的盈利标准和有形净资产值;二是营业记录,通常要求上市公司的主体企业有不少于3年的营业报告,按照上市地所在国会计准则或国际通行的会计准则编制经注册会计师审核的财务报告;三是一定的股票流通量。

36.4 如何科学地进行企业价值评估

企业价值在人们的现实经济生活中是一个非常重要的价值尺度。从现代企业的三大利益主体——经营者、投资者和债权人的角度来看,企业价值也是人们评价企业优劣,进行重大经济决策的主要依据。从财务角度来看企业价值是预期现金流量的现值,是把未来年份的预测现金流量用含有资本成本和风险成本的折现率折算为现值,这要考虑资本的市场风险成本和利润增长,一项投资如果回报高于同样风险下的资本成本,便创造增值资本价值。公司的投资回报率越高,资本的边际收益越大,加大投资将产生更多的现金流量和更高的价值。

企业价值的评估在企业经营决策中极其重要。企业财务管理的目标是企业价值最大化,企业的各项经营决策是否可行,必须看这一决策是否有利于增加企业价值。在现实经济生活中,往往出现把企业作为一个整体进行转让、合并等情况,如企业兼并、购买、出售、重组联营、股份经营、合资合作经营、担保等等,都涉及到企业整体价值的评估问题。在这种情况下,要对整个企业的价值进行评估,以便确定合资或转卖的价格。

企业可以根据企业的行业地位、技术水平、资产情况、未来发展的潜力等因素,选择不同的评价方法,对企业价值进行科学合理的评价。

目前主要的评价方法有:传统的财务分析法(市盈率法、价值和销售比率类比法、价值和净资产比率类比法、现金流量折现法、经济利润折现法、重置成本法);EVA(Economic-Value-Added)(经济增加值)、期权评估法等。

对企业的技术、资产和产权进行价值评估,是一种专业技术性活动,应委托专业的资产评估机构进行。

§37. 债权融资

债权融资是利用发行债券、银行借贷方式向企业的债权人筹集资金,它可以发生于企业生命周期的任何时期。债权融资获得的资金称为负债资金或负债资本,它代表着对企业的债权。企业资金中所有权资金和负债资金之间的比例关系称为企业的资金结构或资本结构。

广义的债权融资就是企业的整个负债部分,包括企业向银行贷款、发行债券、企业间的商业信用以及企业应交未交的款项等。

债权融资的特点有:

第一,债权融资获得的只是资金的使用权而不是所有权,因此它在形式上采取的是有借有还的借贷方式。因此,负债资金的使用是有代价的,企业必须以支付利息的方式向债权人交纳资金使用费,并且债务到期要归还本金。

第二,债权融资能够提高企业的所有权资金的资金回报率,具有财务杠杆作用。

第三,与股权融资相比,债权融资一般不会产生对企业的控制权问题,只有在一些特定的情况下才会带来债权人对企业的控制和干预问题。

37.1　中关村科技担保公司的贷款担保

专业担保公司贷款担保是指中小企业符合贷款条件并取得专业担保公司提供的担保后,由各商业银行发放的贷款。

北京中关村科技担保有限公司经北京市人民政府批准,于1999年12月16日正式成立,注册资金1.83亿元人民币。北京中关村科技担保有限公司,是社会主义市场经济条件下的重要融资中介,是连接商业银行、高新技术产业和企业的重要桥梁。

公司将充分利用中关村科技园区的知识、资本、科技、人才等资源优势,借鉴国内外先进的经营、管理经验,推动效益高、实力强的新技术企业进一步壮大;促进具有出口创汇能力的新技术企业发展;扶植具有成长性的中小新技术企业;支持具有前瞻性的科技成果转化;拓展高新技术产业和企业的融资渠道;以其较为完善化的风险控制、投资管理机制,协助优化中关村科技园区的服务支撑环境,培养和建立科学规范的信用体系。

公司以"政府出资、市场运作"为原则,拥有政府强有力的政策支持,科学、严谨的评审与监管体系,较为完备的制度和法律保障,一支精干、务实的管理队伍和高效、专业的业务力量。公司员工中具有硕士以上学历者占57%,高级职称及专业任职资格者占85%;具有较强的资本运营和抵御风险能力。

北京中关村科技担保有限公司联系方式:

地址:中关村南大街34号中关村科技发展大厦C座11层

电话:010-62148866

网址:http://www.zgc-db.com.cn/

37.2 政府贷款贴息

37.2.1 留学人员创业企业小额担保贷款“绿色通道”

1. 申请“绿色通道”的留学人员企业资格条件

(1) 企业注册地点应在中关村科技园区政策区范围内;

(2) 企业法定代表人为归国留学人员;

(3) 企业创办时间在5年以内,且已取得高新技术企业资格认定证书;

(4) 一名或多名留学人员出资人的出资额占企业注册资本的50%以上;

(5) 提交“中关村园区企业标准征信报告”。

2. 受理基本要求

对申请“绿色通道”的留学人员企业,其市场、技术、管理等方面应符合如下基本要求:

(1) 具有自主的知识产权,技术成长性好并具有一定的市场潜力;

(2) 主要经营者和管理团队具有一定的项目实施能力和经验;

(3) 具备一定的管理水平和规范的财务会计制度;

(4) 应提供项目可行性报告、商业计划和详细的用款商业计划书;

(5) 应具有充足、饱满的商业合同、销售协议;

(6) 法定代表人、主要经营者、技术持有人具有良好的个人信用纪录,并同意向担保人披露个人资产信息和信用状况(担保人有责任为申请人信息保密)。

3. 担保期限

流动资金贷款担保期限原则为1年以内,特殊情况可适当延长,但最长不超过2年期。

4. 担保额度

企业贷款额度在100万元以内。

5. 担保费用

担保年费率1%;评审费率0.3%;贷款执行人民银行当期基准贷款利率;中关村管委会将对符合条件的企业给予50%贷款贴息、补贴全额保费。评审费由企业自行负担。

6. 反担保基本要求

申请企业的法定代表人、主要经营者、技术持有人承担相应的个人连带责任。

7. 参与合作的银行

包括北京市商业银行中关村科技园区支行、中信实业银行

8. 操作流程

（1）申请企业可自行申报或由各园管理机构、企业所在创业园协助申报。

（2）申请企业应首先取得由中关村管委会留学人员创业服务总部出具的留学人员创业企业资格证明。

（3）申请企业持留学人员创业企业资格证明与担保公司初步接触，进行业务咨询，并领取《中关村留学人员创业企业小额贷款担保申请表》。

（4）担保公司在收到齐全的申请资料后正式进入详审阶段，及时组织银行信贷部门进行联合评审，安排对企业的实地考察；承诺在10个工作日内完成全部评审程序；出具最终担保意见。

（5）银行根据担保意见批准贷款后，担保公司将与银行签订《保证合同》，与被担保企业签订《委托保证合同》和其他事先约定的合同及《个人连带责任合同》。由中关村管委会补贴的担保费和银行利息按季度向担保公司直接拨付，评审费由企业一次性支付。

（6）企业在获得担保贷款后，必须按照合同约定按月向担保公司递交财务报表。担保公司将定期会同贷款银行对被担保企业进行保后管理。

（7）在企业还贷并按期解除担保后，如果继续有担保需求，可按照工作流程再次提出担保贷款申请。

（8）如果企业按时还款有困难，经多方努力仍不能按期还款并产生逾期，担保公司先履行担保责任，担保公司与企业所在园区管理部门或创业园积极配合，对发生代偿的企业实施追偿。担保公司享有代位求偿权并保留对企业法定代表人、主要经营者或技术持有人的个人连带责任的无限追索权。

（参阅中关村网站 www.zgc.gov.cn）

37.2.2 集成电路设计企业专项贷款担保服务

集成电路设计企业专项贷款担保绿色通道（以下简称“集成电路设计绿色通道”），系指为了促进北京市集成电路设计产业的发展，解决集成电路设计企业发展过程中的融资问题，在中关村管委会指导推动下，由北京中关村科技担保有限公司（以下简称“担保公司”）具体承办的专项贷款担保业务。担保公司为此项业务设置专门的审批程序，提供快捷的担保服务；贷款银行提供快速的担保贷款审批通道并执行基准贷款利率；中关村管委会为此项担保贷款设置专项扶持资金，用于补贴部分贷款利息和担保费；对技术成长性好、符合政府产业发展政策的“集成电路设计绿色通道”企业，中关村管委会负责协调政府有关部门通过适当方式给予资金支持。

1. 申请"集成电路设计绿色通道"贷款担保基本条件

(1) 在中关村科技园区注册的、具有独立法人资格的高新技术企业;

(2) 拥有自主的知识产权技术、且具有较好的成长性;

(3) 取得中关村管委会集成电路设计企业贷款资格许可;

(4) 取得《中关村企业信用促进会》认定的入会会员资格;

(5) 拥有健全有效的组织机构和管理制度;

(6) 财务会计管理规范,相关财务指标均在担保公司可接受的范围内;

(7) 经营状况良好,且在申请贷款担保时已取得销售合同订单;

(8) 企业能够提供担保公司可接受的反担保措施,且主要经营者愿意承担个人连带责任保证。

2. 申请贷款担保的目的、额度和期限

入围"集成电路设计绿色通道"企业申请贷款担保的目的为补充生产经营过程中的流动资金,申请单笔贷款担保额度原则上不超过500万元,期限不超过1年。

3. "集成电路设计绿色通道"企业可享受的优惠政策

(1) 申请企业一经取得管委会集成电路设计企业贷款资格许可和中关村企业信用促进会的会员资格,担保公司将免初审程序,并在企业提交完整的申请材料后10个工作日内完成评审;

(2) 协作银行对"集成电路设计绿色通道"项目按"见保即贷"程序审批担保贷款,并执行基准贷款利率;

(3) 获得"集成电路设计绿色通道"担保贷款企业可享受中关村管委会贷款利息率50%和1%担保费的政策性补贴;

(4) 对于技术成长性好、属于政府重点支持的"集成电路设计绿色通道"企业,政府有关部门可通过适当方式从集成电路设计专项扶持基金中予以一定资金支持。

4. "集成电路设计绿色通道"基本业务流程

(1) 申请"集成电路设计绿色通道"贷款担保企业必须首先取得中关村管委会集成电路设计企业贷款资格许可;

(2) 申请企业如不是中关村企业信用促进会会员,须向信用促进会秘书处提出入会申请,并接受信用促进会认定的信用中介机构信用评级。获得ZC1、ZC2或ZC3信用等级的企业可成为正式会员。

5. 签约与保后管理程序

(1) 协作银行审批通过后,企业与银行签订《借款合同》,与担保公司签订《委托担保合同》及相关合同,并一次性交纳担保费和评审费;

(2) 获得担保贷款企业应主动配合银行和担保公司做好贷后管理工作,接受中关村企业信用促进会的信用监督,按期履行付息还款义务;

(3) 对于技术成长性好、属于政府重点扶持的企业,如短期内确有资金短缺压力,经担保公司向中关村管委会和政府有关部门请示协商,可向政府有关部门申请集成电路设计专项扶持基金支持;

(4) 获得"集成电路设计绿色通道"担保贷款企业按期履行还款义务,如有担保需求可按程序向担保公司再次提出申请;

(5) 获得"集成电路设计绿色通道"担保贷款企业如发生代偿,担保公司先代企业向银行履行全部债务清偿责任,然后启动对违约企业的追偿程序。

6. 补贴申请与审批程序

(1) 企业获得"集成电路设计绿色通道"担保贷款后,可向担保公司申请利息与保费补贴。企业需填写《"集成电路设计绿色通道"项目利息与保费补贴申请书》(一式两份,法定代表人签字并加盖公章),并连同所交纳的担保费发票和利息息单复印件(一式两份并加盖财务章)交担保公司审核;

(2) 担保公司审核通过后,报中关村管委会产业发展处审批;

(3) 中关村管委会审批后,按核准的金额向担保公司拨付利息和保费补贴资金,并委托担保公司向申请企业转拨付。

37.2.3 软件企业外包业务贷款担保服务

软件企业外包业务贷款担保绿色通道开通是针对软件企业外包业务特点,专门设计的快捷、便利的专项融资担保业务服务。中关村科技担保公司将委托北京市国际技术贸易协会、北京软件产业促进中心和中关村企业信用促进会负责"软件外包绿色通道"企业资格认定。

1. 企业必须具备以下条件

(1) 必须具有明确的软件外包业务;

(2) 具有近两年海关报关记录;

(3) 外包合同业经市商务局合同登记;

(4) 在北京地区注册、具有独立法人资格的企业实体;

(5) 经推荐的软件外包企业,已取得"软件外包绿色通道"企业资格;

(6) 中关村园区企业必须是中关村企业信用促进会的正式会员;

(7) 非园区企业须经中关村企业信用促进会认可的信用中介机构进行信用评级,且信用等级应达到入会企业的标准;

(8) 经营正常、且在近期内不出现连续亏损;

(9) 拥有健全有效的组织机构和管理制度;

(10) 财务会计管理制度比较规范,各项财务指标均在可接受的范围内;

(11) 担保贷款用途为流动资金、单笔申请额度原则上不超过300万元人民币、期限为1年以内(含1年);

(12) 提供担保公司认可的反担保措施、且企业主要经营者愿意就此项贷款担保承担个人连带责任保证。

2. 申请程序

(1) 持《"软件外包绿色通道"企业推荐表》和《中关村企业信用促进会》会员证书或《信用报告》(非园区企业适用)向中关村科技担保公司提出贷款担保申请,并填写《"软件外包企业绿色通道"委托贷款担保申请表》和其他相关材料;

(2) 中关村科技担保公司在接到申请企业提交完整的《申请表》和其他相关材料后的7个工作日内出具《评审报告》,并报公司决策部门审议批准;

(3) 在正式批准企业的贷款担保申请后,中关村科技担保公司向协作银行发出《"软件外包企业绿色通道"担保意向书》;

(4) 协作银行收到《担保意向书》后,按专项担保贷款审批程序快速审批企业担保贷款申请;

(5) 协作银行批准企业担保贷款后,企业与协作银行签订《借款合同》,与中关村科技担保公司签订《委托担保合同》和其他相关法律合同,并一次性交纳担保费和评审费;

(6) 企业在获得担保贷款后,如有贴息、贴保费需要,应及时填写《"软件外包绿色通道"企业贴息、贴保费申请表》(一式三份、法定代表人签字并加盖公章),并将申请表连同已交纳的保费发票和利息单复印件(一式三份并加盖财务章)交中关村科技担保公司,具体贴息比例根据企业实际情况核定;

(7) 中关村科技担保公司负责利息和保费补贴申请的审核、申请和拨付事宜;

(8) 获得担保贷款的企业须接受中关村科技担保公司和协作银行的日常跟踪管理,以提高贷款资金的使用效率;

(9) 如果企业按期履行还款义务,有继续融资的需求并符合"软件外包绿色通道"申请条件,可按以上程序再次提出申请;

(10) 如果企业不能按期履行还款义务,中关村科技担保公司先代企业偿付所欠银行贷款,然后启动对违约企业的追偿程序,并给予违约企业及当事人相应的失信惩罚。

3. 申请"软件外包绿色通道"企业可以享受以下便捷服务

(1) 企业一经取得"软件外包绿色通道"资格,中关村科技担保公司将免初审程序,并承诺在企业提交完整的申请资料后7个工作日内完成评审;

(2) 协作银行对获得中关村科技担保公司担保的“软件外包绿色通道”项目提供快捷的贷款审批通道，并按基准贷款利率收取贷款利息；

(3) 获得担保贷款的“软件外包绿色通道”企业确有困难的，可向中关村科技担保公司提出利息和担保费补贴申请；

(4) 享受国家和北京市出口企业相关政策。

4. 服务机构

(1) “软件外包绿色通道”资格认定机构

① 北京市国际技术贸易协会

电话:65252214

② 北京软件产业促进中心

电话:82331717-887

③《中关村企业信用促进会》秘书处

电话:62148866-157、158

(2) “软件外包绿色通道”贷款担保受理与审批机构

北京中关村科技担保有限公司

电话:62148866-157、158

(3) 协作银行

① 中国光大银行北京分行西城支行

联系部门:客户部

联系电话:68002190,68002192,68002196

② 北京市商业银行中关村科技园区管理部

电话:68945892,68945858-9012

37.2.4 开发行贷款

国家开发银行的大部分贷款原仅提供给国家大型基础设施和工业开发项目，而今后该银行将对民营或集体所有制的中小型企业给予更多的贷款支持。据介绍，国家开发银行将重新调整贷款政策，创建一个平台，以便向中小企业提供贷款融资和信用担保，从而促进中小企业发展。

37.2.5 瞪羚计划

目的和意义

高科技中小企业“融资难”问题，被称为高新技术产业发展中的“哥德巴赫猜想”。为破解这一难题，改善中关村科技园区中小高新技术企业的融资环境，中关村科技园区管委会制定了“瞪羚计划”。

“瞪羚”是一种以善于跳跃和奔跑著称的羚羊，业界通常将高成长中小企业形象地称为“瞪羚企业”。一个地区的“瞪羚企业”数量越多，表明这一地区的创新活力越大,发展速度越快。中关村科技园区拥有一大批处于高速发展中的"瞪羚企业",它们在2002年的技工贸收入总和超过500亿元,平均增长率接近60%。但是这批"瞪羚企业"的产业发展资金匮乏,融资渠道十分狭窄。"瞪羚计划"的设计原理是:将信用评价、信用激励和约束机制同担保贷款业务进行有机的结合,通过政府的引导和推动,凝聚金融资源,为有能力、守信用的中小企业提供融资解决方案。"瞪羚计划"的实质就是为中关村科技园区的"瞪羚企业"构建高效、低成本的担保贷款通道,帮助他们跳得更高,跑得更快。"瞪羚计划"每年可帮助园区"瞪羚企业"解决超过50亿元的流动资金贷款。

企业基本条件

(1) 中关村科技园区内的高新技术企业。

(2) 经济指标界定:以企业上一年度实现的技工贸总收入规模及技工贸总收入和利润的同比增长率作为界定标准。企业的技工贸总收入规模定在1000万元—6亿元之间,其中又分三个级别:总收入在1000万元—5000万元之间,收入增长率达到20%或利润增长率达到10%;总收入在5000万元—1亿元之间,收入增长率达到10%或利润增长率达到10%;总收入在1亿元—6亿元之间,收入增长率达到5%或利润增长率达到10%。

(3) 企业必须接受中关村企业信用促进会指定的信用中介机构的信用评级,信用等级要达到ZC3以上(含ZC3),并加入中关村企业信用促进会接受信用管理。

担保贷款额度和期限设定

(1) 担保贷款额度设定:技工贸总收入规模在1000万元—5000万元的企业,最高担保贷款上限为1000万元;技工贸总收入规模在5000万元—1亿元的企业,最高担保贷款上限为2000万元;技工贸总收入规模在1亿元—6亿元的企业,最高担保贷款上限为3000万元。

(2) 担保贷款期限设定:担保贷款期限原则上不超过1年。

优惠措施

(1) 获得中关村科技园区管委会的贷款贴息。

(2) 进入中关村科技担保公司的快捷担保审批程序,简化反担保措施。

(3) 进入协作银行的快捷贷款审批程序,获得利率优惠。

信用奖惩措施

(1) 信用奖励措施:实行"五星级"评定制度。企业首次获得"瞪羚计划"支持,即被评定为"一星企业",贷款贴息率为20%。以后每完成一个年度的履约,增加一星,贴息率增加5%,最高达到"五星级企业",贴息率最高可达40%。同时协作银行也依据上述评定规则,给予"瞪羚企业"贷款利息下浮优惠,"一星企业"执行基准利率,每增加一星,利率下调2.5%,最高下调10%。

(2)信用处罚措施:进入通道的企业若发生违约行为,在担保公司和银行对其追偿的基础上,给予降低"星级"处罚,并视情节轻重,可向社会公布其失信行为,乃至开除出信用促进会。

业务主体及其职责

"瞪羚计划"的业务主体包括:中关村科技园区管委会、中关村科技担保公司、中关村企业信用促进会、信用评级机构和协作银行。

(1)中关村科技园区管委会负责组织和监管"瞪羚计划"的实施,为企业提供贷款贴息支持。

(2)中关村科技担保公司负责受理"瞪羚企业"的担保申请和资格认定,提供快捷担保服务,实施在保管理和违约追偿,代办贴息业务。对不能给予担保的项目,需向中关村科技园区管委会做出说明。

(3)中关村企业信用促进会负责对"瞪羚企业"进行信用管理和"五星级"评定,负责对其指定的信用评级机构的相关业务进行指导和监督。

(4)信用评级机构负责对"瞪羚企业"进行信用评级,对企业的信用疑点必须进行深度调查,并有义务将相关情况告知中关村科技担保公司。对不能评为ZC3的项目,需向中关村企业信用促进会做出说明。

(5)协作银行负责向获得担保的"瞪羚企业"发放贷款,并实行"见保即贷",执行优惠利率。

"瞪羚计划"受理单位及联系方式

中关村科技担保公司:62148866-163

中关村企业信用促进会:82888208 82888681、82886570

"瞪羚计划"管理单位及联系方式

中关村科技园区管委会:82691705

网址:www.zgc.gov.cn

§38. 部分政府资助

38.1 国家级

38.1.1 科技型中小企业技术创新基金

(1)概况

科技型中小企业技术创新基金是经国务院批准设立,用于支持科技型中小企业技术创新的政府专项基金。审批部门是科技部创新基金管理中心。重点支持方向为产业化初期（种子期和初创期）、技术含量高、市场前景好、风险较大、商业性资金进入尚不具备条件、最需要由政府支持的科技型中小企业项目。

（2）企业申报条件

① 具备独立法人资格；

② 主要从事高新技术产品的研究、开发、生产和服务业务，申请支持的项目必须在其企业法人营业执照规定的经营范围内；

③ 领导班子有较强的市场开拓能力和较强的经营管理水平并有持续创新的意识；

④ 具有大专以上学历的科技人员不低于30%，直接从事研发的科技人员不低于10%；申请当年注册的新办企业不受此款限制；

⑤ 有良好的经营业绩，资产负债率不超过70%；每年用于高新技术产品研发的经费不低于销售额的5%；

⑥ 有健全的财务管理机构、严格的财务管理制度和合格的财务管理人员。

（3）申报时间及审批部门

大约时间为每年4月—7月，每年的具体申报时间请参看 www.innofund.gov.cn

审批部门：科技部科技型中小企业技术创新基金管理中心

网址：www.innofund.gov.cn

电话：63952229

38.1.2 科技型中小企业技术创新基金创业项目

为加大对初创期科技型企业的支持，管理中心从现有国家高新技术创业服务中心、国家留学人员创业园示范建设试点、国家大学科技园、国家火炬软件产业基地及其他特色产业基地、火炬创业园中的孵化器等机构中确定部分单位作为创业项目服务机构。在创新基金无偿资助支持方式下，通过创业项目支持服务机构孵化场地内注册并经营的初创期科技型企业。

（1）申请创业项目支持的初创期科技型企业应具备下列条件：

① 具备独立企业法人资格，在服务机构的抚育基地内注册并经营，注册资金不超过300万；

② 企业注册成立时间不超过18个月；

③ 企业领导班子有较强的市场开拓能力、较高的经营管理水平和创新意识；

④ 申请企业没有承担过创新基金项目。

对于股权投资立项的企业，条件可以适当放宽。

(2) 申请创业项目需具备下列条件:

① 申请的项目符合当年的《科技型中小企业技术创新基金项目指南》要求(不包括高技术服务业类项目),技术含量高,创新性较强,项目知识产权为企业自主拥有;

② 申请项目处于研究开发或中试阶段;

③ 申请的项目其产品有明确的市场需求和较强的市场竞争力,可以产生较好的经济效益和社会效益;

④ 申请项目的基金支持执行期为24个月,执行期结束后项目至少要进入中试阶段;

⑤ 申请项目必须得到推荐单位的立项支持;

⑥ 申请项目必须由服务机构和相应的推荐单位推荐。

(3) 注意事项

① 在同一年度内,同一个企业只能申请一个项目;

② 获得创业项目支持的企业,在本项目验收前不得申请基金其他支持;

③ 创新基金不支持已列入国家科技计划并得到国家科技经费支持的、目前尚未验收的项目;

④ 管理中心不负责项目申请后的查询,企业可以通过身份识别与验证系统,从创新基金网站上查询申请项目在受理和立项审查过程中的状态信息;

⑤ 为能准确反映创新基金、地方立项资金及企业自筹资金的到位情况和使用情况,确保专款专用,并有利于对其进行监督检查,创业项目的承担单位,须对项目的创新基金、地方立项资金及企业自筹资金进行单独核算。

(4) 申报时间及审批部门

每年的具体申报时间可以参看 www.innofund.gov.cn。

审批部门:科技部科技型中小企业技术创新基金管理中心

网址:www.innofund.gov.cn

电话:63952229

38.1.3 信息产业部、财政部电子信息产业发展基金

(1) 概况

定义:是中央财政预算安排的,用于支持软件、集成电路,以及计算机、通信、网络、数字视听、新型元器件等电子信息产业核心领域技术与产品研究开发和产业化的专项资金。

(2) 申报条件

① 申报企业应具备独立的法人资格;

② 有必要的专业技术人员;

③ 有必要的研究与开发或生产设备；

④ 在研究与开发技术领域已取得相关科研成果；

⑤ 其他应具备的条件。

(3) 支持方式

无偿资助:主要用于中小企业研究与开发及中间试验阶段的必要补助,每个项目的资助数额一般不超过200万元,个别重大项目最高不超过400万元,并且项目承担单位须有等额以上的自有配套资金。

贷款贴息:主要对已具备一定技术水平、规模和效益的项目单位采取这种方式以支持其使用银行贷款,扩大生产规模,推广技术应用,一般按照承担企业申请项目贷款额年利息的50%—100%确定贴息额度,每个项目贴息额度一般不超过200万元,个别重大项目最高不超过400万元。

资本投入:主要对少数技术起点较高、具有高成长性的电子信息产业项目采用资本投入方式,资本投入以引导其他资本投入为主要目的,投入数额一般不超过企业注册资金的20%。财政部、信息产业部要对国家投资建立严格的责任制度,选择具备条件的合格的投资管理机构行使具体管理职能。

(4) 申报时间及审批部门

申报时间约为每年5月—6月,具体时间请参看 www.itfund.gov.cn。

审批部门:信息产业部电子信息产业发展基金管理办公室

网址:www.itfund.gov.cn

电话:82512089 68208342

38.1.4 商务部、财政部出口产品研究开发资金

1. 简介

出口研发资金是指从中央外贸发展基金中列支,用于无偿资助企业研究开发出口产品的政府性基金。其目的在于促进企业加大出口产品的研究开发力度,进一步优化出口产品结构,提高出口产品的技术含量和附加值。出口研发项目的资助金额不超过项目研究开发总费用的50%,且最高不超过100万元人民币。

2. 申请条件

(1) 申请出口研发资金的企业应具备以下条件:

① 在中华人民共和国境内注册,具有独立法人资格;

② 必要的项目研发设备及专业技术人员;

③ 资产负债率原则上不得超过70%;

④ 健全的财务核算与管理体系;

⑤ 其他应具备的条件。

(2) 申请出口研发资金的项目应具备以下条件：

① 符合国家产业发展规划和产业技术政策；

② 技术创新性较强且处于国内领先水平；

③ 产品有较强的国际市场竞争力和出口前景；

④ 产品有较好的经济效益和社会效益；

⑤ 符合国家新型工业化政策；

⑥ 其他应具备的条件。

3. 提交材料

(1) 高新技术出口产品研发资金项目申请报告；

(2)《高新技术出口产品研究开发资金项目申请书》；

(3)《高新技术出口产品研究开发资金项目申请附表》；

(4) 高新技术出口产品研发项目可行性研究报告(项目可行性报告)，须附专家论证意见；

(5) 企业法人营业执照副本(复印件)；

(6) 经会计师事务所审计的企业会计报表(须附会计师事务所营业执照、注册会计师证书的复印件)；

(7) 与高新技术产品研发资金项目有关的其他必要材料。

4. 联系单位

北京市商务局

电话：65252214

网址：www.bjmbc.gov.cn

38.2 北京市

38.2.1 北京市工业发展资金

(1) 概况

定义：指市财政在年度预算中安排的工业结构调整资金、技术改造资金和工业发展专项资金。

方式：贷款贴息——使用银行贷款进行技术改造时可申请贴息资金。

投资入股——用于企业建立现代企业制度，吸引多元化投资主体或增资扩股等引导性投资，政府入股资金不超过企业注册资本的30%，最高额度不超过2000万元。

拨款补助——用于企业技术开发、技术改造项目的资金补助。

(2) 支持对象

贷款贴息:

① 要求申报主体是在本市工商管理部门登记注册、从事生产经营并具有独立法人资格的工业企业;

② 企业注册资本500万元以上、总资产2000万元以上;

③ 要求项目已按现行审批权限由国家经贸委、北京市经济委员会、各区(县)经委、或有审批职能的控股公司(集团)批准可行性研究报告,并已与银行签订"固定资产借款合同";

④ 符合国家产业政策、北京市工业发展规划。优先支持列入北京市经济委员会当年公布的"北京市工业投资导向意见"的重点行业、企业、产品、工艺和重大技术装备及与之关联度高的项目。

投资入股:

① 要求申报主体是在本市工商管理部门登记注册、从事生产经营并具有独立法人资格的工业企业;

② 申请入股企业的主导产品技术水平在全国处于领先地位,并具有较大的发展潜力;

③ 符合国家产业政策、北京市工业发展规划。优先支持列入北京市经济委员会当年公布的"北京市工业投资导向意见"的重点行业、企业、产品、工艺和重大技术装备及与之关联度高的项目;

④ 政府跟进投资适用于符合《北京市人民政府印发关于贯彻国务院鼓励软件产业和集成电路产业发展若干政策实施意见的通知》(京政发[2001]4号)规定的微电子项目。具体条件参见京政发[2001]4号文。

拨款补助:

① 要求申报主体是在本市工商管理部门登记注册、从事生产经营并具有独立法人资格的工业企业;

② 企业注册资本100万元以上、企业净资产300万元以上;

③ 企业开发具有自主知识产权的产品,产品技术水平居全国领先地位,具有较大的市场潜力;

④ 要求项目已按现行审批权限由国家经贸委、北京市经济委员会、各区(县)经委、或有审批职能的控股公司(集团)批准可行性研究报告;

⑤ 符合国家产业政策、北京市工业发展规划。优先支持列入北京市经济委员会当年公布的"北京市工业投资导向意见"的重点行业、企业、产品、工艺和重大技术装备及与之关联度高的项目。

(3) 申报时间及审批部门

上半年安排资金的项目:企业在 3 月底前申报。

下半年安排资金的项目:企业在 6 月底前申报。

审批部门:北京市工业促进局

网址:http://www.bjid.gov.cn

电话:85235626　85235627

38.2.2 北京市专利实施资金

(1) 概况

定义:指纳入市财政预算,用于支持专利实施的专项资金。

范围:资助有市场前景的专利技术产业化;组织资助科技含量高、创新性强的专利技术产品开发;组织资助专利技术的推广应用;专利技术实施的管理。

额度:除重大专利发明外,实用新型专利不超过 20 万元;发明专利不超过 30 万元。

(2) 支持对象

① 具有独立法人资格;

② 发明专利或实用新型专利的专利权合法持有者或合法使用者;

③ 申请资金用于实施有市场前景的专利技术产业化项目或科技含量高、创新性强的专利技术产品开发项目;

④ 有实施专利技术的研发人员;

⑤ 具备实施专利技术的基本物质条件(主要包括:在本市有实施场地,有必要的设备,一定的自有资金)。

(3) 申报时间及审批部门

申报时间:全年

审理时间:每年 6 月 1 日起(审理上年 6 月 1 日—当年 5 月 31 日期间的申请)

审批部门:北京市知识产权局

网址:http://www.bjipo.gov.cn/

电话:84080086

38.2.3 北京市科技中介机构享受财政专项资金

(1) 概况

成果转化中心负责对申请材料进行核准,将税票复印件及所得税汇算清缴结果送市国税局、市地税局分税种确认后按规定时间将申办单位应享受专项资金数额报市财政局。市财政局按照成果转化中心确认的税款数额安排资金并拨付到服务中心。服务中心在规定时间内办理完毕资金转拨手续。

（2）支持对象

① 利用科技知识和市场经验提供咨询服务的科技评估机构、科技招投标机构、情报信息咨询机构、专利事务所等（不含会计师事务所、律师事务所）；

② 直接参与服务对象转化过程的工程技术研究中心、生产力促进中心、科技创业服务中心等；

③ 为科技资源有效流动、合理配置提供服务的技术产权交易机构、技术经纪机构、科技人才中介机构、科技条件市场等。

（3）申报条件

① 在北京市有关管理机关登记、注册，独立核算；

② 年度总收入不低于100万元；

③ 为北京市认定的高新技术企业和高新技术成果转化项目提供服务所取得的年度业务收入应占其年度总收入的70%以上；

④ 专职人员不少于10名，大学本科及以上学历的人员比例不低于70%；有执业资格要求的，具有相应执业资格的人员应占机构人员总数的30%以上。

（4）申报时间及审批部门

每年5月底以前。

审批部门：北京市科学技术委员会

网址：http://www.bestinfo.net.cn/

电话：66153439

38.2.4 北京市中小企业国际市场开拓资金

（1）概况

资金用途：支持中小企业和为中小企业服务的企业、社会团体和事业单位（以下简称“项目组织单位”）组织中小企业开拓国际市场的活动。

支持内容：举办或参加境外展览会；质量管理体系、环境管理体系、软件出口企业和各类产品的认证；国际市场宣传推介；开拓新兴市场；组织培训与研讨会；境外投（议）标等方面。

支持比例：原则上不超过支持项目所需金额的50%。

支持金额：企业项目——每次给予支持的资金最高不超过30万元人民币。

团体项目——每次给予支持的资金最高不超过300万元人民币。

（2）企业项目申请条件

① 具有企业法人资格，在北京市办理工商登记的中小企业（包括中央企业的子公司）拥有进出口经营权或对外经济合作经营资格，上年度海关统计出口额在1500万美元以下；

② 近两年在外经贸业务管理、财务管理、税收管理、外汇管理、海关管理等

方面无违法行为;

③ 具有从事国际市场开拓的专业人员,对开拓国际市场有明确的工作安排和市场开拓计划。

(3) 团体项目申请条件

① 组织的活动以支持中小企业开拓国际市场和提高中小企业国际竞争力为目的;

② 参加活动的企业在10家以上(含10家),其中70%以上企业符合上述规定的中小企业申请条件;

③ 申请支持的资金直接受益于参加活动的企业,以降低参加活动企业的费用和开拓市场的风险,提高企业效益。

(4) 申报时间及审批部门

申报时间约为每年6月,具体时间请参见 http://www.bjmbc.gov.cn。

审批部门:北京市商务局贸易计划财务处

网址:http://www.bjmbc.gov.cn

电话:010-85163104　85163161

38.2.5 北京市财政支持高新技术成果转化项目等财政专项资金

1. 财政专项资金的内容及计算方法

(1) 对认定的高新技术成果转化项目,自认定之日起3年内,上缴的营业税、企业所得税、增值税地方收入部分由财政安排专项资金支持,之后2年减半支持。经认定的重大高新技术成果转化项目,自认定之日起5年内上缴的营业税、企业所得税、增值税地方收入部分由财政安排专项资金支持,之后3年减半支持。上述财政安排的专项资金,80%用于相关企业的技术创新,20%纳入技术创新资金集中使用。计算公式为:前三年或前五年企业应得到的支持资金=[(实际入库企业所得税-期初欠交额)×地方分享比例+(实际入库营业税-期初欠交额)+(实际入库增值税-期初欠交额)×25%](高新技术成果转化项目销售收入/全部收入)×80%;之后两年和三年企业应得到的支持资金=[(实际入库企业所得税-期初欠交额)×地方分享比例+(实际入库营业税-期初欠交额)+(实际入库增值税-期初欠交额)×25%](高新技术成果转化项目销售收入/全部收入)×80%/2。

(2) 经市科委认定的孵化基地和在孵企业,自认定之日起3年内所缴纳的各项税收的地方收入部分,由财政安排专项资金予以支持。

(3) 对实施高新技术成果转化项目的企业,自2001年起5年内,其当年用于高新技术成果转化项目自建或购置的生产经营场地所缴纳的房产税,由财政安排专项资金支持,用于相关企业的技术创新。计算公式为:企业应得到的支持

资金 -（当年自建或购置的生产经营场地固定资产原值/企业应税固定资产原值）/（本期实际缴纳的房产税 - 期初欠交额）。

（4）对经认定的在本市注册的促进高新技术成果转化和发展高新技术企业有重大贡献的中介服务机构，当年缴纳所得税地方收入部分的 50%，由财政安排专项资金支持。计算公式：中介服务机构企业应得到的支持资金 =（实际入库的企业所得税 - 期初欠交税）地方分享比例 ×50%。

（5）本市注册的风险投资机构，对本市认定的高新技术成果转化项目投资超过当年投资总额 70% 的，其当年缴纳所得税地方收入部分的 50%，由财政安排专项资金支持。计算公式：企业应得到的支持资金 =（实际入库的企业所得税 - 期初欠交额）地方分享比例 ×50%。

2. 专项资金的申请和拨付程序

每年 5 月份，实施高新技术成果转化项目的企业、孵化基地（含在孵企业）、科技中介服务机构、风险投资机构在上一年度所得税汇算清缴后向高新技术成果转化项目服务中心（简称服务中心）提出申请，并提供下列材料：

（1）实施高新技术成果转化项目的企业提供全年缴纳营业税、企业所得税、增值税、房产税税票复印件及所得税汇算清缴结果，全部收入、转化项目收入，当年自建或购置的生产经营场地固定资产原值、企业应税固定资产原值，年终财务决算；

（2）孵化基地（含在孵企业）提供全年缴纳营业税、企业所得税、增值税、房产税税票复印件及所得税汇算清缴结果，年终财务决算；

（3）中介服务机构、风险投资机构提供全年缴纳企业所得税税票复印件及汇算清缴结果，年终财务决算，认定办法中规定需提交的材料。

服务中心将实施高新技术成果转化项目的企业税票复印件及所得税汇算清缴结果送市国税局、市地税局分税种确认后于 7 月中旬前，将实施高新技术成果转化项目的企业、科技中介服务机构、孵化基地（含在孵企业）、风险投资机构按规定计算出应享受专项资金支持的数额报送市财政局。

市财政局按照确认的税款数额，7 月底将资金拨到服务中心。服务中心在 10 个工作日内办理完毕资金转拨手续。

3. 财务处理

服务中心按照财政部政府预算收支科目，将财政安排的专项资金列入“企业挖潜改造资金”预算科目。企业在收到上述资金后，作增加“资本公积金”处理。具体会计分录为：借：银行存款；贷：资本公积（国有性质的高新技术企业计人国家资本金）。

审批部门：北京科技成果转化服务中心

网址:http://www.bjcy.net.cn/ArticleShow.asp? ArticleID = 200

电话:64874216　64853163/64-226　64874561

38.2.6　北京市专利申请资助奖励办法(试行)

一、北京地区单位和个人申请专利,凡符合下列条件的,可向市知识产权局申请资助:

1. 所申请专利属于国家及北京地区重点发展的技术领域和行业:电子、信息、光机电一体化、生物工程、新医药、新材料、环保与节能等技术产品;

2. 其他技术含量高的技术产品;

3. 具有较好市场前景的技术产品。

二、发明专利申请的资助标准为申请费950元,实审费最高1200元,按初审合格通知书资助。实际支出不足此数的,按实际开支资助。发明专利申请的附加费,按实际支出数额的半数资助。

三、实用新型和外观设计专利申请的资助标准为150元。实际支出不足此数的,按实际开支资助。

四、向国外申请发明专利的,每件奖励2000元。

五、当年专利申请的资助时限可延至次年2月底止,逾期不予办理。

六、申请资助金的单位和个人须向北京市知识产权局报验下列材料:

1. 北京市专利申请费资助金申请表1份(申请表由市知识产权局提供);

2. 单位介绍信或个人身份证及复印件1份;

3. 专利申请受理通知书及复印件1份和缴纳相关费用的正式发票及复印件1份;

4. 专利申请文件中的《摘要》复印件1份。

七、申请资助金的单位和个人提供的材料及凭证必须真实可靠。如有弄虚作假者,一经发现,已领取的资助金将全数追回,并追究责任。

八、对于提供的申请文件,在其被国家专利局公开之前,市知识产权局负责为其保密。

九、本资助奖励办法由市知识产权局负责解释。

专利申请资助办公时间为每星期一、三,上午9:00—11:30,下午1:30—4:30。

审批部门:北京市知识产权局

网址:www.bjipo.gov.cn

电话:84080086

38.2.7 北京市留学人员专项资金管理办法(试行)

第一章 总 则

第一条 为贯彻落实《北京市鼓励留学人员来京创业工作的若干规定》,优化首都发展环境,规范北京市留学人员专项资金(以下简称专项资金)的管理,强化预算监督职能,根据国家及北京市的有关财务规定,结合北京市鼓励留学人员来京创业工作的实际情况,特制定本办法。

第二条 本办法所指的专项资金由北京市人民政府专项拨款设立。

第三条 市人事局和市财政局本着"保证重点,兼顾一般,勤俭办事,量力而行"的原则,每年有计划、有重点、分类分项地安排专项资金。

第四条 专项资金应纳入单位财务部门的核算体系,独立核算经费的拨入与支出,准确反映专项资金的预算执行情况。各单位应严格按照规定的使用范围、标准和审批权限使用,不得改变其性质和用途。

第二章 专项资金的使用范围

第五条 专项资金主要用于北京市鼓励留学人员来京创业、为国服务工作,其开支范围包括:留学人员科技活动择优资助经费、留学人员创业奖奖励经费、留学人员来京工作安置经费、留学人员创业园管理经费、留学人员创业经费及与北京市鼓励留学人员来京创业工作有关的费用。

第六条 留学人员科技活动择优资助经费是指为留学人员开展科技活动提供的启动资金。包括购置小型仪器设备、实验材料试剂、图书资料,参加学术活动、出版学术著作和进行科研业务等费用。

第七条 留学人员创业奖奖励经费是指对首都经济建设和社会发展做出突出贡献的留学人员进行表彰奖励的费用,主要用于北京市留学人员创业奖的评选和表彰工作。包括奖励经费、专家评审费和业务费等。

第八条 留学人员来京工作安置经费是指为来京定居工作的留学人员提供部分资助的费用。包括科研启动经费和安家费等。

第九条 留学人员创业园建设支持经费用于资助各留学人员创业园建设、孵化留学人员企业及其相关工作。重点是用于促进北京市各留学人员创业园的发展建设和管理服务。包括购置基本办公设备费用、相关人员培训费用和业务费等。

第十条 留学人员创业经费用于资助、扶持留学人员兴办企业和对留学人员的自主成果(经国内同行专家、业务主管部门鉴定)、进行示范和规模化推广工作。包括创业启动费、成果宣传费、举办成果推广培训班费用和业务费等。

第十一条　与北京市鼓励留学人员来京创业工作有关的费用是指为开展北京市鼓励留学人员来京创业、为国服务工作所发生的日常性开支。包括：宣传费、留学人员短期回国参加会议的国际旅费、专家评审费、会议费、设备购置费、调研费等。

第三章　专项资金的申请、评审

第十二条　专项资金的申报、评审和管理工作坚持“公开、公平、公正”的原则。

第十三条　专项资金须由申请单位或个人，提出申请，主管部门签署意见后，报所在区县或上级单位留学人员工作主管部门（简称有关区县和部门）审核。有关区县和部门在对申报的项目进行筛选把关后，将审核通过的项目申请表及书面报告一并报市人事局。

第十四条　市人事局根据专项资金的不同用途和各类经费的申报情况，分别聘请专家和相关部门的负责同志成立评审委员会，对申请者的资格条件和申请项目进行评审。

第十五条　对留学人员的资助，市人事局按照依靠专家、发扬民主、择优资助、分配合理的原则，在综合评审委员会意见基础上进行确定；对留学人员工作经费的资助，市人事局根据各申报单位和申请项目的具体情况，在综合平衡的基础上给予一定的支持。

第四章　专项资金的使用管理

第十六条　市人事局对专项资金实行统一管理，跟踪监督；各有关区县和部门具体负责管理资助经费的使用，对资助项目进行督促检查，并在每年年终向市人事局编报本地区、本部门资助项目年度执行情况，同时协助做好资助项目科研成果的登记、鉴定、推广和产业化等工作。

第十七条　资助项目完成后，受资助者所在单位应在三个月内向市人事局报送工作总结、成果登记和经费决算情况，同时附经费实际使用情况的报表。

第十八条　本办法第十一条所指的有关费用的开支，应严格按照财政规定的使用范围和标准执行。

第十九条　严格控制使用专项资金购置固定资产。

第二十条　受资助的单位或个人接到拨款后应及时开展活动。对活动不能正常开展的，市人事局将收回原资助经费。有下列行为之一者，一至三年内不得申报新项目：

（一）擅自变更资助项目的内容；

（二）挪用资助项目经费；

（三）用资助项目经费发放工资、奖金、福利；

（四）经费不能及时拨到使用单位。

第五章　专项资金的拨付方式

第二十一条　专项资金的拨付方式，由市人事局根据评审确定的情况和项目执行情况，按规定的使用标准分类分项、分期分批拨至有关区县和部门，并由区县和部门将款项一次性拨付给受资助者所在单位。

第六章　专项资金的财务监督和检查

第二十二条　市人事局对经费使用情况实行审计制度。

第二十三条　各单位应建立、健全内部财务稽核制度。包括：会计账证的稽核、财务收支和经费管理的稽核。

第二十四条　各单位财务部门或财务人员，应对本单位项目经费使用情况负有监督审核的职责。对专项资金的使用应严格按审批程序，认真审核，专款专用。要保全原始单据的完整、真实，维护财经纪律和财务制度的严肃性，保证专项资金的合理使用。

第七章　附　　则

第二十五条　受北京市留学人员专项资金资助的项目，在资助项目完成后，发表论文、专著时，均应标明得到“北京市留学人员专项资金资助”。

第二十六条　本管理办法由北京市人事局负责解释并监督实行。

第二十七条　本管理办法自2003年4月1日起实施。

（参看：http：//www. bjp. gov. cn）

38.2.8　孵化基地优惠政策

1. 简介

经市科委认定的孵化基地和在孵企业，自认定之日起三年内所缴纳各项税收的地方收入部分，由财政安排专项资金予以支持。财政专项资金作为孵化器种子资金，用于孵化基地建设和在孵企业的项目贴息、投资和补助拨款等支持。

2. 申办程序

（1）申办单位在上一年度所得税汇算清缴完成后向高新技术成果转化服务中心提出申请，并提供全年缴纳营业税、企业所得税、增值税、房产税税票复印件及所得税汇算清缴结果，年终财务决算；

（2）转化中心将申办单位的企业税票复印件及所得税汇算清缴结果送市国

税局、市地税局分税种确认；

(3) 转化中心于7月中旬前将申办单位按规定计算出的应享受财政专项资金支持的数额报市财政局；

(4) 市财政局按照确认的税款数额将资金拨到转化中心，转化中心在10个工作日内办理完毕资金转拨手续；

(5) 企业在收到上述资金后，作增加"资本公积金"处理。具体会计分录为：

借：银行存款

贷：资本公积(国有性质的高新技术企业计入国家资本金)

3. 联系单位

北京市高新技术成果转化服务中心

电话：64874216，64853163

(请参看：http://www.zgc.gov.cn)

38.2.9 北京市吸引高级人才奖励管理规定实施办法

第一章 总 则

第一条 为鼓励、吸引各类人才在京创业工作，统筹规范管理本市各项高级人才奖励项目，充分发挥奖励资金的整体效益，根据《北京市吸引高级人才奖励管理规定》(以下简称《奖励管理规定》)制定本办法。

第二条 高级人才奖励项目是指受奖励人一次性获得奖励金额超过1万元(含)或因同一原因累计获得奖励金额超过1万元(含)的人才奖励项目。

第三条 市人事局、市财政局负责对本市高级人才奖励工作进行综合管理和监督。

第二章 设立、备案与调整的申报程序

第四条 凡2005年6月30日后申请设立高级人才奖励项目的，须由组织实施部门报市人事局、市财政局审核，经市政府批准后方可实施。

设立高级人才奖励项目应提交以下材料：

(一) 高级人才奖励项目的申请报告（含奖励目的、奖励范围、奖励额度、奖励周期、奖励项目的社会及经济效益等内容）；

(二) 拟开展的高级人才奖励项目的申报评审程序；

(三) 设立高级人才奖励项目申请表（一式三份）。

第五条 在2005年6月30日前设立实施的高级人才奖励项目须由组织实施部门向市人事局、市财政局备案后方可继续实施。

履行备案手续应提交以下材料：

（一）设立高级人才奖励项目的法律、法规、行政规章或政策性文件；

（二）开展高级人才奖励项目的申报评审程序；

（三）高级人才奖励项目的实施情况；

（四）高级人才奖励项目备案表（一式三份）。

第六条 对高级人才奖励项目的奖励范围、奖励额度、奖励周期等内容进行调整的，组织实施部门须在实施前三个月向市人事局、市财政局提出申请报告，经市人事局、市财政局审核报经市政府批准后方可实施。

调整高级人才奖励项目应提交以下材料：

（一）调整高级人才奖励项目内容的申请报告；

（二）高级人才奖励项目的执行情况；

（三）调整高级人才奖励项目内容申请表（一式三份）。

第三章 奖励资金预算与管理

第七条 设立“北京市高级人才奖励专项资金”，该项资金由市财政专项拨付，用于本市高级人才奖励项目奖励经费支出。

第八条 “北京市高级人才奖励专项资金”的使用遵循公开公正、注重实效、合理安排、专款专用的原则。

第九条 高级人才奖励项目的组织实施部门应在每年9月底前编制下一年度高级人才奖励资金预算报市人事局，市人事局审核汇总后送市财政局。

编制高级人才奖励资金年度预算应提交以下材料：

（一）本年度人才奖励资金年度预算执行情况；

（二）高级人才奖励资金下一年度预算申请报告及增减变化情况说明。

第十条 对于高级人才奖励项目执行过程中预算资金额度出现缺口时，须由组织实施部门提前1个月向市人事局提出追加申请，市人事局审核汇总后送市财政局。

第十一条 对于高级人才奖励项目执行过程中预算资金额度出现结余时，经市人事局、市财政局核准后可结转下一年度使用。

第四章 高层次人才奖励的范围

第十二条 《奖励管理规定》第五条第一款所称外商投资企业是指在本市依法设立和认定且注册资本金全部到位的以下各类外商投资企业（含港、澳、台地区投资）：

（一）经商务部批准认定为地区总部或市商务局批准并已取得《跨国公司

在京地区总部确认证书》的外商投资企业；

（二）经商务部批准并已取得《外商投资企业批准证书》的投资性公司；

（三）经商务部及科学技术部批准并已取得《外商投资企业批准证书》的创业投资企业；

（四）经商务部批准并取得《外商投资企业批准证书》的具有采购、分销、结算经营范围的外商投资企业；

（五）经中国银行业监督管理委员会批准取得《经营金融业务许可证》并取得营业执照的外商投资银行；

（六）经中国保险监督管理委员会批准取得《经营保险业务许可证》，并取得营业执照的外商投资保险公司；

（七）经财政部批准，并取得营业执照的外商投资会计师事务所；

（八）世界500强中境外公司的在京投资企业；

（九）其他注册资本1000万美元及以上的外商投资企业。

《奖励管理规定》第五条第一款所称担任副总经理以上或相当职务是指担任副董事长、副总裁、副总经理以上（含）职务，事业部制企业的事业部总监；任职时间以任命书或任职聘书日期为准。奖励申报工作由市商务局或其委托机构负责。

第十三条 《奖励管理规定》第五条第二款所称软件企业是指经市科学技术委员会批准并取得《软件企业认定证书》的企业。

《奖励管理规定》第五条第二款所称软件企业高级管理人员是指担任企业部门经理以上职务的人员；任职时间以任命书或任职聘书日期为准。奖励申报工作由市科学技术委员会或其委托机构负责。

第十四条 《奖励管理规定》第五条第二款所称集成电路企业是指经市工业促进局批准并取得《集成电路企业认定证书》的企业。

《奖励管理规定》第五条第二款所称集成电路企业高级管理人员是指担任企业部门经理以上职务的人员；任职时间以任命书或任职聘书日期为准。奖励申报工作由市工业促进局或其委托机构负责。

第十五条 《奖励管理规定》第五条第三款所称北京科技研究开发机构是指经市科学技术委员会批准并取得《北京科技研究开发机构认定证书》的企业。

《奖励管理规定》第五条第三款所称担任主任或相当职务是指驻京研发机构中的第一负责人；任职时间以任命书或任职聘书日期为准。奖励申报工作由市科学技术委员会或其委托机构负责。

第十六条 《奖励管理规定》第五条第四款所称来京投资企业是指经市发展和改革委员会批准并取得《来京投资企业认定证书》的企业。

《奖励管理规定》第五条第四款所称担任常务副总经理以上及总会计师、总工程师、总经济师是指担任常务副董事长、常务副总裁、常务副总经理以上职务及总工程师、总经济师、总会计师且年薪10万元以上的人员；任职时间以任命书或任职聘书日期为准。奖励申报工作由市发展和改革委员会或其委托机构负责。

第十七条 《奖励管理规定》第五条第五款所称金融企业是指中国银行业监督管理委员会、中国证券监督管理委员会和中国保险监督管理委员会等国家金融监管部门批准的，在京注册并具有独立法人资格的金融企业。其他对首都金融业发展有特殊贡献的非法人金融机构经市政府金融工作协调小组批准可参照执行。

《奖励管理规定》第五条第五款所称副总经理以上或相当职务的人员是指获得中国银行业监督管理委员会、中国证券监督管理委员会和中国保险监督管理委员会等国家金融监管部门资格认定，并担任董事长、副董事长、总经理（行长）、副总经理（副行长）、监事长的金融企业高级管理人员。任职时间以在京实际任职时间为准。奖励申报工作由市政府金融工作协调小组或其委托机构负责。

第十八条 《奖励管理规定》第五条第六款所称在京国际、国内文化艺术名人、名家和民族传统艺术专家、体育明星、优秀教练员及杰出文化艺术体育产业经营管理人才是指经市优秀文化体育人才认定委员会认定的且在京创业工作的优秀文化、艺术、体育人才。奖励申报工作由市优秀文化体育人才认定委员会或其委托机构负责。

第五章 高层次人才奖励申请程序

第十九条 《奖励管理规定》第五条的专项奖励申报人由主管税务机关对其上一年度所缴个人工薪收入所得税额进行确认后，通过所在单位于每年的5月至9月间向组织实施部门申请，由组织实施部门将申报材料审核汇总后报市人事局核准发放兑现相关奖励，奖金免征个人所得税。对于符合奖励条件但本年度未申请的，下一年度不能申请补报兑现上一年度的奖励。

申报人员应提交以下材料：

（一）企业法人或分支机构营业执照副本和相关认定证书、批准证书及许可证书原件和复印件；

（二）申报人的有效身份证件（身份证或护照）原件和复印件；

（三）申报人任命书、任职聘书、聘用（劳动）合同等证明及学历等证书原件和复印件；

（四）企业所在地税务部门出具的上一年度缴纳个人工资薪金收入所得税完税证明原件和复印件。

（五）申报人购房的《房屋买卖合同》、购房发票、《房屋所有权证》，申报人购车的购车发票、《机动车登记证书》原件和复印件，申报人参加专业领域培训的费用证明资料或工商行政管理机关出具的投资证明和高新技术企业认定证书原件和复印件。

（六）用于接受奖励款项的申报人银行账户或借记卡有关信息资料。

第二十条 在2005年6月30日前按照《北京市外商投资企业高级人才购房购车专项奖励暂行办法》、《关于北京市软件企业高级人才专项奖励管理暂行办法》、《关于来京投资企业购买经营办公用房申请财政专项资金支持和来京投资企业高级管理人员购房专项奖励实施办法》等规定已兑现的奖励金额与《奖励管理规定》实施后的奖励金额合并计算。对于合并计算奖励金额已超过30万元的申报人员，不再予以奖励；对于合并计算奖励金额未超过30万元的申报人员，可继续申请奖励。

第六章 附 则

第二十一条 各相关单位和当事人应如实提供申报材料，对相关材料的真实性和准确性承担相应行政及法律责任；如有弄虚作假，一经查实，追回奖励，并承担相应法律责任。

第二十二条 社会公众可通过市人事局、市财政局设立投诉举报电话（65245084、68480466）对高级人才奖励项目实施情况进行监督。

第二十三条 本办法由市人事局、市财政局负责解释。

第二十四条 本办法自发布之日起实施。《北京市外商投资企业高级人才购房购车专项奖励暂行办法》、《关于北京市软件企业高级人才专项奖励管理暂行办法》等规定及《关于来京投资企业购买经营办公用房申请财政专项资金支持和来京投资企业高级管理人员购房专项奖励实施办法》中与本办法不符的部分相应废止。

（请参看：http://www.zgc.gov.cn）

38.3 区县

38.3.1 海淀区科技项目资金

定义：科技项目资金是指区财政安排的用于支持科技项目的资金。项目资金由区科委和区财政共同管理。

额度:每年1000万元。

支助方式:

成本补偿式——对补助项目的成本费用进行补偿的资助;

定额补助式——对补助项目提供固定数额资金的资助方式,如新产品补助、贷款贴息等。

(1) 资金支出范围

项目资金支出范围包括项目研发费和项目管理费。

项目研发费:项目研究过程中发生的费用,包括:人员费用、试验外协费、合作费、设备购置费、材料费、资料印刷费和其他费用。

项目管理费:区科委为组织项目、开展项目论证、预算评估、招投标、跟踪检查及绩效考评等工作发生的费用,项目管理费由区科委报区财政局核定,纳入科委部门预算,在业务费中列支。

(2) 征集时间及审批部门

申请时间约为每年3月—5月,具体请参见 http://www.hdkw.gov.cn。

审批部门:海淀区科委计划项目发展科

网址:http://www.hdkw.gov.cn/

电话:62313985

38.3.2 中关村科技园区海淀园创新资金

中关村科技园区海淀园创新基金是支持海淀园区内的具有自主知识产权、创新性强、技术先进的企业的一项基金,海淀园创新资金是科技型中小企业技术创新基金的地方支持资金。

(1) 资助的方式

① 资助补贴:

ⅰ. 主要用于技术创新产品在研究、开发及中试阶段的必要补助。

ⅱ. 企业注册资本最低不得少于30万元。

ⅲ. 项目执行期为两年(医药项目可以放宽至三年)。项目计划实现的技术、经济指标应按满两年进行测算(执行期从项目申报之日起计);项目完成时要形成一定的生产能力,并且在项目完成时实现合理的销售收入(医药类项目除外,但必须有明确的、可以考核的目标。如获得临床批文、新药证书、生产批文等),创新资金不支持项目完成时仍无法实现销售的项目。

ⅳ. 项目计划新增投资在1000万元以下,资金来源基本确定,投资结构合理。在项目计划新增投资额中,企业需有与申请创新资金(及科技部创新基金)数额等额以上的自筹资金匹配;一般情况下,企业申请资助数额不应大于企业的净资产数额。

ⅴ. 资助补贴数额一般不超过55万元,对个别重大项目可以突破资助限额,重大项目补贴额度不超过100万元。

② 贷款贴息:

ⅰ. 主要用于支持产品具有一定的创新性,需要中试或扩大规模,形成批量生产,并且已经与银行签订了贷款合同,贷款金额为500万以上的项目。银行意向给予贷款的项目请从其他渠道申报科技部创新基金。

ⅱ. 项目计划新增投资额一般在3000万元以下,资金来源基本确定,投资结构合理;项目执行期为两年。项目计划实现的技术、经济指标应按满两年进行测算(执行期从项目申报之日起计)。

ⅲ. 贷款贴息的贴息总额按贷款有效期内发生贷款的实际利息计算,贴息总额一般不超过55万元。对个别重大项目可以突破贴息限额,重大项目贴息额度不超过100万元。

(2) 重点支持方向

① 电子信息

ⅰ. 信息安全产品项目(国产高速安全芯片、安全操作系统与安全数据库产品、网络隔离与安全交换产品、网络行为与内容监管产品、入侵检测与预防产品、安全中间件、信息安全风险评估与风险管理服务产品);

ⅱ. 微电子技术项目(通信类专用芯片、通用CPU及计算机接口芯片、数字电视芯片、汽车电子及消费类电子芯片、可编程逻辑器件、集成电路设计及测试软件);

ⅲ. 软件产品项目(系统软件、支撑软件、中间件软件、嵌入式软件、计算机辅助工程管理/产品开发软件、中文及多语种处理软件、图形及图像软件、金融信息化软件、地理信息系统、电子政务软件、电子商务软件、企业管理软件、通信计费软件);

ⅳ. 现代通信项目(光传输产品、无线接入产品、3G移动通信系统的配套产品、业务运营支持管理系统、电信网络增值业务应用系统、下一代互联网技术项目、促进电信网及数字电视网及互联网三网融合项目);

ⅴ. 数字音视频项目(数字电视相关技术、IPTV技术)。

② 生物医药

ⅰ. 医药生物技术(新型疫苗、重组蛋白质药物、重大疾病的基因治疗、核酸类药物、单克隆抗体及基因工程抗体、生物芯片技术及产品、干细胞技术项目);

ⅱ. 中药、天然药物(创新药物、中药资源可持续再利用、中药新品种的开发、中药制备及制剂技术和制药装备);

ⅲ. 化学药(创新药物、心脑血管疾病治疗药物、抗肿瘤药物、抗感染药物、抗炎免疫药物、传染病治疗药物、重大工艺创新的约物及约物中间体）；

ⅳ. 轻工和化工生物技术（天然产物有效成份的分离提取技术、生物技术在食品安全领域的应用，包括快速检测装置及其相关制剂和酶试剂盒等、轻工和生物化工领域废弃物再资源化以及提高生产用水重复利用率的新技术产品及装备）。

③ 新材料

ⅰ. 电子信息材料项目；

ⅱ. 纳米材料项目；

ⅲ. 生物医学材料项目。

④ 光机电一体化

ⅰ. 医疗仪器技术、设备与医学专用软件（医学影像技术产品、治疗急救及康复技术产品、电生理检测及监护设备与传感器、医学检验技术设备、医学专用软件产品）。

⑤ 新能源与高效节能

ⅰ. 新能源与可再生清洁能源技术及相关产品项目；

ⅱ. 新型高效能量转换与储存技术和相关产品项目；

ⅲ. 高效节能技术和相关产品。

⑥ 创意产业项目（网络游戏、娱乐动漫、手机内容、数字媒体、在线教育等项目）

⑦ 资源与环境（重点支持与循环经济有关的项目）

ⅰ. 资源综合利用与生态环境保护（与行业清洁生产工艺相结合的污染物减量技术与产品、废水废气废渣中资源的回收利用技术及设备）；

ⅱ. 水污染治理（节能节水和资源综合利用型清洁生产工艺与设备、工业废水及城市污水资源化技术与设备）；

ⅲ. 大气污染防治（洁净燃烧治污技术与产品、工业可挥发性有机污染物防治技术与产品、高效净化或过滤（含再生）柴油发动机排气颗粒物的技术与产品）；

ⅳ. 固体废弃物处理与处置（有机固体废弃物的处埋和资源化技术、危险废物处理处置和利用、工业固体废弃物控制和资源利用）。

（3）承担项目的企业应具备以下条件：

① 属于海淀园高新技术企业，且高新技术企业年审复核合格；

② 一个企业在同一年度内，只能申请一个项目，并选择一种支持方式；

③ 具有大专以上学历的科技人员占职工总数的比例不低于30%，直接从事研究开发的科技人员占职工总数的比例不低于10%（高技术服务业参见《科技

部创新基金申请须知》的重点说明)；

④ 有良好的经营业绩,资产负债率不超过70%(申请当年注册的新办企业不受此款限制),企业用于新技术及其产品研究、开发的经费占本企业当年总收入的比例在5%以上；

⑤ 企业领导班子有较强的市场开拓能力和较高的经营管理水平,并有持续技术创新的意识；

⑥ 企业有严格的财务管理制度,有健全的财务管理机构和合格的财务管理人员；

⑦ 承担贷款贴息项目的企业,应具备高成长性和高信用度；

⑧ 有严重违纪及违法行为的企业不作为支持对象；

特别注意:

⑨ 承担海淀园创新资金项目,验收不合格的企业及正在承担海淀园创新资金项目,未到合同规定完成时间的企业申报均不予受理;已获得科技部创新基金支持的企业,应根据科技部创新基金的要求及条件申请新项目；

⑩ 对往年已申报海淀园创新资金及科技部创新基金但未立项的项目,当年申报时请慎重考虑,如无重大改进,将不予受理。

(4) 申报时间及审批部门

申报时间约为每年4月—7月,具体请参见 http://www.zhongguancun.com.cn。

审批部门:海淀园管委会企发处

网址:http://www.zhongguancun.com.cn/

电话:88498261

38.3.3 朝阳区留学人员创业扶持资金

1. 自2003年起,朝阳区人民政府设立留学人员创业扶持资金,连续设立5年,每年额度1000万元。创业扶持资金用于支持和鼓励留学人员创业,由共建中国北京(望京)留学人员创业园管理委员会负责管理。

2. 共建中国北京(望京)留学人员创业园管理委员会办公室(以下简称共建办公室)对入园创业的留学人员企业进行审定,对科技含量高、市场前景好的企业,给予一次性创业扶持资金10万元;对已得到北京市其他支持留学人员创业资助的企业,经审核给予一次性创业扶持资金5万元;对需要融资的企业,采用贷款贴息或融资担保方式,协助企业获得银行信贷资金。

3. 由朝阳区人民政府出资引导设立的机构,可采用借款或股权投资等方式支持留学人员在望京创业园创业。

4. 共建办公室根据留学人员企业的需要,可及时为留学人员企业举办专场政府采购项目洽谈会。

5. 留学人员企业第1年可免费使用建筑面积为60平方米的办公科研用房,第2年按40%收取房租,第3年按70%收取房租。提供留学人员公寓,并给予低于市价10%的租金优惠。

6. 创办企业的留学人员子女上学,可任意选择朝阳区教育委员会所属名校就读,不收取教育法规规定以外的任何费用。

7. 受理单位:望京创业园

网址:http://www.wangjing.gov.cn

联系电话:64392018　64392411

38.4　中关村科技园区

38.4.1　中关村科技园区留学人员创业企业资助资金

(1) 概况

为鼓励和吸引海外留学人员归国到中关村科技园区创办高新技术企业,设立专项资金采取无偿拨付的形式资助留学人员企业。经资金管理小组对留学人员资质和企业情况审查后,对具有良好发展前景的留学人员创办的企业,给予小额创业资金支持,最高额度为10万元人民币。

(2) 支持对象

① 企业注册地点应在中关村科技园区政策区范围内,并取得高新技术企业资格认定;

② 企业法定代表人应为归国留学人员。创办企业的留学人员及其团队应在国外具有良好的留学背景、在本专业获得硕士以上学位并具备一定的企业工作和管理经验;

③ 申请创业资金的留学人员企业,应为留学人员近期(一年之内)归国创办的,且企业成立时间不超过6个月,留学人员(团队)只能申请一次创业资助资金;

④ 申请创业资金的留学人员企业,注册资金内应有不低于50万元人民币的现金资产;一名或多名留学人员出资人的出资额占企业注册资本的50%以上,现金部分出资不低于25万元人民币;

⑤ 推荐单位应为各园区管委会、孵化机构、大学教授或本领域知名人士。推荐人或推荐单位应签署明确推荐意见,推荐人须签字,推荐单位应加盖公章;

⑥ 提交"中关村园区企业标准征信报告"。

(3) 申报时间及部门

每季度最后一个月(每年3月、6月、9月和12月)的5号之前。

申请部门:中关村科技园区“留学人员创业企业资助资金”管理小组

网址:http://www.zgc.gov.cn/

电话:82690613、82691716、82690408

38.4.2 中关村科技园区中小企业技术创新专项资金

1. 基金简介

为促进园区以自主创新为核心的高新技术产业发展,提升园区以企业为主体的技术创新能力,根据《中关村科技园区促进产业发展工作体系建设指导意见》的有关精神,以及按照科技部深化科技型中小企业技术创新基金改革的要求,设立“中关村科技园区中小企业技术创新专项资金”(以下简称技术创新资金);中关村科技园区管理委员会(以下简称中关村管委会)是技术创新资金的主管部门,中关村高科技产业促进中心(以下简称高促中心)受中关村管委会委托,负责具体工作;技术创新资金从中关村科技园区产业发展资金中列支,并按照年度预算进行安排。

2. 申请项目需符合下列要求

① 符合国家产业政策;

② 符合科技部当年度《科技型中小企业技术创新基金若干重点项目指南》要求;

③ 符合中关村科技园区产业规划和当年度重点支持技术领域。

3. 申报企业应具备以下条件

① 在中关村科技园区内注册的,具有独立企业法人资格的高新技术企业;

② 职工人数不超过500人,具有大专以上学历的科技人员占职工总数的比例不低于30%,直接从事研究开发的科技人员占职工总数的比例不低于10%;

③ 每年用于高新技术产品研究开发的经费不低于销售额的5%;

④ 中关村企业信用评级达到ZCBB(含)级以上。

4. 支持方式

① 贷款贴息

主要用于支持产品具有一定水平、规模和效益,银行已经贷款的项目支持;项目新增投资在3000万元以下,资金来源基本确定,投资结构合理,项目实施周期不超过3年;贴息支持额度为贷款利息的50%,连续支持不超过两年。贴息总额最大不超过200万元。

② 无偿资助

主要用于企业创新活动中新技术、新产品研究开发及中试放大等阶段的必要补助；项目新增投资一般在1000万元以下，资金来源基本确定，投资结构合理，项目实施周期不超过2年；技术创新资金资助数额一般不超过50万元，个别重大项目不超过200万元；企业需有与申请园区和科技部创新基金资助总额等额以上的自有资金匹配，一般情况下，企业申请资助数额不应大于企业的净资产数额。

③ 创业投资

种子资金用于委托专业创业投资管理机构直接投资于经认定的孵化器内的初创企业；种子资金所投资企业须是入住有关孵化器的园区高新技术企业，注册不满三年，并符合园区重点发展的产业领域；种子资金采取“孵化器+创投”的方式，即种子资金联合中关村有关专业孵化器对企业进行投资；种子资金投资每家企业的额度最高为200万元，孵化器以现金或房租抵股等方式按照不低于种子资金出资额的10%进行配套股权投资。

5. 项目申请与受理

① 企业申请技术创新资金，应按科技部创新基金管理中心（www.innofund.gov.cn）发布的《科技型中小企业技术创新基金项目申请须知》和当年度项目申请指南，以及中关村管委会（www.zgc.gov.cn）发布的有关技术创新资金申报的通知要求，准备和提供相应的申报材料；

② 高促中心采取公开方式受理申请，并提出受理审查意见。受理审查内容包括：资格审查、形式审查。对受理审查不合格的项目，高促中心自收到项目申请材料之日起30日内通知相关企业，下发《不受理通知书》。

6. 项目立项审查

① 受理审查合格的项目，进入由中关村科技园区管委会、海淀园管委会和北京市科委组成的联合立项审查程序；

② 技术创新资金项目评审专家组的组成和专业科技机构的认定原则，以及评审、评估的规则与标准等，参照科技部创新基金管理中心制定的科技型中小企业技术创新基金专家评审工作规范执行；

③ 审查工作应依据评审、评估工作规范和评审标准，对申请项目进行全面的审查，并提出审查意见。在审查过程中，专家可通过高促中心要求企业补充有关材料或进一步说明情况，但不得与企业直接联系；

④ 为保证技术创新资金项目立项审查的公正性，审查工作实行回避制度。属下列情况之一时，专家应当回避：专家所在企业申报的项目；专家家庭成员或近亲属所在企业申报的项目；专家与申报企业有利益关系或直接隶属关系；

⑤ 评估机构和专家对所审项目的技术、经济秘密和审查结论意见负有保密责任和义务；

⑥ 高促中心根据立项审查结论意见，提出技术创新资金立项建议，报中关村管委会确认；

⑦ 经确认的项目，中关村管委会与承担项目的企业签订合同，并在中关村科技园区网站上发布立项项目公告，同时向科技部创新基金管理中心推荐；

⑧ 立项审查未通过或未获中关村管委会确认的项目，高促中心向相关企业发《不立项通知书》。

7. 项目监督管理及验收

① 中关村管委会负责项目的监督、检查与验收工作，高促中心受中关村管委会委托，负责项目的日常管理工作；

② 项目日常管理工作的主要内容包括：项目资金到位与使用情况；合同计划进度执行情况；项目的技术、经济、质量指标完成情况；项目执行当中需要协调和解决的主要问题；

③ 项目日常管理的主要方式：项目承担企业定期填报项目监理信息调查表（半年报、年报）；高促中心定期实地检查项目执行情况，对项目合同进度等要点进行评分，对项目承担企业进行信用积累评价，提出监理意见并汇总上报管委会；中关村管委会根据需要，对项目进行实地检查；

④ 项目承担企业因客观原因需对合同目标调整时，应提出书面申请，由高促中心报中关村管委会审核确认后执行；在合同执行过程中发生重大违约事件的，高促中心应及时做出处理意见报中关村管委会确认；

⑤ 项目验收工作原则上在合同到期后半年内完成，需要延期验收的项目，企业应在合同期内提出申请报高促中心，由高促中心提出意见，报中关村管委会确认后执行；

⑥ 技术创新资金支持的项目，按照科技部创新基金管理中心相应验收办法进行验收，主要内容包括：合同计划进度执行情况；项目经济、技术指标完成情况；项目研究开发取得的成果情况；资金落实与使用情况；项目实施前后企业的整体发展变化情况；

⑦ 中关村管委会依据验收意见，分别做出验收合格和不合格的结论意见。

8. 申报时间及部门

申报时间请参见 http://www.zgc.gov.cn/

申请部门：中关村高科技产业促进中心

网址：http://www.zgc.gov.cn/cms/template/index_gczx.html

电话：82691729

38.4.3 中关村中小企业中介服务支持资金

为扶持中关村科技园区中小企业快速、规范化发展，鼓励中介服务机构为中关村中小企业提供服务，中关村科技园区管委会在2005年中关村科技园区发展专项资金中安排一定比例，设立中关村中小企业中介服务专项资金，开展资助园区内中小高新技术企业购买中介服务的试点工作。

1. 本资金资助的对象为中关村科技园区高新技术企业且同时具备以下三个条件：

(1) 年技工贸总收入在1亿元以下或年技工贸总收入在5亿元以下的北京中关村企业信用促进会会员单位；

(2) 使用《中关村企业信用评级报告》或《中关村企业征信报告》；

(3) 在经营过程中无不良记录。

2. 企业购买下列三项服务可以获得资助：

(1) 信用中介服务

① 企业信用评级报告

② 信用管理咨询服务

信用管理咨询包括：企业信用能力管理咨询、企业赊销管理咨询、企业应收账款管理咨询等。

③ 企业征信报告

(2) 企业基础财务中介服务

① 财务会计审计

② 所得税审计

③ 财务管理咨询

④ 代理会计服务

(3) 知识产权中介服务

① 专利代理服务

② 著作权代理服务

③ 商标权代理服务

(4) ISO系列标准认证中介服务

(5) CMM软件认证中介服务

3. 资助额度：

本资金是对企业在北京中关村信用促进会认定的中介机构购买上述中介服务的无偿资助，资金于中介服务完成后发放。每项中介服务费的资助比例为实际发生额的50%，单项服务资助额最高不超过1万元，同一企业当年获得资助的总额不超过5万元。

4. 提交资料：

(1) 企业营业执照副本复印件(加盖企业公章)；

（2）高新技术企业证书复印件；

（3）与中介服务机构签署的委托协议（合同）复印件；

（4）出示中介服务机构收费凭证（原始发票），提交发票复印件；

（5）按实际资助金额开具往来发票（加盖财务章或企业公章），发票抬头为“北京中关村企业信用促进会”，发票项目名称为“中介服务专项资金补贴费”；

（6）购买以下中介服务相应需要提供的资料：

① 购买信用中介服务：提交相应报告的概要（首页）复印件；

② 购买企业基础财务中介服务：出示相应报告的原件，提交报告概要（首页）复印件，会计师（审计）事务所会员证书复印件；

③ 购买知识产权中介服务：出示有关批准文件、证照原件，提交批准文件、证照复印件；

④ 购买 ISO 系列标准认证中介服务：出示有关批准文件、证照原件，提交批准文件、证照复印件；

⑤ 购买 CMM 软件认证中介服务：出示有关批准文件、证照原件，提交批准文件、证照复印件。

（7）信用促进会会员还需提供会员证书复印件；

（8）手续费：补贴金额不足 5000 元（含）的，收取 50 元现金手续费；补贴金额超出 5000 元，按 1% 收取手续费。

38.4.4 中关村科技园区企业“专利引擎”计划

1. 计划简介

为落实国家知识产权局和北京市政府《关于实施中关村国家知识产权制度示范园区工作方案》的要求，促进中关村科技园区暨中关村国家知识产权制度示范园区企业知识产权建设，提高园区企业专利的数量与质量，强化专利保护意识，培育园区企业基于自主知识产权的核心竞争力，从而实现园区经济可持续发展，在实现“五年上台阶”的基础上，向“十年创一流”迈进，北京市知识产权局、中关村科技园区管委会、中关村知识产权促进局在中关村科技园区联合启动“专利引擎”计划。作为首都专利战略推进工程的重要组成部分，通过实施“专利引擎”计划，对企业的专利工作在政策上、经费上、服务上予以支持帮助，提升企业专利创造、利用和保护的能力，缩小同世界先进企业的差距。“专利引擎”计划的主要内容包括：

（1）开展企业专利试点工作，推进知识产权普及教育；

（2）资助申请国外专利；

（3）重点企业知识产权建设计划。

2. 开展企业专利试点工作，推进知识产权普及教育

通过每年在园区企业中开展专利试点工作，发挥专利制度在企业中的作用，使具备一定基础的企业提高专利创造、利用和保护的能力。试点工作分期分批进行，每批试点期限为1年。试点企业可以享受以下政策：

① 全额资助试点期间实际支付的国内专利申请费、发明专利实审费，按《北京市专利申请费奖励资助办法》办理资助手续；

② 对经北京市知识产权局、中关村知识产权促进局协助建立的企业专业专利数据库项目给予资助；

③ 试点企业的优秀专利产业化项目，优先给予专利实施资金的资助；

④ 企业申请国外专利的，同等条件下优先给予资助（详见《中关村科技园区企业申请国外专利资助办法》）；

⑤ 为试点企业申请专利权质押贷款提供咨询服务并向担保公司、银行出具推荐意见；

⑥ 提供签订专利实施许可合同的咨询、服务，经登记的专利实施许可合同可享受北京市税收优惠政策；

⑦ 选择优秀试点企业向国家知识产权局推荐国家级“专利试点企业”；

⑧ 免费赠送《中国知识产权报》、《北京知识产权》杂志。

(1) 申请条件

上一年有5项以上专利申请，具有较强的技术研发能力，有专（兼）职人员负责专利管理工作；

企业已加入园区信用促进会或者信用等级达到ZC3以上（含ZC3）。

(2) 申请程序

① 企业向所在园管委会提出申请并填写《中关村科技园区专利试点企业申请表》，不得异地申请或重复申请；

② 各园管委会将企业申请材料报北京市知识产权局；

③ 北京市知识产权局与中关村科技园区管委会共同确定试点企业名单并对社会公布。

(3) 提交材料

① 营业执照复印件；

② 高新技术企业认定资格证书复印件；

③ 企业信用等级证明；

④ 上一年申请专利受理通知书。

3. 资助申请国外专利

为了促进园区企业积极向国外申请专利，提高园区专利的数量和质量，培育

园区拥有自主知识产权的高科技产业集群,对园区企业向国外申请专利进行资助。

(1) 资助范围

当年实际支付的以下申请国外专利费用:

① 通过《公约》申请国外专利的部分费用(最多资助向两个国家或地区申请的费用);

② 通过 PCT 申请进入国际阶段的部分费用;

③ 通过 PCT 申请进入国家阶段的部分费用(最多资助向两个国家或地区申请的费用)。

(2) 资助标准

上述费用的 50%,但不得超过以下最高限额:

通过《公约》申请国外专利的,限 3 万元/国/项;通过 PCT 申请国外专利进入国际阶段的,限 2 万元/项;通过 PCT 申请国外专利进入国家阶段的,限 3 万元/国/项;

单个企业申请多项国外专利的,限 50 万元/年。

(3) 资助方式

采用事后资助方式,获准资助企业申请国外专利费用实际支付后,中关村知识产权促进局按季度予以资助。

(4) 申请条件

① 中关村科技园区内注册的高新技术企业;

② 中关村科技园区知识产权状况考核达标单位,建立了较为完善的知识产权管理体系;

③ 企业已加入园区信用促进会或者信用等级达到 ZC3 以上(含 ZC3);

④ 专利技术项目所属领域为中关村科技园区重点发展的技术领域和行业,包括网络计算机、手机、数字影像、生物芯片、医药等高科技产业。

(5) 申请程序

① 申请企业向中关村知识产权促进局提出申请,填写《申请国外发明专利资助申请表》;

② 申请企业提交申请的同时,委托其申请国外专利的专利代理机构代理申请资助,该专利代理机构须与中关村知识产权促进局签订相关协议;

③ 专利代理机构在每季度的第一周内汇总整理相关申请材料,报送中关村知识产权促进局审查;

④ 中关村知识产权促进局组织专家评审委员会对上述材料进行评审后公布资助项目名单,拨付资助资金。

(6) 所需材料

专利代理机构在办理资助申请手续时,应当向中关村知识产权促进局报送以下相关材料(一式三份):

① 申请企业的营业执照复印件;

② 高新技术企业认定资格证书复印件;

③ 申请企业的知识产权状况考核达标证书复印件;

④ 企业信用等级证明;

⑤ 专利申请受理通知书复印件;

⑥ 代理申请国外专利委托书复印件;

⑦ 代理申请资助委托书;

⑧ 代理机构就该项专利申请的专利三性的检索报告;

⑨ 该项专利申请的法律状况报告;

⑩ 各项费用的发票原件及复印件(加盖代理机构财务专用章和申请企业财务专用章)。

4. 重点企业知识产权建设计划

为配合国家知识产权战略的实施,提高园区重点企业知识产权管理能力和水平,全方位促进其知识产权的创造、管理、实施和保护,由中关村知识产权促进局负责开展实施重点企业知识产权建设工作。

5. 联系单位

(1) 北京市知识产权局

电话:84080086

网址:http://www.bjipo.gov.cn/

(2) 中关村科技园区管委会

电话:82690512

网址:http://www.zgc.gov.cn/

(3) 中关村知识产权促进局

电话:82356358 82356469

网址:http://www.zgcip.org.cn/

38.4.5 中关村创业投资发展中心跟进投资管理办法

1. 简介

为了引导和促进中关村科技园区(以下简称园区)创业投资的发展,根据《北京市关于进一步做强中关村科技园区的若干意见》及《中关村创业投资引导资金设立方案》,并总结和借鉴已有实践经验,特制订《中关村创业投资发展中心跟进投资管理办法》。所谓跟进投资,即当经认定并签订合作协议的创业投资企业在园区内选定投资项目后，创投发展中心按创业投资企业实际投资额的一定比例提供配套股权投资，以同等条件，联合对项目进行投资。投资资金来源为中关村创业投资发展中心（以下简称创投发展中心）自有资金。

2. 相关条件

（1）本办法所称创业投资企业系指向创业企业进行股权投资，以期所投资创业企业发育成熟或相对成熟后主要通过股权转让获得资本增值收益的境外投资机构和根据《创业投资企业管理暂行办法》、《外商投资创业投资企业管理规定》及其他有关法律法规设立的境内投资机构。

（2）符合如下基本条件的境内外创业投资企业均可申请成为跟进投资合作伙伴：

① 注册资本金为3000万元以上，或受托管理的创业投资资金不低于1亿元人民币的创业投资企业；

② 公司运作规范，具有科学合理的项目评估标准、投资决策程序及激励约束机制；

③ 公司已有成功的投资案例，或者被投资企业经营状况良好；

④ 至少有3名具备2年以上创业投资或相关业务经验的高级管理人员承担投资管理责任。

（3）创业投资企业申请成为跟进投资合作伙伴时，持如下材料到中关村科技园区投融资促进中心（以下简称投融资促进中心）进行认定：

① 投资机构基本情况表；

② 营业执照复印件或其他营业资格证明文件；

③ 企业章程或其他进行投资和管理的主要文件，包括但不限于：项目评估标准说明，投资决策程序介绍及激励约束机制说明等；

④ 企业主要投资管理人员介绍材料，包括但不限于：三名以上（含三名）管理人员的从业背景、投资纪录；

⑤ 由中关村管委会认定的信用中介服务机构出具的《标准征信报告》（有关信息参阅中关村企业信用促进会网站 www. ecpa. org. cn）。

（4）开展创业投资业务的境内外上市公司也可以认定为跟进投资的合作伙伴。境内外上市公司申请成为跟进投资的合作伙伴时，所持认定材料参照第八条所述。

（5）被投资企业应符合以下各项条件：

① 属于园区内经认定的高新技术企业；

② 属于园区十一五产业发展规划确定的重点发展的产业领域；

③ 其原股东或合作方已与创业投资企业签订了以同等条件接受创业投资

企业和创投发展中心引导资金投资的《合资(合作)意向书》;

④ 不属于合伙或有限合伙形式的企业。

3. 投资额度

创投发展中心按创业投资企业投资额的10%—50%进行跟进投资,单笔跟投资金额度最高为500万元。出资方式原则上都为现金出资。

4. 材料递交程序

(1) 申请单位可直接在"投资中关村"网站上(www.tzzgc.org.cn)申报,投融资促进中心经初步审核后,通知申请单位递交书面材料。

书面材料一式三份。其中,创业投资企业认定所需材料中,投资机构基本情况表;企业章程或其他进行投资和管理的主要文件,包括但不限于:项目评估标准说明,投资决策程序介绍及激励约束机制说明等;企业主要投资管理人员介绍材料,包括但不限于:三名以上(含三名)管理人员的从业背景、投资纪录的材料,需同时提交电子文档。跟进投资推荐材料中,《中关村创业投资引导资金投资推荐表》及创业投资企业编制的《投资建议书》或《可行性研究报告》需同时提交电子文档。

(2) 股权托管后,投融资促进中心定期代创投发展中心向创业投资企业接收有关报告,经整理确认后,由投融资促进中心代交至创投发展中心。

该类报告递交书面材料一式两份,同时提交电子文档。

5. 受理机构及相关部门联系方式

中关村科技园区投融资促进中心

地点:北京海淀区知春路23号大运村量子银座301

中关村科技园区投融资促进中心

联系人:梁　飞　廖俊霞

电话:8610-82357451/82358800

传真:8610-82358175

电子邮件:fliang@cbex.com.cn; jxliao@cbex.com.cn

网址:www.tzzgc.org.cn

中关村创业投资发展中心

联系人:李立维　戴立泽

联系电话:82621950　82621970

中关村科技园区管理委员会投融资促进处

联系人:于凤坤　朱　平　刘卫东

联系电话:82690614　82691705　82691709

传真:82691705

网址:www.zgc.gov.cn

38.4.6 中关村创业投资发展中心种子资金投资管理办法

1. 简介

为了弥补创业投资市场空白,创新“孵化加创投”的创业投资和创业孵化模式,整合孵化、创投资源,引导和促进中关村科技园区(以下简称园区)创业投资的发展,根据《北京市关于进一步做强中关村科技园区的若干意见》及《中关村创业投资引导资金设立方案》,特制订中关村创业投资发展中心种子资金投资管理办法。

种子资金为中关村创业投资发展中心(以下简称创投发展中心)用于引导社会创业投资,投资于园区重点发展产业领域的初创企业的投资资金。初创企业指设立3年以内的园区高新技术企业。

2. 投资及管理方式

(1) 种子资金采取“孵化加创投”的投资方式,即创投发展中心联合园区内经认定的科技企业孵化器(以下简称孵化器),以同等条件,对入驻孵化器内处于初创期的园区高新技术企业共同投资;

(2) 创投发展中心与孵化器的出资比例最高为1:1,即创投发展中心以不高于孵化器的出资额为限与其进行联合投资,且单笔投资金额不超过300万元;

(3) 孵化器可以现金或房租折股方式出资,创投发展中心以现金方式出资;创投发展中心对于自身出资超过100万元的投资项目,应采取分期投入的方式;

(4) 投资后,创投发展中心委托相应孵化器对所投资企业的进行股权管理,出具《股东代表委托书》;

(5) 创投发展中心向受托孵化器支付股权托管费;托管费为企业分红的50%及创投发展中心投资退出后资本增值收益部分的50%;

(6) 关于股权托管的其他规定参照《中关村创业投资发展中心跟进投资管理办法》之有关规定,并在创投发展中心与孵化器签订的《投资合作协议》中约定。

3. 相关条件

所投资企业应符合如下各项基本条件:

(1) 企业入驻并注册在经认定的孵化器内;

(2) 是园区高新技术企业;

(3) 自主创新能力强;

(4) 企业设立3年以内。

4. 投资程序

(1) 孵化器选定投资项目,与被投资企业原股东或孵化器签订《合资(合作)意向书》后,向投融资促进中心提交推荐投资文件,提出种子资金投资的建议金额。

(2) 孵化器建议种子资金投资时,应报送《中关村创业投资引导资金投资推荐表》及下列文件:

① 由专业信用中介服务机构出具的被投资企业的《标准征信报告》;

② 被投资企业高新技术证书及企业法人营业执照;

③ 被投资企业章程;

④ 被投资企业的审计报告和会计报表;

⑤ 被投资企业的资产评估报告;

⑥ 孵化器已批准投资的审批决策文件副本;

⑦ 与被投资企业其他股东或孵化器签订的《合资(合作)意向书》;

⑧ 孵化器编制的《投资建议书》或《可行性研究报告》原件。

(3) 投融资促进中心对投资项目进行政策合规性的初步审核,然后报创投发展中心复核。

(4) 复核通过后,创投发展中心在确认创业投资企业已全额出资后,立即按双方协议要求办理出资手续。其中,孵化器以现金投入部分,以银行对账单为准;孵化器以房租折价投入部分,以孵化器和被投资企业签订的协议为准。

(5) 双方完成出资并办理完相关注册变更手续后,创投发展中心向孵化器出具《股东代表委托书》。

(请参见 www. zgc. gov. cn 及 www. tzzgc. org. cn)

§39. 中关村的主要投资机构

公司名称	电话	传真	电子邮件	网址
清华科技园技术资产经营有限公司	62785888	62785888	guoy@ thspinno. com. cn	www. tsinghua-vc. com
北京中关村青年科技创业投资有限公司	62770006	62770009	bjcvc@ bjcvc. com. cn	www. bjcvc. com. cn
北京高新技术创业投资股份有限公司	62140588	62142499	liuxh@ bhtl. com. cn	www. bhti. com. cn
华夏世纪创业投资有限公司	64096383/6408	64096448	ccvc2001@ sohu. com	www. ccvc2000. com

公司名称	电话	传真	电子邮件	网址
中国风险投资有限公司	65523291 65523175	65510227 65510227	cvc@c-vc.com.cn	www.c-vc.com.cn
北控高科技发展有限公司	64850346	64850334	mailbox@beht.com.cn	www.beht.com.cn
上海联创投资管理有限公司	84022999	84020555	info@newmargin.com	www.newmargin.com
信中利投资有限公司	65056280	65056110	webmaster@ChinaEquity.net	www.chinaequity.net
联想投资有限公司	62508000	62509100	master@legendcapital.com.cn	www.legendcapital.com.cn
北京首创科技投资有限公司	62639080	62638085	master@capitaltech.com.cn	www.capitaltech.com.cn
北京科技风险投资股份有限公司	68943739	68943779	bvcc@bvcc.com.cn	www.bvcc.com.cn
德丰杰全球创业投资基金	65059396	65059395	mail@eplanetventures.com	www.dfjeplanet.com
IDG 技术创业投资有限公司	65262400	65260700	idgvc@idgvc.com.cn	www.idgvc.com
美国中经合集团	65391366	65391367	info@wiharper.com.cn	www.wiharper.com
中国科招高技术有限公司	88415880	88415730	master@ckz.com.cn	www.ckz.com.cn
亿阳投资有限公司	88157899	88128888	bocoinfo@boco.com.cn	www.boco.com.cn
利德投资有限公司	84986699	84988876	chys@leader-invest.com	www.leader-invest.com
北京盈富泰克创业投资有限公司	82512078	82512078	infotech@infovc.com	www.infovc.com
北京中融投资咨询有限公司	66410028/29	66410058-8009	postmaster@sinoc.com.cn	www.sinoc.com.cn
北京海外学人创业投资中心	62973935	62973935	ocs@ocsf.com	www.ocsf.com

统计制度

§40. 园区内的高新技术企业应及时填报的统计报表

1. 统计月报表

内资企业月报表:《企业经营概况表》、《企业利润表》、《企业资产负债表》、《集团经营情况表》(限企业集团管理机构填报)。

统计工业快报表:部分规模以上工业企业填报。

2. 统计季度报表

内资、外资企业报表相同,主要包括《劳动情况季报表》、《企业主要能源消费与库存量表》等。

3. 统计年报表

内资企业年报表:《企业基本情况表》、《企业经营概况表》、《企业财务状况表》、《企业人力资源概况表》、《企业主要产品状况表》、《企业科技活动情况表》、《企业科技项目状况表》、《企业科技机构状况表》、《企业能源状况表》、《企业集团经营情况表》(限企业集团管理机构填报)。

外资企业年报表:前10张报表与内资相同,增加《外商及港澳台商投资企业投资情况表》。

§41. 园区企业上报统计报表的时间和方式

1. 统计报表上报时间

统计月(季)报表:每月(季)后1—10日报送数据,遇节假日网络照常开通不顺延。

统计年报表:上报时间及具体内容,将于年度12月份通过网络或其他方式通知。

2. 统计报表上报方式:(三种)

网络传输:把全部报表填写保存后,选择“产生上报盘”→“网络方式(通过因特网)”。当数据成功上传后,系统会显示“月报数据审核单”。

软盘报送:如网络不能成功上传数据时,选择“产生上报盘”→“软盘方式”,到信息统计中心窗口报送数据。

手工报送:遇有特殊情况不能使用一表式系统上报数据的企业,需填写手工报表,送到信息统计中心窗口。

3. 统计报表问题查询

填表过程中遇到问题请在表页菜单栏“联机帮助”、中关村网站首页“办事指南”→“信息统计中心”、统计工作手册中查阅(系统使用说明,统计指标解释及月报代码库)。

4. 企业基本情况变更

通过网络变更:“入园办事者登录”→“企业变更”即可。

通过窗口变更:遇有不能通过网络变更的情况,需携带高新企业批准证书以及相关的法律文件及时到信息统计中心办理。

§42. 园区企业获取关于园区建设发展的各种统计信息的方式

园区企业可以通过园区网站进行查询。

可通过中关村科技园区网站:www. zgc. gov. cn 登陆各园区网站。

非园区企业可与属地统计局联系获得统计信息。

北京市统计局:www. bjstats. gov. cn。

知识产权保护

§43. 知识产权(专利、商标、著作权)的注册申请

专利的申请

申请发明或者实用新型专利的,应当提交请求书、说明书及摘要和权利要求书等文件。

以书面形式申请专利的,应当向国务院专利行政部门提交申请文件一式两份。

以国务院专利行政部门规定的其他形式申请专利的,应当符合规定的要求。

申请人委托专利代理机构向国务院专利行政部门申请专利和办理其他专利事务的,应当同时提交委托书,写明委托权限。

申请人有2人以上且未委托专利代理机构的,除请求书中另有声明的外,以请求书中指明的第一申请人为代表人。

1. 请求书应当写明发明或者实用新型的名称,发明人或者设计人的姓名,申请人姓名或者名称、地址,以及其他事项。

请求书中的其他事项,是指:

(1) 申请人的国籍;

(2) 申请人是企业或者其他组织的,其总部所在地的国家;

(3) 申请人委托专利代理机构的,应当注明的有关事项;申请人未委托专利代理机构的,其联系人的姓名、地址、邮政编码及联系电话;

(4) 要求优先权的,应当注明的有关事项;

(5) 申请人或者专利代理机构的签字或者盖章;

(6) 申请文件清单;

(7) 附加文件清单;

(8) 其他需要注明的有关事项。

2. 说明书应当对发明或者实用新型作出清楚、完整的说明,以所属技术领域的技术人员能够实现为准;必要的时候,应当有附图。摘要应当简要说明发明或者实用新型的技术要点。

权利要求书应当以说明书为依据,说明要求专利保护的范围。发明或者实用新型专利申请的说明书应当写明发明或者实用新型的名称,该名称应当与请求书中的名称一致。

说明书应当包括下列内容:

(1) 技术领域:写明要求保护的技术方案所属的技术领域;

(2) 背景技术:写明对发明或者实用新型的理解、检索、审查有用的背景技术;有可能的,并引证反映这些背景技术的文件;

(3) 发明内容:写明发明或者实用新型所要解决的技术问题以及解决其技术问题采用的技术方案,并对照现有技术写明发明或者实用新型的有益效果;

(4) 附图说明:说明书有附图的,对各幅附图作简略说明;

(5) 具体实施方式:详细写明申请人认为实现发明或者实用新型的优选方式;必要时,举例说明;有附图的,对照附图。

3. 权利要求书应当说明发明或者实用新型的技术特征,清楚、简要地表述请求保护的范围。权利要求书有几项权利要求的,应当用阿拉伯数字顺序编号。

权利要求书中使用的科技术语应当与说明书中使用的科技术语一致,可以有化学式或者数学式,但是不得有插图。除绝对必要的外,不得使用"如说明书……部分所述"或者"如图……所示"的用语。

权利要求中的技术特征可以引用说明书附图中相应的标记,该标记应当放在相应的技术特征后并置于括号内,便于理解权利要求。附图标记不得解释为对权利要求的限制。

权利要求书应当有独立权利要求,也可以有从属权利要求。

独立权利要求应当从整体上反映发明或者实用新型的技术方案,记载解决技术问题的必要技术特征。

从属权利要求应当用附加的技术特征,对引用的权利要求作进一步限定。

专利申请文件有下列情形之一的,国务院专利行政部门不予受理,并通知申请人:

（1）发明或者实用新型专利申请缺少请求书、说明书（实用新型无附图）和权利要求书的，或者外观设计专利申请缺少请求书、图片或者照片的；

（2）未使用中文的；

（3）不符合《专利法实施细则》第120条第1款规定的；

（4）请求书中缺少申请人姓名或者名称及地址的；

（5）明显不符合《专利法》第18条或者第19条第1款的规定的；

（6）专利申请类别（发明、实用新型或者外观设计）不明确或者难以确定的。

国务院专利行政部门收到发明专利申请后，经初步审查认为符合本法要求的，自申请日起满18个月，即行公布。

国务院专利行政部门可以根据申请人的请求早日公布其申请。

——《中华人民共和国专利法》、《中华人民共和国专利法实施细则》

商标注册的申请

申请商标注册的，应当按规定的商品分类表填报使用商标的商品类别和商品名称。

同一申请人在不同类别的商品上使用同一商标的，应当按商品分类表提出注册申请。

注册商标需要在同一类的其他商品上使用的，应当另行提出注册申请。

注册商标需要改变文字、图形的，应当重新提出注册申请。

注册商标需要变更注册人的名义、地址或者其他注册事项的，应当提出变更申请。

申请注册的商标，凡符合商标法有关规定的，由商标局初步审定，予以公告。

申请商标注册，应当依照公布的商品分类表按类申请。每一个商标注册申请应当向商标局交送《商标注册申请书》1份、商标图样10份（指定颜色的彩色商标，应当交送着色图样10份）、黑白墨稿1份。

商标图样必须清晰、便于粘贴，用光洁耐用的纸张印制或者用照片代替，长和宽应当不大于10厘米，不小于5厘米。

商标注册申请等有关书件，应当使用钢笔、毛笔或者打字机填写，应当字迹工整、清晰。

商标注册申请人的名义、章戳，应当与核准或者登记的名称一致。申报的商品不得超出核准或者登记的经营范围。商品名称应当依照商品分类表填写；商品名称未列入商品分类表的，应当附送商品说明。

申请人用药品商标注册，应当附送卫生行政部门发给的证明文件。

申请卷烟、雪茄烟和有包装烟丝的商标注册，应当附送国家烟草主管机关批准生产的证明文件。

申请国家规定必须使用注册商标的其他商品的商标注册,应当附送有关主管部门的批准证明文件。

商标注册的申请日期,以商标局收到申请书件的日期为准。申请手续齐备并按照规定填写申请书件的,编定申请号,发给《受理通知书》;申请手续不齐备或者未按照规定填写申请书件的,予以退回,申请日期不予保留。

申请手续基本齐备或者申请书件基本符合规定,但是需要补正的,商标局通知申请人予以补正,限其在收到通知之日起 15 天内,按指定内容补正并交回商标局。限期内补正并交回商标局的,保留申请日期;未作补正或者超过期限补正的,予以退回,申请日期不予保留。

两个或者两个以上的申请人,在同一种商品或类似商品上,以相同或者近似的商标在同一天申请注册的,各申请人应当按照商标局的通知,在 30 天内交送第一次使用该商标的日期的证明。同日使用或者均未使用的,各申请人应当进行协商,协商一致的,应当在 30 天内将书面协议报送商标局;超过 30 天达不成协议的,在商标局主持下,由申请人抽签决定,或者由商标局裁定。

申请人委托商标代理组织申请办理商标注册或者办理其他商标事宜,应当交送代理人委托书 1 份。代理人委托书应当载明代理内容及权限,外国人或者外国企业的代理人委托书还应当载明委托人的国籍。

外国人或者外国企业申请商标注册或者办理其他商标事宜,应当使用中文。代理人委托书和有关证明的公证、认证手续,按照对等原则办理。外文书件应当附中文译本。

商标局受理申请商标注册要求优先权的事宜。具体程序依照国家工商行政管理局公布的规定办理。

商标局对受理的申请,依照《商标法》进行审查,凡符合《商标法》有关规定并具有显著性的商标,予以初步审定,并予以公告;驳回申请的,发给申请人《驳回通知书》。

商标局认为商标注册申请内容可以修正的,发给《审查意见书》,限其在收到之日起 15 天内予以修正;未作修正、超过期限修正或者修正后仍不符合《商标法》有关规定的,驳回申请,发给申请人《驳回通知书》。

对驳回申请的商标申请复审的,申请人应当在收到驳回通知之日起 15 天内,将《驳回商标复审申请书》1 份交送商标评审委员会申请复审,同时附送原《商标注册申请书》、原商标图样 10 份、黑白墨稿 1 份和《驳回通知书》。

商标评审委员会做出终局决定,书面通知申请人。终局决定应予初步审定的商标移交商标局办理。

对商标局初步审定予以公告的商标提出异议的，异议人应当将《商标异议书》一式两份交送商标局，《商标异议书》应当写明被异议商标刊登《商标公告》的期号、页码及初步审定号。商标局将《商标异议书》交被异议人，限其在收到通知之日起 30 天内答辩，并根据当事人陈述的事实和理由予以裁定；期满不答辩的，由商标局裁定并通知有关当事人。

被异议商标在异议裁定生效前公告注册的，该商标的注册公告无效。

当事人对商标局的异议裁定不服的，可以在收到商标异议裁定通知之日起 15 天内，将《商标异议复审申请书》一式两份交送商标评审委员会申请复审。

商标评审委员会做出终局裁定，书面通知有关当事人，并移交商标局办理。

异议不成立的商标，异议裁定生效后，由商标局核准注册。

——《中华人民共和国商标法》、《中华人民共和国商标法实施细则》

著作权

中国公民、法人或者非法人单位的作品，不论是否发表，依照法律享有著作权。

外国人的作品首先在中国境内发表的，依照法律享有著作权。

外国人在中国境内发表的作品，根据其所属国同中国签订的协议或者共同参加的国际条约享有的著作权，受著作权法保护。

著作权法所称的作品，包括以下列形式创作的文学、艺术和自然科学、社会科学、工程技术等作品：

(1) 文字作品；
(2) 口述作品；
(3) 音乐、戏剧、曲艺、舞蹈作品；
(4) 美术、摄影作品；
(5) 电影、电视、录像作品；
(6) 工程设计、产品设计图纸及其说明；
(7) 地图、示意图等图形作品；
(8) 计算机软件；
(9) 法律、行政法规规定的其他作品。

——《中华人民共和国著作权法》

§44. 中关村知识产权示范园及知识产权法庭

中关村建立知识产权示范区，保护园内企业权益。

国家知识产权局和北京市政府宣布，北京中关村科技园正式成为国家知识产权制度示范园，中关村知识产权促进局以及北京中关村知识产权保护协会正式在中关村挂牌。

国家知识产权局在园区内设立了北京专利代办处，专利复审委员会和北京市知识产权局也在园区内共同设立了知识产权巡回审理庭。

有关部门还将负责指导和帮助园区企业建立行之有效的专利预警机制，开展知识产权侵权判定等一系列法律咨询服务，对于园区企业可能遇到的专利障碍和技术壁垒事先提出预警，使其尽早做好应对预案。

§45. 关于知识产权纠纷的投诉、起诉和法律援助

专利

未经专利权人许可，实施其专利，即侵犯其专利权，引起纠纷的，由当事人协商解决；不愿协商或者协商不成的，专利权人或者利害关系人可以向人民法院起诉，也可以请求管理专利工作的部门处理。管理专利工作的部门处理时，认定侵权行为成立的，可以责令侵权人立即停止侵权行为，当事人不服的，可以自收到处理通知之日起15日内依照《中华人民共和国行政诉讼法》向人民法院起诉；侵权人期满不起诉又不停止侵权行为的，管理专利工作的部门可以申请人民法院强制执行。进行处理的管理专利工作的部门应当事人的请求，可以就侵犯专利权的赔偿数额进行调解；调解不成的，当事人可以依照《中华人民共和国民事诉讼法》向人民法院起诉。

假冒他人专利的，除依法承担民事责任外，由管理专利工作的部门责令改正并予公告，没收违法所得，可以并处违法所得3倍以下的罚款，没有违法所得的，可以处5万元以下的罚款；构成犯罪的，依法追究刑事责任。

下列行为属于假冒他人专利的行为：

（1）未经许可，在其制造或者销售的产品、产品的包装上标注他人的专利号；

（2）未经许可，在广告或者其他宣传材料中使用他人的专利号，使人将所涉及的技术误认为是他人的专利技术；

（3）未经许可，在合同中使用他人的专利号，使人将合同涉及的技术误认为是他人的专利技术；

（4）伪造或者变造他人的专利证书、专利文件或者专利申请文件。

侵犯专利权的诉讼时效为2年，自专利权人或者利害关系人得知或者应当

得知侵权行为之日起计算。

有下列情形之一的,不视为侵犯专利权:

(1) 专利权人制造、进口或者经专利权人许可而制造、进口的专利产品或者依照专利方法直接获得的产品售出后,使用、许诺销售或者销售该产品的;

(2) 在专利申请日前已经制造相同产品、使用相同方法或者已经作好制造、使用的必要准备,并且仅在原有范围内继续制造、使用的;

(3) 临时通过中国领陆、领水、领空的外国运输工具,依照其所属国同中国签订的协议或者共同参加的国际条约,或者依照互惠原则,为运输工具自身需要而在其装置和设备中使用有关专利的;

(4) 专为科学研究和实验而使用有关专利的。

为生产经营目的使用或者销售不知道是未经专利权人许可而制造并售出的专利产品或者依照专利方法直接获得的产品,能证明其产品合法来源的,不承担赔偿责任。

——《中华人民共和国专利法》、《中华人民共和国专利法实施细则》

注册商标

有下列行为之一的,均属侵犯注册商标专用权:

(1) 未经注册商标所有人的许可,在同一种商品或者类似商品上使用与其注册商标相同或者近似的商标的;

(2) 销售明知是假冒注册商标的商品的;

(3) 伪造、擅自制造他人注册商标标识或者销售伪造、擅自制造的注册商标标识的;

(4) 给他人的注册商标专用权造成其他损害的。

有上述所列侵犯注册商标专用权行为之一的,被侵权人可以向县级以上工商行政管理部门要求处理,有关工商行政管理部门有权责令侵权人立即停止侵权行为,赔偿被侵权人的损失,赔偿额为侵权人在侵权期间因侵权所获得的利润或者被侵权人在被侵权期间因被侵权所受到的损失。侵犯注册商标专用权,未构成犯罪的,工商行政管理部门可以处以罚款。当事人对工商行政管理部门责令停止侵权行为、罚款的处理决定不服的,可以在收到通知15天内,向人民法院起诉;期满不起诉又不履行的,由有关工商行政管理部门申请人民法院强制执行。

对侵犯注册商标专用权的,被侵权人也可以直接向人民法院起诉。

假冒他人注册商标,构成犯罪的,除赔偿被侵权人的损失外,依法追究刑事责任。

伪造、擅自制造他人注册商标标识或者销售伪造、擅自制造的注册商标标识，构成犯罪的，除赔偿被侵权人的损失外，依法追究刑事责任。

销售明知是假冒注册商标的商品，构成犯罪的，除赔偿被侵权人的损失外，依法追究刑事责任。

——《中华人民共和国商标法》

著作权

有下列侵权行为的，应当根据情况，承担停止侵害、消除影响、公开赔礼道歉、赔偿损失等民事责任：

（1）未经著作权人许可，发表其作品的；

（2）未经合作作者许可，将与他人合作创作的作品当作自己单独创作的作品发表的；

（3）没有参加创作，为谋取个人名利，在他人作品上署名的；

（4）歪曲、篡改他人作品的；

（5）未经著作权人许可，以表演、播放、展览、发行、摄制电影、电视、录像或者改编、翻译、注释、编辑等方式使用作品的，本法另有规定的除外；

（6）使用他人作品，未按照规定支付报酬的；

（7）未经表演者许可，从现场直播其表演的；

（8）其他侵犯著作权以及与著作权有关的权益的行为。

有下列侵权行为的，应当根据情况，承担停止侵害、消除影响、公开赔礼道歉、赔偿损失等民事责任，并可以由著作权行政管理部门给予没收非法所得、罚款等行政处罚：

（1）剽窃、抄袭他人作品的；

（2）未经著作权人许可，以营利为目的，复制发行其作品的；

（3）出版他人享有专有出版权的图书的；

（4）未经表演者许可，对其表演制作录音录像出版的；

（5）未经录音录像制作者许可，复制发行其制作的录音录像的；

（6）未经广播电台、电视台许可，复制发行其制作的广播、电视节目的；

（7）制作、出售假冒他人署名的美术作品的。

当事人不履行合同义务或者履行合同义务不符合约定条件的，应当依照民法通则有关规定承担民事责任。

著作权侵权纠纷可以调解，调解不成或者调解达成协议后一方反悔的，可以向人民法院起诉。当事人不愿调解的，也可以直接向人民法院起诉。

著作权合同纠纷可以调解，也可以依据合同中的仲裁条款或者事后达成的书面仲裁协议，向著作权仲裁机构申请仲裁。

对于仲裁裁决，当事人应当履行。当事人一方不履行仲裁裁决的，另一方可以申请人民法院强制执行。

受申请的人民法院发现仲裁裁决违法的,有权不予执行。人民法院不予执行的,当事人可以就合同纠纷向人民法院起诉。

当事人没有在合同中订立仲裁条款,事后又没有书面仲裁协议的,可以直接向人民法院起诉。

当事人对行政处罚不服的,可以在收到行政处罚决定书3个月内向人民法院起诉。期满不起诉又不履行的,著作权行政管理部门可以申请人民法院执行。

——《中华人民共和国著作权法》

§46. 园区支持企业申请专利的措施

市政府设立知识产权发展和保护资金,用于鼓励本市组织和个人取得自主知识产权。对申请国内外专利的组织和个人,可给予一定的专利申请费和专利维护费补贴;对具有市场前景的专利技术实施项目,可一次性给予一定的专利实施资金支持。

——《北京市关于进一步促进高新技术产业发展的若干规定》京政发(2001)38号第2条

鼓励研发机构在京申请国内外专利,市知识产权局可给予一定的专利申请费和专利维护费补贴。

——《北京市鼓励在京设立科技研究开发机构的规定》京政发(2002)23号第22条

市知识产权局与被批准使用专利实施资金的单位签订"北京市专利实施项目合同书",并给予资金支持。支持的额度,除重大专利发明外,实用新型专利不超过20万元;发明专利不超过30万元。

——《北京市专利实施资金管理办法》(京知局[2001]44号)第10条

国际商务

§47. 外汇管理

在中关村科技园区兴办合资、合作企业的境外经济组织或者个人在企业名称预先核准登记后,经外汇管理机关核准,可以在外汇指定银行开立外汇账户。

在境外取得永久居留权的留学人员,在中关村科技园区高新技术企业工作期间取得的合法收入依法纳税后,可以全部购买外汇,并按照规定携带出境或者汇出境外。

——《中关村科技园区条例》第56、36条

中关村科技园区外商投资比例低于25%的高科技企业允许开立外汇资本金账户。

——《关于中关村科技园区外商投资比例低于25%的企业开立外汇账户问题的复函》

经外汇管理部门批准,跨国公司地区总部在银行除开设外汇资本金账户外,可以根据实际需要设立一个以上的外汇账户,并保留较高的外汇结算账户限额。

经外汇管理部门批准,跨国公司地区总部可以依法在境内划转外汇资金。

——《北京市人民政府关于鼓励跨国公司在京设立地区总部的若干规定》(京政发[1999]4号)第10条

国外和香港特别行政区、台湾地区的组织、企业、个人设立的驻京研发机构,经外汇管理部门批准,可在指定银行开设外汇专用账户,其外汇收支按现行外汇管理规定办理。

——《北京市鼓励在京设立科技研究开发机构的暂行规定》(京政发[1999]17号)第9条

§48. 海关

48.1 关税优惠政策

• 来京投资企业进口符合有关规定的自用生产设备,免征关税和进口环节增值税;资信良好的来京投资企业享受便捷通关待遇,并在重点口岸设立特快报关窗口。

——《北京市关于扩大对内开放促进首都经济发展的若干规定》(京政发[2002]12号)第14条

• 对已设立的鼓励类和限制乙类外商投资企业、外商投资研究开发中心、先进技术型和产品出口型外商投资企业(以下简称五类企业)技术改造在原批准的生产经营范围内进口国内不能生产或性能不能满足需要的自用设备及其配套的技术、配件、备件,可按《国务院关于调整进口设备税收政策的通知》(国发

〔1997〕37 号)的规定免征进口关税和进口环节税。

——《当前进一步鼓励外商投资的有关政策》(京经贸资字[2000]183 号)第 1 条

• 外商投资设立的研究开发中心,在投资总额内进口国内不能生产或性能不能满足需要的自用设备及其配套的技术、配件、备件,可按《国务院关于调整进口设备税收政策的通知》(国发[1997]37 号)的规定免征进口关税和进口环节税。

——《当前进一步鼓励外商投资的有关政策》(京经贸资字[2000]183 号)第 2 条

• 研发机构中经有关部门认定为外国专家、港澳台专家、华侨专家的人员,其携运进境的图书资料、科研仪器、工具、样品、试剂等教学、科研物品,除国家规定不予免税的商品外,在自用合理数量范围内,免征关税。获准入境并在北京居留一年以上的外国公民、华侨和港澳台同胞等研发机构常驻人员,在签证有效期内初次来华携带的便携式计算机,经北京海关审核,在每个品种一台的数量限制内,予以免征关税。

——《北京市鼓励在京设立科技研究开发机构的规定》(京政发[2002]23 号)第 13 条

48.2 报关、结关和清关

报关是指货物、行李和邮递物品、运输工具等在进出关境或国境时由所有人或其代理人向海关申报,交验规定的单据、证件,请求海关办理进出口的有关手续。我国海关规定报关时应交纳的单据、证件包括:进出口货物报关单、进出口货物许可证、商品检验证书、动植物检疫证书、食品卫生检验证书以及提货单、装货单、运单、发票、装箱单等。

结关是指进口货物、出口货物和转运货物进入一国海关关境或国境必须向海关申报,办理海关规定的各项手续,履行各项法规规定的义务。只有在履行各项义务,办理海关申报、查验、征税、放行等手续后,货物才能放行,货主或申报人才能提货。同样,载运进出口货物的各种运输工具进出境或转运,也均需向海关申报,办理海关手续,得到海关的许可。货物在结关期间,不论是进口、出口或转运,都是处在海关监管之下,不准自由流通。

清关即结关,习惯上又称通关。

48.3 如何进行关税的征收与退补

关税征收的过程是税则归类、税率运用、价格审定及税额计算的过程。进出口关税的计算方法是:关税税额 = 完税价格 × 进出口关税税率。进出口货物的到、离岸价格是以外币计算的,应由海关按照签发税款缴纳证之日国家外汇牌价的中间价,折成人民币。

按照规定,进口货物的收货人、出口货物的发货人、进出境物品的所有人是关税的纳税义务人;同时有权经营进出口业务的企业也是法定纳税人。纳税人应当在海关签发税款缴纳证的次日起 7 日内,向指定银行缴纳税款;逾期不缴纳的,由海关自第 8 天起至缴清税款日止,按日征收税款总额的 1% 的滞纳金;对超过 3 个月仍来缴纳税款的,海关可责令担保人缴纳税款或者将货物变价抵缴,必要时,可以通知银行在担保人或纳税人存款内扣除。关税的退补分补征、追征和退税三种情况:

1. 补征。是指进出口货物、进出境物品放行后,海关发现少征或漏征税款时,应当自缴纳税款或者货物、物品放行之日起 1 年内,向纳税义务人补征。

2. 追征。是指因纳税义务人违反规定而造成少征或者漏征的,海关在 3 年内可以追征。

3. 退税。是指海关多征的税款,发现后应当立即退还;纳税义务人自缴纳税款之日起 1 年内,可以要求海关退还,逾期不予受理。

办理退税时,应做到退税依据确实,单证齐全,手续完备。纳税单位应填写退税申请,连同原来税款缴纳书及其他必要证件,送经原征税海关核实,并签署意见,注明退税理由和退税金额。单位退税,一律转账退付,不退现金。办理退税手续,除海关原因退税外,由纳税单位向海关交纳 50 元人民币手续费。

§49. 出入境管理

在中关村科技园区工作的留学人员已加入外国籍的,可以向公安机关申办最长 5 年的外国人居留证和一年多次出入境签证;短期来华不能按期离境的,可以申请签证延期。确因时间紧急或者其他原因未在国外办妥入境签证的,可以依据有关规定申办口岸签证。

中关村科技园区的高新技术企业人员因公出国或者邀请外国经贸科技人员来华的,可以由经授权的中关村科技园区管理机构审批。因公临时出国的,实行一年内一次审批可以多次出入境制度。

——《中关村科技园区条例》第35、58条

中关村科技园区管委会及其直属各管理部门、中关村科技园区各园区管委会处级以下(含处级)人员,以及在上述园区内注册的高新技术企业,因园区内业务需要或从事与园区内企业有关的经贸、科技活动的180天以内和一年内多次(每次少于180天)的因公临时出国任务由中关村科技园区管委会审批。

——《中关村科技园区因公临时出国(境)管理办法(暂行)》第3条

中关村科技园区管委会及直属部门、所属各园区管委会以及在上述园区内注册的高新技术企业邀请外国经贸科技人员(不含副部级以上人员和在外国企业中兼职的卸任外国政要)入境从事经贸科技活动的事项,由所在园区管委会审批。须携带营业执照副本、高新技术企业证书复印件,填写“邀请境外人员来京申报表”,向所在园区管委会提出申请。

——《中关村科技园区邀请境外经贸科技人员入境管理办法》第2、5条

咨询电话:82690663

§50. 国际经济技术合作

鼓励中关村科技园区的企业和科研机构在境外投资、融资,开展跨国经营和研究开发活动,进行国际经济、技术、人才的交流与合作。

鼓励境外组织和个人在中关村科技园区投资兴办高新技术企业、研究开发机构或者地区总部。所办企业、研究开发机构、地区总部在审批、登记、贷款、办理海关手续、人员出入境、场地使用、公用设施、设立保税工厂、仓库以及税收方面,可以享受国家和本市规定的优惠待遇。

境外经济组织或者个人可以与境内组织或者个人在中关村科技园区兴办合资、合作的高新技术企业。

中关村科技园区具备进出口经营条件的高新技术企业及其他生产企业和科研机构,依法向外贸行政主管部门登记备案后,可以从事自营进出口活动。

——《中关村科技园区条例》第四章

允许外籍人员和港、澳、台人员担任内资高新技术企业的董事、监事、经理等职务。

——《北京市工商行政管理局关于印发“关于改进企业登记工作,促进高新技术企业发展若干问题的意见”的通知》(京工商发[1999]117号)第6条

企业社团工作

§51. 企业如何建立党组织、工会、团组织

51.1 非公有制企业怎样建立和设置党组织

凡具备条件的非公有制企业,都要根据《中国共产党章程》及时建立党的基层组织。一般情况下,有3名以上正式党员的,应建立党的支部委员会;党员人数不足3名的,可就近与其他组织中的党员联合建立党支部;党员人数超过或接近50名、100名的,可分别建立党的总支部委员会、党的基层委员会。企业建立党的基层委员会,必须经县级以上党委批准。

非公有制企业党的基层委员会、总支部委员会、支部委员会由党员大会或党员代表大会选举产生。党的基层委员会每届任期3至5年,总支部委员会、支部委员会每届任期2年或3年,任期届满应按期进行换届选举。其中党员不足7名的支部委员会,可不设支部委员,只设书记1名,必要时增设副书记1名。由党的基层委员会、总支部委员会、支部委员会选出的书记、副书记,应报上级党组织批准。

基本任务

非公有制企业党组织的基本任务有以下几项:

1. 宣传贯彻党和国家的路线方针政策,引导和监督企业遵守国家的法律法规,诚实守信,合法经营,依法纳税。

2. 支持经营者依法行使职权,对企业生产经营管理的重大问题提出意见和建议。

3. 围绕企业生产经营开展活动,团结带领职工群众完成各项任务,促进企业快速健康发展。

4. 加强对党员的教育管理和监督,做好发展党员工作,发挥党员的先锋模范作用。

5. 做好职工思想政治工作,加强企业精神文明建设,建设有理想、有道德、有文化、有纪律的职工队伍。

6. 协调和维护企业各方合法权益,及时化解矛盾,推进民主管理,促进企业

和社会的稳定。

7. 领导工会、共青团等群众组织,支持他们依照法律和各自章程独立自主地开展工作。

8. 完成上级党组织交办的任务。

活动经费

鉴于非公有制经济组织的特殊性,非公有制经济组织党组织的活动经费可以通过多种渠道解决:

(1) 党员缴纳的党费可大部分或全部返还给企业党组织,作为活动经费。

(2) 活动经费确有困难的,上级党组织应从分管的党费中适当拨补一部分。

(3) 地方和企业可从实际出发灵活解决。如有的市(县、区)参照国有企业党组织活动经费的提取比例,每年初从地方财政中拨出计提的经费,作为非公有制经济组织党组织的专项活动经费;一些效益好的非公有制经济组织党组织的活动经费,在征得业主同意后,党费留用不足部分在企业管理费中报销;也有的企业党组织每年向企业提供党组织活动计划,经业主同意,按照一定比例从管理费中划出限额,作为企业党组织的活动经费。

51.2 如何在外商投资企业中建立党的基层组织?外商投资企业中党的基层组织的主要任务是什么?

外商投资企业中,凡正式党员人数超过3名的,都应按照党章规定。建立党的基层组织。党员人数不足3名的,可由几个企业的党员联合建立一个党支部。

外商投资企业党组织的组建工作,应尽可能与开办企业同步进行。合资、合作企业中的党组织,由中方投资单位党组织负责组建;两家以上中方单位共同投资的,根据参股份额、管理体制等实际情况,明确以一家为主负责组建;外商独资企业中的党组织,由所在地的党组织负责组建。

外商投资企业党组织应在中方员工中发挥政治核心作用。其主要任务是:保证监督国家法律、法规的贯彻执行,维护中外双方的合法权益;对中方员工进行邓小平理论、党的基本路线教育,爱国主义和集体主义教育,抵御各种腐朽思想的侵蚀;教育中方员工努力学习国外(境外)先进科学技术和管理经验,培养人才;搞好党组织的自身建设,加强对党员特别是中方领导人员的教育和监督,充分发挥党员的先锋模范作用;领导工会、共青团等群众组织,支持他们按照各自的章程独立自主地开展工作;做好统战工作。

51.3 非公有制企业如何建立共青团组织

企业中凡是有团员3人以上的,都应当建立团的基层组织。

团的基层组织,根据工作需要和团员人数,经上级团的委员会批准,分别设立团的基层委员会、总支部委员会、支部委员会。

在基层委员会、总支部下建立支部。如果工作需要,在基层委员会下也可以建立总支部。在一个支部内可以分若干个小组。

支部委员会、总支部委员会由团员大会选举产生,每届任期2年或3年,其中大、中学校学生支部委员会每届任期1年。基层委员会由团员大会或代表大会选举产生,每届任期3年至5年。

团的基层组织设置应从实际出发,可以不完全与党组织和行政建制对应。

——《中国共产主义青年团章程》

团组织受同级党组织和上级团组织的双重领导。

51.4 非公有制企业如何组建工会

凡职工人数25人以上的非公有制企业,都应单独建立工会组织;职工人数少于25人的非公有制企业,要积极创造条件,通过工会联合会或联合基层工会、行业工会等形式,建立工会组织。基层工会组织具备民法通则规定的法人条件的,依法取得社会团体法人资格。

职工200人以上的企业、事业单位的工会,可以设专职工会主席。工会专职工作人员的人数由工会与企业、事业单位协商确定。基层工会委员会每届任期3年或者5年。各级地方总工会委员会和产业工会委员会每届任期5年。

基层工会专职主席、副主席或者委员自任职之日起,其劳动合同期限自动延长,延长期限相当于其任职期间;非专职主席、副主席或者委员自任职之日起,其尚未履行的劳动合同期限短于任期的,劳动合同期限自动延长至任期期满。但是,任职期间个人严重过失或者达到法定退休年龄的除外。

——《工会法》

§52. 园区企业党团组织和工会管理

园区内企业有上级主管单位的,其工会和党组织由其主管单位领导;没有主管单位的企业,其工会和党组织一般由其所在园区管委会的企业工委领导。团组织受上级团组织和同级党组织的双重领导。

海淀园企业工委:88498500

昌平园工会:89704785

丰台园工委(组织人事处):63702056

亦庄科技园工委:67880309

中关村网上党建:“红色中关村”(www.redzgc.net)

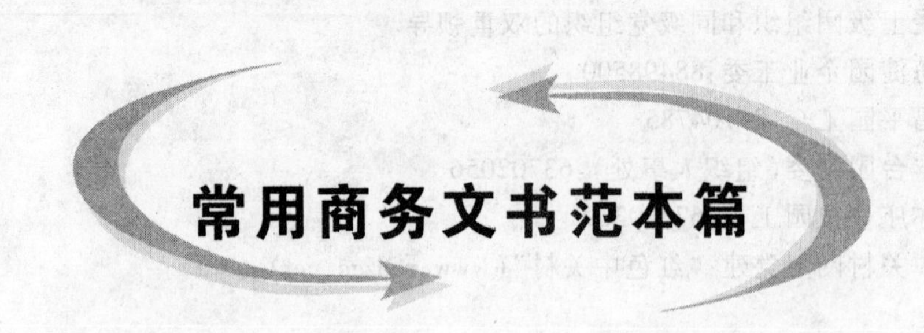

§53. 商业计划书

创业计划书模板

封面页必须写出以下内容

密级:AAA 保密

本商业计划书属商业机密,所有权属于 XX 公司(或 XX 项目持有人)。所涉及的内容和资料只限于已签署投资意向书的投资者使用。收到本计划书后,收件方应即刻确认,并遵守以下的规定:

1. 在未取得 XX 公司(或 XX 项目持有人)的书面许可前,收件人不得将本计划书之内容复制、泄露、散布;

2. 收件人如无意进行本计划书所述之项目,请按地址尽快将本计划书完整退回。

创业计划书

把你的产品一幅彩色图片放在首页。但需留出足够的版面排列以下内容:

A. 公司名称

B. 注册年月

C. 公司地址

D. 邮政编码

E. 融资负责人姓名

F. 职务

G. 电话

H. 传真

I. E-mail 地址

J. 公司主页(WWW)

K. 日期

填写说明:

1. 此文本仅是一个模板格式,且不是唯一的;

2. 任何人/公司可以根据自己的情况填写,补充完善;

3. 斜体字和文本框主要是文字说明或解释,最终文本中不得出现这类内容。

在初步写完商业计划书后,注意确认目录页码同内容的一致性

执行摘要

经营理念

XX 公司的理念是……

公司概述

XX 公司成立于……年……月……日;XX 公司主要从事于……。XX 公司合法成立组织形式是……。出资的股权构成是……。我们的主要办公地点在……。

业务

XX 公司的产品或提供的服务是……。XX 公司的经营状况处于……(例如"创意提出 /种子/启动/成长期",在……年……月"开发了我们的第一个产品,雇用了我们的第一位售货员,签了我们的第一张订单")。

在近期……年……月……日,XX 公司完成了……的销售额,并且显示出……"赢利/亏损/盈亏平衡"。如果融到……万元的资金,我们期望能够完成……的销售额,在……年末完成……万元的税前利润。在……年(下一年)完成……万元税前利润。

我们能够完成上述目标,因为融到的资金主要用于……。

产品与服务

XX公司生产下列产品(或是提供下列服务)……。

当前我们的产品或服务处于导入/成长/成熟期。我们计划扩大生产线用于完善我们的产品或服务,包括……。

我们产品的生产或服务过程中的关键特征有……。我们的产品或服务有独特性是因为……,……,或……。我们有市场定位优势是因为拥有……专利,销售速度,商标名字……。

营销概述

我们的市场是……,到……年……月时,根据……预测/报道,其市场达到……万元。根据……的预测到……年底,市场将达到……万元。

我们的客户是……。

竞争环境分析

XX公司与……公司直接竞争,或XX公司为……,没有直接的竞争对手,但在市场上有我们产品或服务的替代品或相关产品。

我们产品独特性是……。我们有竞争优势,因为我们的……。

风险与机会

我们经营的最大的风险是……。我们坚信能克服这风险,因为我们能……;如果我们能做到……,我们就有机会将……。

管理团队

我们的团队由下列成员组成:……他们有……年的合作经验;有……年的销售经验。有……年的产品开发经验,并且有在……方面有……的经验。

资金需求

XX公司寻求……万元作为权益性或债务性的追加投资,用于……,它将使我们能……。

在……年内我们将利用剩余的利润分红或者再次融资,或者公司的出售,或者上市融资实现融资的退出。

融资计划

XX公司近来及预计的销售如下:

资产负债表总结

资产:

负债:

账面值:

到……年时,我们会提供融资退出方案。退出机制是……,我们希望到……

年……月实现这一目标。

经营理念

（经营理念对一个公司走向成功尤其重要。一定要提出您的经营理念，让投资人感到您对企业下一步如何发展和经营是有深度思考的。）

经营理念：……。

远景目标：

A. XX公司的目标成为……（描述您的最终目标），例如：要成为CAD/CAM软件第一品牌。

B. XX公司要在市场中享有盛誉，并且为市场提供……比如节省的时间，更好的生产方法，合理的价格。我们能实现这些是因为采用了……优异产品的开发、掌握市场发展趋势和需求，赋予创新精神并且采用有效的分销和包装。

在追求和实现我们的目标的同时，我们要报答那些关注我们发展的人士，客户和公众。（描述你们所追求的荣誉和目标。描述各有关团体和人士如何受益）

XX公司概述

XX公司（列出具体公司全称，在通篇商业计划书中不要用"我们公司"这样的词组，不要增加读者任何一个多余的思考过程，此外别人也记不住）成立于……年……月，并且……（描述你的产品或服务。例如，航空模型的制造商，医药服务的供应商）。XX公司设立的背景是……，并且将公司定位在……。

XX公司的合法形式是……（例如：有限责任公司、股份有限公司、合伙人制、个人独资）。我们的主要办公地点在……。其他的生产设施地点在……。办公面积有……平方米，生产厂房面积有……平方米，库房有……平方米。目前每月我们的生产能力是每月……件，如果每月……件时，就需要增加用房。融资后，我们估计这样规模的设施能够满足XX公司……年的发展需求。

XX公司的生产经营业务是从事政府特殊授权或法律法规有特殊要求的，或是法律法规尚未禁止的业务。比如污染物理处理、军备武器、遗传工程、爆破工程等。

XX公司符合一切运营规定，拥有最新的检测纪录。这些记录包括……。XX管理机构从以下几个方面规范我们经营业务……。我们对……在管理上有专门的文件和执行办法，对所有员工都有要求。

XX公司的战略合作伙伴

（如何保持与战略伙伴的关系很吸引投资者的注意，解释您是如何和他们一起合作并提高你的经营业绩。在即将建立的更大规模的合作过程中，您的公司可以为合作伙伴提供重要并且是有利可图的自身发展。描述关于您的每一个合作伙伴在市场中位置的细节，并且说明你们之间的合作最大的风险是什么？举例来说，我们与……建立了营销协议。比如与橡皮擦领域的营销领导者建立了联盟，有利于我们销售学生用铅笔。供需方共同分割零售业同样可以占领市场，这可以帮助我们快速的切入市场。合作关系的风险在于合作者可能选择自己销售（铅笔）将我们排除在外。）

另一种对公司有利的战略关系是同……公司共同建立合资企业。比如，我们从不投资于研究的初始阶段，我们可以把研发时间一分为二，我们充分利用那些没有被充分利用的人力和设备，这可以有效避免支出……比如员工工资，设备购买，我们愿意为此支付一笔……万元的提成费，以感谢我们的发展伙伴我们的最终成功所做出的贡献。

我们与供应商有着紧密的合作关系，批量采购时价格降至市场价的80%，并且他们同意6个月内不把产品大批量投放市场，或者是给我们一个优惠的价格。

我们还有一些OEM战略合作伙伴。假如我们是生产滑冰轮的，那么生产长靴的几乎是靠我们才卖出他们的滑冰鞋附件。这些关系保证了我们有一个巨大且稳定的市场，这些环节使我们占据市场，尽管他们很少提到我们的或不是我们的商标使用者。

业务分析

XX公司是一个……产品/服务的制造商/分销商/服务供应商。

XX公司正处于经营发展的……例如“创业概念/种子/启动/成长期”，……年……月XX“开发了我们的第一个产品，雇用了我们的第一位售货员，签了我们的第一张订单”。

产品或服务介绍

（解释您的产品如何使用或您提供的服务客户如何享受。描述产品或服务销售的细节，产品或服务的功用，产品的基本用途和一些重要和辅助用途。用户对你产品哪一点最感兴趣？你是如何使产品升值的？）

XX公司生产下列产品：……，以最大销售能力或最大生产能力为依据。附上产品照片、图标、专利证书，或其他描述性材料。

（强调产品或服务独具的特性，它们是如何制造或附加的。同时，重点说明你的产品与当前市场上产品的不同，为了达到渗透市场的目的，您所能采取的措施。讨论如何增加产品的附加价值，以及回馈客户的时机。作为产品或服务的成本、生产时机、生产力改进的结果，您将用多少个月维持您最初的产品价值。）

生产或服务的不足是……。

（相对于您的竞争对手而言，您的产品或服务有哪些优势，描述产品的专利权、商业机密或者其他的具有专利特征的产品或服务。)

讨论扩充生产线、完善相关产品的一些机会。(强调机会以及您如何保证您的优势)

咨询顾问们的经验丰富程度。

如果是服务性产品的话,列出主要服务内容……,以最大销售能力或最大生产能力为依据。附上其他简介和能够描述所提供的服务的有关材料。

目前我们的产品或服务正处于产品寿命期的导入期/成长期/成熟期。我们首次于……年开发产品/服务,此后又作了……改进。将发展到今天的过程作一个综述。

最好列出图表。

产品专有权上独有特征。

(这是至关重要的一部分。投资人必须看到某些独有的、独占性的、或是有关产品和服务得到保护的东西。)我们的产品具有独占性是因为我们有秘密的配方、受专利保护的工艺、还是独有的制造工艺。

市场上有些厂家也能够提供某些类似的产品/服务,但是在市场上能够细分我们的市场,因为……。

我们申请了/受让了一项专利,详见……附件……摘要。我们已把这项专利应用到我们的工艺过程中,这是别人不能仿制的。我们的先导产品……重点满足了客户的下列需求:……,客户可以从中获得……益处。

(说清楚您的生产线或工艺过程如何向客户提供独有的增值性能,以及这些性能是如何转变为公司的竞争优势的。)

研发介绍

XX公司的研发工作由著名的……领衔负责,或是我们的研发工作由……合作方负责。他们的任务就是根据来自市场的反馈信息提高产品的性能,以便产品更新换代。到目前为止,我们研发队伍研究出的成果和创新发明如下:

(1)

(2)

……

去年XX公司投资了销售收入的……%,总计……万元用于研发。今年计划投资……万元用于研发,明年还将投入……万元。

我们有些研发成果并不来自客户和市场的信息反馈。选择产品的指标由下列因素确定:

(1)相对低的投资要求;

(2)有利于投资回报;

(3) 与目前发展战略相吻合;

(4) 研发和生产上的可行性;

(5) 相对低的风险;

(6) 一定时间内就可看到效果;

(7) 大众化的购买对象。

新一代产品

根据市场反映的需求,我们计划投资……产品/服务,以及与此相关的衍生产品……。

我们投放上述产品的目标时间分别是……,同……展示会,或者是行业中的……(事件)相一致。此外,在下一个季度下列产品将投资到市场:……。

生产

我们的产品/服务是自己生产、自己组装,零部件来自不同的供应商。服务由我们的员工提供,或者是来自分包商。用于我们产品的原材料/二次组装/组件从符合我们产品质量要求的、不同的制造商那里都能获得。产品生产线或提供服务过程中的主要特征是:

(1)

(2)

(3)

……

列举和说明主要的设备、材料和人员需求。上述要求是否都已具备?是否需要多家供应商?列出库存要求、质量和技术参数、危险品材料。

产品独有的特点:

我们的产品/服务是唯一的,因为……。或者是我们进入市场有优势,因为我们具有……专利,加速进入市场以及独有的品牌。

市场和销售战略分析

市场分析

目标市场

我们希望可以在……行业中……特殊的市场中展开竞争。根据……提供的资料,在……年……月以前这个市场在批发/零售已经接近……万元。未来市场的发展趋势会是关注产品的环保性、价值性、高质量、小型化等因素。

根据……市场研究的数据报告,显示市场将会于……年……月出现上涨/萎缩至……万元的市场规模。我们希望在这一段时期内我们竞争的特殊市场上涨/萎缩/保持/停滞。对业务变化产生的主要因素是(电脑产品的降价,基于家庭消费的发展等),行业成长的最大规模将是……万元。

(确认一下你的信息来源,以及它是否是及时更新的。)

市场细分

我们的市场细分为……(比如,为家庭/学校/公司提供文具的生产商、食品领域内的低脂肪奶酪生产者),这个市场在过去的几年里是稳定/不稳定。行业专家……预言在未来的几年中……。

简要的列举市场的主要细分部分如下:

a

b

c

……

(你想要争取到的客户的类型……比如,电子产品的订货商,目录手册的购买者,零售商)在a/b/c细分部分的产品依据。产品的……(比如,型号),它的零售价格一般在……范围。这一市场环节中的产品销售的配送是通过零售商,制造商,销售代理,还是OEM。

基于……原因,我们的典型客户目前正在使用我们产品的替代品。他们想要购买我们的产品,是因为我们产品的价格/性能/质量。我们是从客户反馈/广告咨询/商业展览中获得这些信息的。我们感觉客户更关注我们的产品价值/性能/品味。

尽管我们的产品存在价格高/品牌认知性不足等问题,我们正努力明确我们的产品在市场上的……定位,以克服我们的弱点。

市场容量分析

市场发展潜力评价

市场准入分析

市场营销

XX公司的营销计划是根据以下条件制定的:

(1)

(2)

……

我们希望成功渗透到……细分市场的中去,因为我们将零售/分销/邮寄/互联网销售作为我们产品的主要销售渠道。我们预计会取得……%的市场份额。

市场定位

我们将把产品定位为低价/高质/物美价廉。这些我们的竞争对手当前还没有注意到。我们根据人口统计资料……比如,人群特征/年龄段/受教育程度等对产品的不同需求作适当的调整。

定价

我们的定价策略是……，主要依据成本/毛利润/还是市场。我们达到这个价格是根据毛利润，市场上的价格，成本，或可被认可的产品价值。

我们每月/每季/每年都审定我们的价格，以保证不丧失市场上的潜在利润。客户愿意在……价格下购买我们的产品，主要原因是……。

分销渠道

我们产品的分销渠道有批发、商场零售或其他方式。季节的变化/地理的位置/客户的特征等这些都将决定我们是否将产品送达最终用户的手中。市场上的竞争采用这些途径批发、商场零售或其他方式，但我们的优势在于……

前5位的主要客户是：

（1）

（2）

（3）

（4）

（5）

（用一两句话描述它们。）

广告、促销、商业展览

我们的目标是在市场上介绍、促销、支持我们的产品，尽管合适的广告设计、商业的促销活动需要花费资金。

XX公司已有了全面的广告策划和促销战略。当资金到位后，将会由最好的……公司来实施。我们希望在全国范围内的……商务杂志上或……贸易出版物上登广告。我们策划自己的广告，并把它作为我们合资方和OEM方整体战略广告中的一部分。我们公关计划保持与商务期刊记者和编辑之间的良好关系，并且提供报道素材以提高我们在市场上的信誉，和让客户了解我们。

我们通过多种渠道促销我们的产品，比如以现场制作样品/展示产品的不同的侧面/散发给融资商/或其他的方式。我们的目标是扩大客户群，提升产品的品牌知名度，加强与公众之间的联系。

XX公司参加以下的商业展览：

（1）

（2）

（3）

……

列举主要的几个：主办者，参加的厂商，参展的位置以及展位的标准，这些是如何有利于我们新产品。或者我们以一般展会参观者的身份参加了几个展览，我们只对那些对他们的产品感兴趣的购买者展示产品。参展时要考虑下列因素……,我们散发产品的介绍能否达到目标。

竞争分析

说出在产品、管理、价格、厂址、促销手段、财务计划上的主要竞争对手是谁。错误和不明确的信息都会被认为是对投资者的不诚实和漠视。不要让您或投资人在您的竞争优势上感到迷惑不解。

通过电话黄页、当地图书馆里的行业目录,在线的数据库,了解其他公司的竞争力。看一下行业的有关杂志,寻找刊登行业广告者。

XX 没有直接的竞争对手,但有生产我们产品替代品的竞争对手。或者我们产品的直接竞争对手有

A

B

C

……

(给出您的每一个竞争对手的详情,要很详细。比如:董氏公司是东北地区的铅笔制造商,他的销售额有 300 万元,它是……集团的下属公司,全公司的销售额有 800 万元,包括生产铅笔、钢笔及其他书写绘画用的文具。子公司目前发展停滞,因为总公司没有提供改进机器设备的运营资金,该子公司有一位副总裁迥然不同,他上任已经 6 个月了,前一任管理者负责了 11 个月。

您和您的竞争对手是否采用了相同的分销渠道,借助相同的商业杂志宣传促销。如果广告是有规律的,十有八九是这样。)

竞争优势分析:

1. 技术上:

公司技术资源和开发团体;所应用的关键技术及辅助技术如 XX 技术:……;XX 技术:……;相应技术与国内外同业之比较;所应用技术的成熟性分析;技术开发团体的素质及结构分析;技术人力资源的稳定性分析;技术开发能力的后续支持与创新潜力分析

2. 政策上

3. 产品价格上

产品服务上

我们的产品是独一无二的,因为……。我们具有领先的竞争优势,原因是低成本/快速进入市场/已经有的品牌。

风险与机遇

商业风险

（这一点对于整个计划书来说也是至关重要的，投资人对于您的企业所面临的挑战和应对措施必须知道。有几种类型的风险，尤其是在创业型、成长性的企业里。务必列出以下风险，并提出相应的策略。）

市场风险、价格风险、技术风险、管理风险、营销风险、融资风险、政策风险

我们发展过程中所遇到的主要问题有：有限的运营历史，资源的短缺，管理经验的不足，市场和产品的不确定性，对关键管理人员的依赖性。

企业弱点的评估

应急计划是

新技术

机遇

这一点对于整个计划书来说也是至关重要的，它将给整个创业计划带来闪光点，也是各方面的人士所关注的一点。

虽然我们的经营伴随有风险，我们能够战胜这些困难因为……。我们将通过综合的研究，或者和同一个了解市场的更大的公司合作。我们将会集中精力……，用于解决在市场、产品、管理等方面的问题。

如果我们能够战胜风险，我们就将在……特殊市场领域占据优势，成为行业的主导力量。我们的品牌将被客户和投资人所认同，在……年内，我们能够实现这个目标。

特别是我们……的领先产品将有机会在……领域影响行业发展、影响人们的生活状态、提高性能。我们因此也可以进军我们以前涉足的领域……国际市场/不同年龄段的市场。

管理团队与股权结构

（这部分需要填定相应部门的功能，核心管理人员及其职责，组织的投资结构概要。董事会的组成，其他投资者的股权结构及其相关内容。您要阐明一些需要担当的责任，比如，团队成员愿意接受最初的不高的工资，以及适当平衡一边从事管理，一边从事研发的现状，还有在做事时的商业技巧和经验。尽可能用直观的示意图来表示。）

管理

公司类型

结构

提供XX公司核心管理职位，以及胜任这一职位的个人主要资料。

如果XX公司已经成立具备了一定规模，需要添加一张组织结构图。

在不增加企业过多的管理费用的基础上，要保持每个职位上都有人任全职几乎是不可能的。说明这些不能保证全职的职能是如何被执行的，比如，聘用一些兼职的专家或顾问履行某些职能，谁将履行这些职责，什么时候会有人以全职的身份来替代他。

如果一些核心人员开始并未进入董事会，那么他什么时候会进入。

陈述管理团队以前或现在共同工作的一些情况，表明团队成员之间相互学习弥补对方不足，最终成为一支高效的管理团队。

核心管理人员

介绍每一位核心人员职业生涯的重要部分，尤其是他的知识领域、专业技巧以及表明他有能力胜任职位的技能和业绩的记录。您的介绍还包含他在销售方面的成绩，营利的成绩（预算，从属人员人数，新产品的介绍）以及他在重要的企业日常管理中的情况。

介绍管理团队中每一个核心人员的确定职责。

撰写每一个核心管理人员的简历，需要强调他们已有的相关培训、经验和所取得的成绩，例如，销售和利润的增长、人力资源管理的成功、生产或技术的成就、预算和过程的编写等。

员工聘用协议，以及其他一些相关协议、期权股份和分红计划。

介绍已有的或经过认真考虑的与核心人员之间聘用及相关协议。

说明会影响期权股份的有关限制和投资。

介绍仔细考虑后的依据业绩的期权股份和分红计划。

摘要已制定的鼓励性的期权股份或者其他的股票所有权的预计计划，或者对核心管理人员及雇员的一些影响。

人员及雇员的一些影响。

（不仅要说明你的管理者，更要阐明他们是怎样作为一个团队共同有效地工作的。）我们的团队由以下一些人员构成。

（1）

（2）

（3）

（4）

……

……名男性，……名女性。他们已经有了……年的共同工作经验。……在市场有了……年的营销经验；……在产品研发有了……年的经验；其他一些人在……领域有了……年的历史。

坦率地讲,如果有更多的人从事管理,业绩将会更好。总裁/财务副总/市场副总/运营副总/销售副总/研发副总/法律顾问说明他们是谁,多大,他们拥有公司的股份是多少。

股权结构

下列人员或组织是 XX 公司的主要出资人:

姓名	股份	所占比重
AB 创建者	52	52%
CD 投资者	22	22%
管理团队	10	10%
种子期投资者	10	10%

专业机构

我们强有力的团队中还有下列人员参加:

财务公司

法律顾问

广告顾问公司

银行

其他咨询机构

XX 公司董事会以及其他咨询机构

介绍 XX 公司对于董事会规模和职位的体系设想。董事会成员的选择,用一、两句话概括他们的背景,说明他们为公司带来什么?

董事会名单:

(1)

(2)

(3)

……

突出说明有特殊身份的董事会成员,他们是如何对公司起作用。

我们还有一些其他的帮助,用于协助我们进行决策,战略规划、商机把握。这些人和机构是:

(1)

(2)

(3)

……

资金需求

这一部分主要是说明你所需的资金数量。将真实的有价证券的数量提供给投资者。简要介绍增加的投资的用途和投资得到的回报率是多少。

A. 需求量

金额　时间　资金类型　资金来源

B. 其他资金需求

C. 资金的使用

我们寻求……万元作为追加投资……固定资产,重组债权,或其他形式的更高级投资,这笔资金将在……年的发展中使用。到那时直到产生正向现金流以前还需要……万元的额外融资。

最初的投资将会被用于员工的聘用/项目的开发/市场的推广/获得竞争者的信息/购买设备。列表如下:

研发完善　……万元

购买设备　……万元

市场及新生产线　……万元

运营资金　……万元

到……年时,我们将利用剩余的利润分红或者再次融资,或者公司的出售,或上市融资实现投入退出。

确定需要长时间还清贷款或使投资人得到回报。如何实现回报,采用……策略实现退出机制。

结论:

基于我们的预测,向我们公司投资是一项很好的商业投资。为了加快进展,我们在……年……月前需要……万元的投资。

财务计划

财务分析是对投资机会进行评估的基础,它需要体现你对财务需求的最好预估。这种分析需要涵盖3年,包括当前和前一年的收支平衡表,预计3年内的营利与损失,盈亏平衡分析。分析的假设条件如下:

(1)

(2)

……

目前公司的经营情况:

分析依据

未来五年的成本预测

金额单位:万元

年份 项目	第一年	第二年	第三年	第四年	第五年	第六年到第十年
销售成本						
销售费用						
销售税金						
管理费用						
财务费用						
合计						

利用销售量的预估和已产生的生产和运营的成本,准备至少3年的收入预估表。充分讨论预估情况。例如,允许坏账和折扣的具体数额。预计销售上升/持平的情况,成本或销售中管理费用固定的比例。完成预估收入的情况和他们整理文件。

重点说明主要的几项风险,比如,导致销售减少20%的风险,以及在当前的生产力情况下,为了达以曲线的增长,采取缩减的方式所带来的不利影响。这些风险都将影响销售目标和赢利的最终实现。还要说明收益随之而变化的情况。收入状况是财务管理中可营利计划的一部分,它可以显示出新资金的潜在的投资可行性。我们建议前两年以月为单位统计,再往后以季度统计。

在新产品或改进的产品推出后,销售预计会增长。在以下的计划中我们简要地介绍一下我们的产品……。我们希望在……个月之内,我们能够达到每月销售……单位。

随着我们能够有效地在市场上购买原料或者利用新的设备,生产出更多的产品,这样可以将销售成本减低到……%。毛利润将……,因为新的产品进入市场具有更多的盈利空间,原有产品的利润空间将逐步消失。可以用下面的表来更加清晰地看待利润的变化:

未来五年的利润预测表

金额单位:万元

年份 项目	第一年	第二年	第三年	第四年	第五年	第六年到第十年
一、销售收入						
减:成本及税金						
二、销售利润						
减:管理费用						

（续表）

项目＼年份	第一年	第二年	第三年	第四年	第五年	第六年到第十年
财务费用						
三、营业利润						
减:所得税						
四、净利润						

销售和管理费用的总额提高,但所占成本的比例会减小。列举最大的一些订单,以及他们的意义,因为我们会拥有更高的市场回报。

早期的销售中所占的比例较大的研发费用,过一段时间后百分比将下降。

(要记住这些数据本身并不能说明问题,一定要说明提出这些数据的依据,以及您面临这些数据时,是否经过冷静的思考,这对于投资者来说非常重要。)讨论一下市场大小,市场的容量,把握市场的时机,以及竞争压力对于这些数据的影响。

讨论其中一些数据从某段时间到某段时间变化的重要意义,包括你的业绩之所以会上升的原因,和企业扩张的原因。

资产负债预估表

对任何重大的事项,或不寻常的事项作出标注,比如流动资产/其他应付账款/到期的债务。

现金流和盈亏平衡的分析

(这比资产负债表和收入报表更为重要,在阶段性时间结点您将会有多少现钱这是投资者很关心的问题。)

第一年按月做一次统计,以后两年至少每季要做一次统计。现金流入流出的时间和数目的详细描述,决定追加投资的时间,对运营资本的微弱需求,说明现金是如何得到的。比如获得净资产、银行贷款、银行短期信用或者其他,说明哪些项目需要偿还,如何偿还这笔钱。

未来五年的现金流量表:

现金流量表

项目　　投资年限	第1年	第2年	第3年	第4年	第5年
投资年份					
一、经营活动产生的现金流量					
销售商品提供劳务收到的现金					
收到的其他与经营活动有关的现金					

（续表）

项目 投资年限 投资年份	第1年	第2年	第3年	第4年	第5年
现金留入小计					
购买商品接受劳务支付现金					
支付给职工及为职工支付的现金					
支付的税款					
支付的其他与经营活动有关的现金					
现金流出小计					
经营活动产生的现金流量净额					
二、投资活动产生的现金流量					
处置固定资产其他长期资产收到的现金净额					
收到的其他与投资活动有关的现金					
现金流出小计					
投资活动产生的现金流量净额					
三、筹资活动产生的现金流量					
吸收权益性投资所收到的现金					
发行债券所收到的现金					
借款所收到的现金					
现金流入小计					
偿还债务所支付的现金					
发生筹资费用所支付的现金					
分配股利或利润所支付的现金					
偿还利息所支付的现金					
所支付的现金					
现金流出小计					
筹资活动产生的现金流量净额					
四、现金及现金等价物净增加值					

讨论这些假设，比如在销售旺季的生产，商业的折扣，买方购买的条款，预计的工资增长，业务扩张，季节对于库存的影响，投资的年回报率，主要设备的购买等问题。

讨论现金流量对于业务因素变化的敏感反映，例如销售旺季与淡季的变化。

敏感性分析

以投资第二年为基准年计算

1. 销售收入分别下降5%，10%对利润的影响

第二年经济指标变动	销售收入	销售成本	销售利润	管理费用	财务费用	营业利润	所得税	净利润
1. 正常销售收入								
2. 销售收入下降5%								
3. 销售收入下降10%								

在销售收入下降，成本不变，费用不便的情况下，利润变化情况如下图所示：

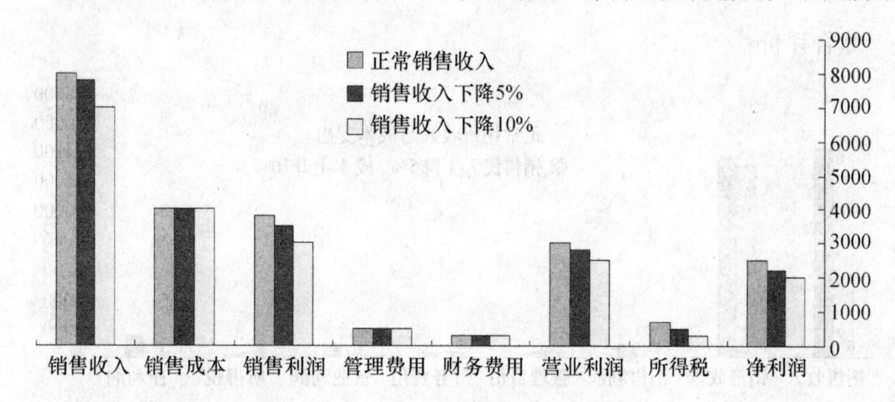

2. 成本分别上升5%，10%对利润的影响

第二年经济指标变动	销售收入	销售成本	销售利润	管理费用	财务费用	营业利润	所得税	净利润
1. 正常销售成本								
2. 销售成本上升5%								
3. 销售成本上升10%								

在销售成本、管理费用、财务费用上升，销售收入不变的情况下，利润变化如下图：

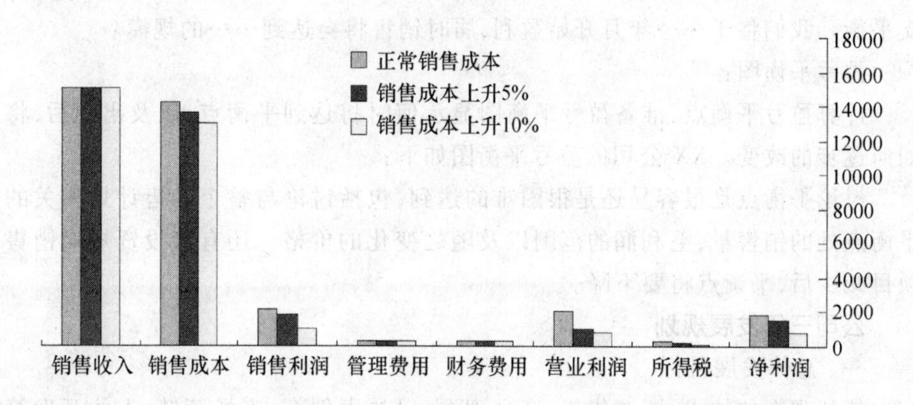

3. 销售收入与成本同时下降、上升10%对利润的影响

第二年经济指标变动	销售收入	销售成本	销售利润	管理费用	财务费用	营业利润	所得税	净利润
1. 正常销售收入成本与成本支出								
2. 销售收入下降10%成本上升10%								
3. 销售成本上升10%								

综合评价:

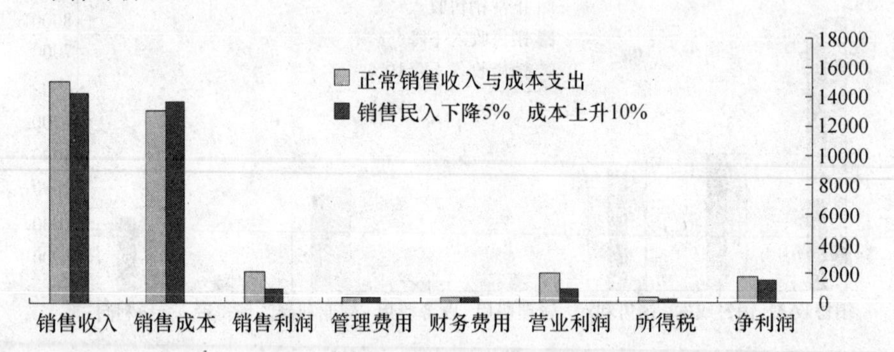

综合评价:销售收入的下降及销售成本的上升对利润的影响不大,可见企业具有较强的抗风能力。在测算收入与成本问题上,尽量考虑了收入的最低限及成本的最大化,因此对销售利润率的测算是比较保守的。

我们估计当月采购达到……时,我们的供给商就会将满足我们的需求条款……。这时,我们设定支付期限将延长为……。

我们估计可以在……天内托收资金,因为我们拥有大客户的特殊付款方式,货到付款的方式,信用卡的收费方式等。

我们预估第一笔投资将在……年……月开始使用,到……年……月实现收支平衡。我们将于……年月开始盈利,届时销售将会达到……的规模。

盈亏平衡图:

计算盈亏平衡点,准备盈亏平衡图显示何时将达到平衡点,以及出现后,将如何逐步的改变。XX公司的盈亏平衡图如下:

讨论平衡点是很容易还是很困难的达到,包括讨论与整个销售计划相关的平衡点处的销售量,毛利润的范围以及随之变化的价格。还有当投资短期销售项目减少后,平衡点将要下降。

公司三年发展规划

一、总体发展目标

依托现有的技术、资源优势、产品理念、以技术创新、市场营销、人才开发等

战略来完善系列产品、扩大市场占有率,选定×××业、网络信息服务业、××××、××××××、作为相互利益的参与者,继续巩固和发展×××××××××业,三年内基本形成以××××××为龙头,×××××××××、××××××××、×××××××××××、××××××××××等外围支持互动的多角化经营格局,力争三年内实现利润4000万元,净资产达1亿元,平均净资产收益率不低于40%,到200X年,成为中国××行业专业公司的前十名。

二、公司产品发展规划:

三、公司市场营销发展规划:

完善现有营销网络和营销渠道:……;具体营销目标:……

四、公司内部管理发展规划:

五、公司外部扩张规划:

公司未来几年资金使用计划概算

单位:万元

	第一年	第二年	第三年	第四年
固定资产投入	10	10	20	20
产品研发费用	50	60	20	80
市场形象设计	50	50	80	80
网站建设	50	80	80	80
业务流动资金	100	200	300	300
管理费用	30	40	50	60
财务费用	10	20	20	20
合计				

§54. 企业章程

【概念】

企业章程是确定企业权利和义务的最基本的法律文件。它是企业申明其名称、宗旨、资金数额、组织形式、生产经营范围。内部经营管理制度和利润分配原则等行为准则的基本规范。企业章程具有一定的法律效力,章程的内容必须符合有关法律、法规的规定,对企业具有行政约束力。

【格式与要求】

企业章程的基本内容包括:

(1)企业宗旨;

(2)企业名称和住所;

(3) 经济性质,即企业的所有制形式;

(4) 注册资金数额及来源;

(5) 经营范围和经营方式;

(6) 组织机构及其职权;

(7) 法人代表产生的程序和职权范围;

(8) 利润分配形式和劳动报酬的分配办法;

(9) 章程的修改程序及终止程序;

(10) 其他事项。

企业章程的撰写格式一般由标题、通过该章程的时间与机构和正文三部分组成。

(1) 标题。一般包括三方面内容:事项、名称和性质、文种。

(2) 正文。企业章程的正文一般包括总则、分则、条、附则四方面。总则以下各章为分则,分则是文件的主体部分。附则是对该章程文件本身的说明,主要声明该章程的时间、修改和解释权限。

(3) 落款。末尾署明制定单位,年、月、日。

【例文】

________有限责任公司章程

(参考格式)

第一章　总　　则

第一条　依据《中华人民共和国公司法》(以下简称《公司法》)及有关法律、法规的规定,由________等________方共同出资,设立________有限责任公司,(以下简称公司)特制定本章程。

第二条　本章程中的各项条款与法律、法规、规章不符的,以法律、法规、规章的规定为准。

第二章　公司名称和住所

第三条　公司名称:________________。

第四条　住所:________________。

第三章　公司经营范围

第五条　公司经营范围:(注:根据实际情况具体填写。)

第四章　公司注册资本及股东的姓名(名称)、出资方式、出资额、出资时间

第六条　公司注册资本:_______万元人民币。

第七条　股东的姓名(名称)、认缴及实缴的出资额、出资时间、出资方式如下:

股东姓名或名称	认缴情况			设立(截止变更登记申请日)时实际缴付			分期缴付		
	出资数额	出资时间	出资方式	出资数额	出资时间	出资方式	出资数额	出资时间	出资方式
合计									
	其中货币出资								

(注:公司设立时,全体股东的首次出资额不得低于注册资本的20%,也不得低于法定的注册资本最低限额,其余部分由股东自公司成立之日起2年内缴足;其中投资公司可以在5年内缴足。全体股东的货币出资金额不得低于注册资本的30%。请根据实际情况填写本表,缴资次数超过两期的,应按实际情况续填本表。一人有限公司应当一次足额缴纳出资额)

第五章　公司的机构及其产生办法、职权、议事规则

第八条　股东会由全体股东组成,是公司的权力机构,行使下列职权:

(一)决定公司的经营方针和投资计划;

(二)选举和更换非由职工代表担任的董事、监事,决定有关董事、监事的报酬事项;

(三)审议批准董事会(或执行董事)的报告;

(四)审议批准监事会或监事的报告;

(五)审议批准公司的年度财务预算方案、决算方案;

(六)审议批准公司的利润分配方案和弥补亏损的方案;

(七)对公司增加或者减少注册资本作出决议;

(八)对发行公司债券作出决议;

(九)对公司合并、分立、解散、清算或者变更公司形式作出决议;

(十)修改公司章程;

(十一)其他职权。(注:由股东会自行确定,如股东会不作具体规定应将

此条删除)

第九条 股东会的首次会议由出资最多的股东召集和主持。

第十条 股东会会议由股东按照出资比例行使表决权。(注:此条可由股东自行确定按照何种方式行使表决权)

第十一条 股东会会议分为定期会议和临时会议。

召开股东会会议,应当于会议召开十五日以前通知全体股东。(注:此条可由股东自行确定时间)

定期会议按(注:由股东自行确定)定时召开。代表十分之一以上表决权的股东,三分之一以上的董事,监事会或者监事(不设监事会时)提议召开临时会议的,应当召开临时会议。

第十二条 股东会会议由董事会召集,董事长主持;董事长不能履行职务或者不履行职务的,由副董事长主持;副董事长不能履行职务或者不履行职务的,由半数以上董事共同推举一名董事主持。

(注:有限责任公司不设董事会的,股东会会议由执行董事召集和主持)

董事会或者执行董事不能履行或者不履行召集股东会会议职责的,由监事会或者不设监事会的公司的监事召集和主持;监事会或者监事不召集和主持的,代表十分之一以上表决权的股东可以自行召集和主持。

第十三条 股东会会议作出修改公司章程、增加或者减少注册资本的决议,以及公司合并、分立、解散或者变更公司形式的决议,必须经代表三分之二以上表决权的股东通过。(注:股东会的其他议事方式和表决程序可由股东自行确定)

第十四条 公司设董事会,成员为______人,由______产生。董事任期______年,任期届满,可连选连任。

董事会设董事长一人,副董事长______人,由______产生。(注:股东自行确定董事长、副董事长的产生方式)

第十五条 董事会行使下列职权:

(一)负责召集股东会,并向股东会议报告工作;

(二)执行股东会的决议;

(三)审定公司的经营计划和投资方案;

(四)制订公司的年度财务预算方案、决算方案;

(五)制订公司的利润分配方案和弥补亏损方案;

(六)制订公司增加或者减少注册资本以及发行公司债券的方案;

(七)制订公司合并、分立、变更公司形式、解散的方案;

(八)决定公司内部管理机构的设置;

（九）决定聘任或者解聘公司经理及其报酬事项，并根据经理的提名决定聘任或者解聘公司副经理、财务负责人及其报酬事项；

（十）制定公司的基本管理制度；

（十一）其他职权。（注：由股东会自行确定，如股东会不作具体规定应将此条删除）

（注：股东人数较少或者规模较小的有限责任公司，可以设一名执行董事，不设董事会。执行董事的职权由股东自行确定。）

第十六条 董事会会议由董事长召集和主持；董事长不能履行职务或者不履行职务的，由副董事长召集和主持；副董事长不能履行职务或者不履行职务的，由半数以上董事共同推举一名董事召集和主持。

第十七条 董事会决议的表决，实行一人一票。

董事会的议事方式和表决程序。（注：由股东会自行确定）

第十八条 公司设经理，由董事会决定聘任或者解聘。经理对董事会负责，行使下列职权：

（一）主持公司的生产经营管理工作，组织实施董事会决议；

（二）组织实施公司年度经营计划和投资方案；

（三）拟订公司内部管理机构设置方案；

（四）拟订公司的基本管理制度；

（五）制定公司的具体规章；

（六）提请聘任或者解聘公司副经理、财务负责人；

（七）决定聘任或者解聘除应由董事会决定聘任或者解聘以外的负责管理人员；

（八）董事会授予的其他职权。

（注：以上内容也可由股东会自行确定）

经理列席董事会会议。

第十九条 公司设监事会，成员______人，监事会设主席一人，由全体监事过半数选举产生。监事会中股东代表监事与职工代表监事的比例为______：______。（注：由股东会自行确定，但其中职工代表的比例不得低于三分之一）

监事的任期每届为三年，任期届满，可连选连任。

（注：股东人数较少规格较小的公司可以设一至二名监事）

第二十条 监事会或者监事行使下列职权：

（一）检查公司财务；

（二）对董事、高级管理人员执行公司职务的行为进行监督，对违反法律、行政法规、公司章程或者股东会决议的董事、高级管理人员提出罢免的建议；

（三）当董事、高级管理人员的行为损害公司的利益时，要求董事、高级管理人员予以纠正；

（四）提议召开临时股东会会议，在董事会不履行公司法规定的召集和主持股东会会议职责时召集和主持股东会会议；

（五）向股东会会议提出提案；

（六）依照《公司法》第一百五十二条的规定，对董事、高级管理人员提起诉讼；

（七）其他职权。（注：由股东会自行确定，如股东会不作具体规定应将此条删除）

监事可以列席董事会会议。

第二十一条 监事会每年度至少召开一次会议，监事可以提议召开临时监事会会议。

第二十二条 监事会决议应当经半数以上监事通过。

监事会的议事方式和表决程序。（注：由股东会自行确定）

第六章 公司的法定代表人

第二十三条 董事长为公司的法定代表人，（注：也可是执行董事或经理），任期______年，由______选举产生，任期届满，可连选连任。（注：由股东会自行确定）

第七章 股东会会议认为需要规定的其他事项

第二十四条 股东之间可以相互转让其部分或全部出资。

第二十五条 股东向股东以外的人转让股权，应当经其他股东过半数同意。股东应就其股权转让事项书面通知其他股东征求同意，其他股东自接到书面通知之日起满三十日未答复的，视为同意转让。其他股东半数以上不同意转让的，不同意的股东应当购买该转让的股权；不购买的，视为同意转让。

经股东同意转让的股权，在同等条件下，其他股东有优先购买权。两个以上股东主张行使优先购买权的，协商确定各自的购买比例；协商不成的，按照转让时各自的出资比例行使优先购买权。

（注：以上内容亦可由股东会另行确定股权转让的办法。）

第二十六条 公司的营业期限______年，自公司营业执照签发之日起计算。

第二十七条 有下列情形之一的，公司清算组应当自公司清算结束之日起30日内向原公司登记机关申请注销登记：

（一）公司被依法宣告破产；

（二）公司章程规定的营业期限届满或者公司章程规定的其他解散事由出现，但公司通过修改公司章程而存续的除外；

（三）股东会决议解散或者一人有限责任公司的股东决议解散；

（四）依法被吊销营业执照、责令关闭或者被撤销；

（五）人民法院依法予以解散；

（六）法律、行政法规规定的其他解散情形。

（注：本章节内容除上述条款外，股东会可根据《公司法》的有关规定，将认为需要记载的其他内容一并列明。）

第八章　附　　则

第二十八条　公司登记事项以公司登记机关核定的为准。

第二十九条　本章程一式______份，并报公司登记机关一份。

全体股东亲笔签字、盖公章：

____年____月____日

§55. 股东协议书

【概念】

股东协议书是明确股东的权利与义务而订立的契约文书。它的特征与一般的经济合同的特征相同。股东协议书有的以“合作协议书”的形式出现，有的以“股东协议书”的形式出现。

【格式与要求】

股东协议书与一般的经济合同的写法要求一致，但它包含的内容不同。

股东协议书应包含以下内容：

1. 协议订立的宗旨和订协议人（股东）；
2. 股东合作内容；
3. 成立组织的名称；
4. 出资、盈利的分配、亏损的承担；
5. 合作期限、合作方式；
6. 股份的转让；
7. 股东议事方式；
8. 股东权利与义务；
9. 生效时间与股东签字。

【例文】

股东协议书

订立协议人(股东):A、B、C、D、E、F、G

为推广××教育科研成果,开发教育产业,促进儿童健康和谐发展,协议订立人达成以下协议:

一、合作人合作成立广州贞调教育实业公司,以进行教育产业开发,开展幼儿园/小学/中学/高等教育的开发和办学。

二、广州贞调教育实业公司注册地点在广州。

三、合作期限为十年。

四、股东每人出资50000元,每人占公司总股份的七分之一。

五、A、B、C以教育科研成果支持公司工作,其他人以资金支持公司工作。

六、公司的盈余在提取10%的公积金和10%的公益金后,按出资比例分配,一年分配一次,公司的债务依此法执行。

七、股东的股份转让依《中华人民共和国公司法》的规定执行。

八、公司的法人代表由股东选举。

九、股东有以下权利:(略)

十、股东发生纠纷时可向广州地区法院起诉。

十一、本协议一式七份,股东各执一份为凭,本协议自签字之日起生效。

股东签字:

签字生效时间

×年×月×日

§56. 劳动合同

【概念】

劳动合同是用人单位与劳动者之间建立一定的劳动关系而签订的有关劳动权利义务关系内容的协议。

【格式与要求】

1. 劳动合同必须齐全,并且内容要合法。

2. 主体资格要适合。

3. 劳动合同应为书面形式。

【例文】

【标题】 北京市劳动合同书

【分类】 劳动类合同

北京市劳动合同书

甲　　方	乙　　方
	文化程度
	性　　别
法定代表人	出生日期____年____月____日
或委托代理人	居民身份证号码
	邮政编码
甲方地址	家庭住址
	所属街道办事处

根据《中华人民共和国劳动法》,甲乙双方经平等协商同意,自愿签订本合同,共同遵守本合同所列条款。

一、劳动合同期限

第一条　本合同期限类型为______期限合同。

本合同生效日期____年____月____日,其中试用期______个月。

本合同________________终止。

二、工作内容

第二条　乙方同意根据甲方工作需要,担任______岗位(工种)工作。

第三条　乙方应按照甲方的合法要求,按时完成规定的工作数量,达到规定的质量标准。

三、劳动保护和劳动条件

第四条　甲方安排乙方执行______工作制。

(执行定时工作制的,甲方安排乙方每日工作时间不超过八小时,平均每周不超过四十四小时。甲方保证乙方每周至少休息一日,甲方由于工作需要,经与工会和乙方协商后可以延长工作时间,一般每日不得超过一小时,因特殊原因需要延长工作时间的,在保障乙方身体健康的条件下延长工作时间每日不得超过三小时,每月不得超过三十六小时。

执行综合计算工时工作制的,平均日和平均周工作时间不超过法定标准工作时间。

执行不定时工作制的,在保证完成甲方工作任务的情况下,工作和休息休假乙方自行安排。)

第五条 甲方安排乙方加班的，应安排乙方同等时间补休或依法支付加班工资；加点的，甲方应支付加点工资。

第六条 甲方为乙方提供必要的劳动条件和劳动工具，建立健全生产工艺流程，制定操作规程、工作规范和劳动安全卫生制度及其标准。

甲方应按照国家或北京市有关部门的规定组织安排乙方进行健康检查。

第七条 甲方负责对乙方进行政治思想、职业道德、业务技术、劳动安全卫生及有关规章制度的教育和培训。

四、劳动报酬

第八条 甲方的工资分配应遵循按劳分配原则。

第九条 执行定时工作制或综合计算工时工作制的乙方为甲方工作，甲方每月______日以货币形式支付乙方工资，工资不低于______元，其中试用期间工资为______元。

执行不定时工作制的工资支付按______执行。

第十条 由于甲方生产任务不足，使乙方下岗待工的，甲方保证乙方的月生活费不低于______元。

五、保险福利待遇

第十一条 甲乙双方应按国家和北京市社会保险的有关规定缴纳职工养老、失业和大病医疗统筹及其他社会保险费用。

甲方应为乙方填写《职工养老保险手册》。双方解除、终止劳动合同后，《职工养老保险手册》按有关规定转移。

第十二条 乙方患病或非因工负伤，其病假工资、疾病救济费和医疗待遇按照______执行。

第十三条 乙方患职业病或因工负伤的工资和医疗保险待遇按国家和北京市有关规定执行。

第十四条 甲方为乙方提供以下福利待遇____________________

____

____

六、劳动纪律

第十五条 乙方应遵守甲方依法制定的规章制度；严格遵守劳动安全卫生、生产工艺、操作规程和工作规范；爱护甲方的财产，遵守职业道德；积极参加甲方组织的培训，提高思想觉悟和职业技能。

第十六条 乙方违反劳动纪律，甲方可依据本单位规章制度，给予纪律处分，直至解除本合同。

七、劳动合同的变更、解除、终止、续订

第十七条 订立本合同所依据的,法律、行政法规、规章发生变化,本合同应变更相关内容。

第十八条 订立本合同所依据的客观情况发生重大变化,致使本合同无法履行的,经甲乙双方协商同意,可以变更本合同的相关内容。

第十九条 经甲乙双方协商一致,本合同可以解除。

第二十条 乙方有下列情形之一,甲方可以解除本合同:

1. 在试用期间,被证明不符合录用条件的;
2. 严重违反劳动纪律或甲方规章制度的;
3. 严重失职、营私舞弊,对甲方利益造成重大损害的;
4. 被依法追究刑事责任的。

第二十一条 下列情形之一,甲方可以解除本合同,但应提前三十日以书面形式通知乙方:

1. 乙方患病或非因工负伤,医疗期满后,不能从事原工作也不能从事由甲方另行安排的工作的;
2. 乙方不能胜任工作,经过培训或者调整工作岗位,仍不能胜任工作的;
3. 双方不能依据本合同第十八条规定就变更合同达成协议的。

第二十二条 甲方濒临破产进行法定整顿期间或者生产经营发生严重困难,经向工会或者全体职工说明情况,听取工会或者职工的意见,并向劳动行政部门报告后,可以解除本合同。

第二十三条 乙方有下列情形之一,甲方不得依据本合同第二十二条、第二十二条终止、解除本合同:

1. 患病或非因工负伤、在规定的医疗期内的;
2. 女职工在孕期、产期、哺乳期内的;
3. 义务兵复员退伍和建设征地农转工人员初次参加工作未满三年的;
4. 义务服兵役期间的。

第二十四条 乙方患职业病或因工负伤,医疗终结,经市、区、县劳动鉴定委员会确认完全或部分丧失劳动能力的,按________办理,不得依据本合同第二十一条、第二十二条解除劳动合同。

第二十五条 乙方解除本合同,应当提前三十日以书面形式通知甲方。

第二十六条 有下列情形之一,乙方可以随时通知甲方解除本合同。

1. 在试用期内的;
2. 甲方以暴力、威胁或者非法限制人身自由的手段强迫劳动的;
3. 甲方不能按照本合同规定支付劳动报酬或者提供劳动条件的。

第二十七条 本合同期限届满，甲乙双方经协商同意，可以续订劳动合同。

第二十八条 订立无固定期限劳动合同的，乙方离休、退休、退职及死亡或本合同约定的解除条件出现，本合同终止。

八、经济补偿与赔偿

第二十九条 下列情形之一，甲方违反和解除乙方劳动合同的，应按下列标准支付乙方经济补偿金：

1. 甲方克扣或者无故拖欠乙方工资的，以及拒不支付乙方延长工作时间工资报酬的，除在规定的时间内全额支付乙方工资报酬外，还需加发相当于工资报酬百分之二十五的经济补偿金；

2. 甲方支付乙方的工资报酬低于本市最低工资标准的，要在补足低于标准部分的同时，另外支付相当于低于部分百分之二十五的经济补偿金。

第三十条 下列情形之一，甲方应根据乙方在甲方工作年限，每满一年发给相当于乙方解除本合同前十二个月平均工资一个月的经济补偿金，最多不超过十二个月：

1. 经与乙方协商一致，甲方解除本合同的；

2. 乙方不能胜任工作，经过培训或者调整工作岗位，仍不能胜任工作，由甲方解除本合同的。

第三十一条 下列情形之一，甲方应根据乙方在甲方工作年限，每满一年发给相当于本单位上年月平均工资一个月的经济补偿金：

1. 乙方患病或者非因工负伤，经劳动鉴定委员会确认不能从事原工作，也不能从事由甲方另行安排的工作而解除本合同的；

2. 劳动合同订立时所依据的客观情况发生重大变化，致使本合同无法履行，经当事人协商不能就变更劳动合同达成协议，由甲方解除劳动合同的；

3. 甲方濒临破产进行法定整顿期间或者生产经营状况发生严重困难，必须裁减人员的。

以上三种情况，如果乙方被解除本合同前十二个月的月平均工资高于本单位上年月平均工资的，按本人月平均工资计发。

第三十二条 甲方解除本合同后，未按规定给予乙方经济补偿的，除全额发给经济补偿金外，还须按该经济补偿金数额的百分之五十支付额外经济补偿金。

第三十三条 支付乙方经济补偿时，乙方在甲方工作时间不满一年的按一年的标准发给经济补偿金。

第三十四条 乙方患病或者非因工负伤，经劳动鉴定委员会确认不能从事原工作，也不能从事由甲方另行安排的工作而解除本合同的，甲方还应发给乙方不低于企业上年月人均工资六个月的医疗补助费，患重病和绝症的还应增加医疗补助费，患重病的增加部分不低于医疗补助费的百分之五十，患绝症的增加部分不低于医疗补助费的百分之一百。

第三十五条 甲方违反本合同约定的条件解除劳动合同或由于甲方原因订立的无效劳动合同，给乙方造成损害的，应按损失程度承担赔偿责任。

第三十六条 乙方违反本合同约定的条件解除劳动合同或违反本合同约定的保守商业秘密事项，对甲方造成经济损失的，应按损失的程度依法承担赔偿责任。

第三十七条 乙方解除本合同的，凡由甲方出资培训和招接收的人员，应向甲方偿付培训费和招待收费。其标准为：______________________________

____

____

九、劳动争议处理

第三十八条 因履行本合同发生的劳动争议，当事人可以向本单位劳动争议调解委员会申请调解；调解不成，当事人一方要求仲裁的，应当自劳动争议发生之日起六十日内向__________劳动争议仲裁委员会申请仲裁。当事人一方也可以直接向劳动争议仲裁委员会申请仲裁。对裁决不服的，可以向人民法院提起诉讼。

十、其他

第三十九条 甲方以下规章制度______________________________

____

____作为本合同的附件。

第四十条 本合同未尽事宜或与今后国家、北京市有关规定相悖的，按有关规定执行。

第四十一条 本合同一式两份，甲乙双方各执一份。

甲方(盖章)　　　　　　　　　　乙方(签章)

法定代表人

或委托代理人(签章)

签订日期：____月____月____日

鉴证机关(盖章)　　　　　　　　鉴证员(签章)

鉴证日期：____年____月____日

劳动合同续订书

本次续订劳动合同期限类型为______期限合同，续订合同生效日期为____年____月____日，续订合同______终止。

甲方(盖章)　　　　　　　　　乙方(签章)

法定代表人

或委托代理人(签章)　　　　　　　　　　　　　　　　＿＿年＿＿月＿＿日

本次续订劳动合同期限类型为＿＿＿期限合同,续订合同生效日期为＿＿年＿＿月＿＿日,续订合同＿＿＿终止。

甲方(盖章)　　　　　　　　　乙方(签章)

法定代表人

或委托代理人(签章)　　　　　　　　　　　　　　　　＿＿年＿＿月＿＿日

劳动合同变更书

经甲乙双方平等自愿、协商同意,对本合同作以下变更:

甲方(盖章)　　　　　　　　　乙方(签章)

法定代表人

或委托代理人(签章)　　　　　　　　　　　　　　　　＿＿年＿＿月＿＿日

§57. 保密协议

雇员保密协议

甲方:＿＿＿＿＿＿＿＿

乙方:＿＿＿＿＿＿＿＿

甲方作为乙方公司的雇员,对公司负有保密的义务,为了明确双方的权利义务,特订立本协议。

一、甲方对在乙方公司工作期间接触到的任何商业秘密,以及相关的技术知识、信息,包括未申请专利权的发明创造、设计、方法、秘密资料、技术信息及相关数据、说明书、蓝图、幻灯片、测试数据,以及附加产品、改造和改进技术等等,甲方在任何时间、任何情况下均有保密的义务,不得将上述商业秘密泄露给其他任何个人、公司、机构或企业实体。乙方对披露该商业秘密有授权的除外。

二、甲方上述保密义务在受雇于乙方公司的期间内持续有效,在甲方因为任何原因离职时,在双方约定的有效。

三、甲方如违反本协议规定的以及其他本协议中未明确列举的有关商业秘密的保密义务,愿意承担相应的法律责任。

甲方签字:＿＿＿＿＿＿＿＿　　　　乙方签字:＿＿＿＿＿＿＿＿

日期:＿＿＿＿＿＿＿＿　　　　日期:＿＿＿＿＿＿＿＿

保密协议

甲方：__________________

乙方：__________________公司

甲方受乙方邀请加入关于项目的商谈与合作，在合作谈判、准备以及实施期间，甲方获准参阅乙方开发、掌握的有关资料与信息，但负有对有关商业秘密、技术秘密保密的义务，经双方协商，甲方应遵守下列条款：

一、乙方书面同意，甲方不得将任何在该项目合作谈判、准备以及实施过程中接触、掌握的任何与项目有关的资料、信息透露给其他第三人。

二、除了本次合作谈判以及准备活动的需要，或者在甲乙双方关于该项目的合作协议达成后实施的需要，甲方在其他任何方面不得使用在该项目谈判、准备过程中接触、掌握的有关的资料、信息。

三、一旦关于该项目的谈判没有达成一致，甲方应将所有从乙方取得的资料归还乙方。

四、不论甲乙双方关于该项目的合作成功与否，甲方均不得利用在该项目谈判、准备以及实施过程中接触、掌握的有关的资料、信息开展与乙方的此类项目有关的竞争业务。

五、甲方对于违反本协议而造成的乙方的损失负有赔偿义务，包括造成的直接、间接损失、诉讼费以及为取得赔偿而支出的其他费用。但是在有下列情况出现时，甲方免责。

(1) 资料已经公开；

(2) 乙方已以书面形式将其披露；

(3) 此资料可以合法途径从其他第三方处获得；

(4) 在此之前资料已被甲方知晓或由其独立研究。

甲方签章：__________________　　乙方签章：__________________

日期：__________________　　日期：__________________

§58. 购销合同

【概念】

购销合同是供需双方以产品为标的，为买卖产品而明确相互权利和义务的协议。

购销合同的主要特征有：

1. 合同的主体为法人、个体经营者、村民、专业户及其他经济组织。

2. 合同的标的包括生产资料和生活资料。

【格式与要求】

购销合同的格式有表格式和条款式,实际中多采用表格式或表格条款式。

购销合同具有以下内容:产品名称,应署全名,并注明牌号、商标、厂家、型号、规格、花色和等级等,不能使用习惯用语和方言;产品的数量及计量方法;产品的质量;产品包装;交货地点及方式,产品的运输方式;交货期限及结算方式;产品的验收方法及提出异议期限;产品的价格;违约责任。

当事人名称应写为供方。产品的计量单位,不得使用不符合国家规定的计量标准和方法。产品的包装条款不能简写为"袋装、瓶装、箱装、桶装"。在签订合同时,要明确规定验收主体、验收方法及标准、验收争议中的仲裁等。

【例文】

工矿产品购销合同________________

供方:________________合同编号:________________

需方:________________签订日期:×年×月×日

签订地点:________________经充分协商,签订本合同,共同信守。

一、产品名称、数量、价格:________________。

二、质量、技术标准和检验方法、时间及负责期限:________________。

三、交(提)货日期:________________。

四、交(提)货及验收方法、地点、期限:________________。

五、包装标准、要求及供应、回收、作价办法:________________。

六、运输方式、到达港(站)及运杂费负担:________________。

七、配件、备品、工具等供应办法:________________。

八、超欠幅度:交货数量超欠在______%范围内,不作违约论处。

九、合理磅差、自然减(增)量的计算:________________。

十、给付定金数额、时间、方法:________________。

十一、结算方式及期限:________________。

十二、保险费:以______方名义,由______方按本合同总值______%投保,保险费由__________负担。

十三、违约责任:供方不能交货,需中途退货的,向对方偿付不能交货或中途退货部分货款总值______%的违约金。

十四、其他:__________未尽事宜,均按《中华人民共和国经济合同法》和《工矿产品销合同条例》规定执行。

§59. 对外合资合作合同

【概念】

合资合作经营合同是中外合资经营企业合同与中外合作经营企业合同的合称。它是中外双方(或多方)当事人就创办企业时依法订立的有关权利与义务的协议。中外合资经营企业为“股权式的合营企业”。中外合作企业则为“契约性的合营企业”。

【格式与要求】

条款式的中外合资合作经营企业合同,按其结构形式,可分为三大部分:标题、正文、结尾。

1. 标题。标题写在合同的开头正中间。如“中外合资经营企业合同”。

2. 正文。第一章为“总则”,包括合同双方单位名称、签约的依据、地点等。第二章为“合营各方”,主要写合营各方的法定地址,法定代表人的姓名、职务、国籍。从第三章开始,分章叙写经双方协商取得一致意见的具体内容,包括:合营经营公司;生产经营目的、范围和规模;投资总额与注册资本;合营各方的责任;技术转让;产品的销售;董事会;经营管理机构;设备购买;筹备和建设;劳动管理;税务、财务、审计;合营期限;合营期满财产处理;保险;合同的修改,变更与解除;违约责任;不可抗力;适用法律;争议的解决;文字、合同生效及其他。

3. 结尾。合同的结尾是双方代表的签字盖章。

【例文】

中外合资/合作经营企业合同参考格式

第一章 总 则

中国______公司和______国_______公司,根据《中华人民共和国中外合资经营企业法》/《中华人民共和国中外合作经营企业法》及中国的其他有关法规,本着平等互利的原则,通过友好协商,同意在中华人民共和国北京市中关村科技园区内,共同投资举办合资经营企业,特订立本合同。

第二章 合营各方

第一条 本合同的各方为:

中国______公司(以下简称甲方),在中国______登记注册,其法定地址在中国＿＿市＿＿区＿＿街＿＿号。法定代表:姓名＿＿职务＿＿国籍＿＿。

＿＿国＿＿公司(以下简称乙方),在＿＿国＿＿地登记注册,其法定地址在＿＿。

法定代表:姓名＿＿职务＿＿国籍＿＿。

(注:若两个以上合营者,依次称丙、丁……方。)

第三章　成立合资(合作)经营公司

第二条　甲、乙方根据《中华人民共和国中外合资经营企业法》/《中华人民共和国中外合作经营企业法》及中国的其他有关法规,同意在中国境内建立合资(合作)经营＿＿有限责任公司(以下简称合营公司)。

第三条　合营公司的名称为＿＿有限公司。

外文名称为＿＿。

合营公司的法定地址为:北京市海淀区＿＿路＿＿号

第四条　合营公司的一切活动,必须遵守中华人民共和国的法律、法令和有关条例规定。

第五条　合营公司的组织形式为有限责任公司。甲、乙方以各自认缴的出资额对合营公司的债务承担责任。各方按其出资额在注册资本中的比例分享利润和分担风险及亏损。

第四章　生产经营目的、范围和规模

第六条　甲乙方合资(合作)经营的目的是:本着加强经济合作和技术交流的愿望,采用先进而适用的技术和科学的经营管理方法,提高产品质量,发展新产品,并在质量、价格等方面具有国际市场上的竞争能力,提高经济效益,使投资各方获得满意的经济利益。(注:在具体合同中要根据具体情况填写)

第七条　合营公司生产经营范围是:＿＿

(法律、法规和国家外商投资产业政策禁止的,不得经营;法律、法规规定需要专项审批和国家外商投资产业政策限制经营的项目,未获审批前不得经营;法律、法规未规定专项审批且国家外商投资产业政策未限制经营的,自主选择经营项目,开展经营活动。)

第八条　合营公司的生产规模如下:(注:要根据具体情况填写)

第五章　投资总额与注册资本

第九条　合营公司的投资总额为人民币______元(或外币)。

第十条　甲、乙方的出资额共为人民币______元,以此为合营公司的注册资本(合作企业按甲、乙方的出资条件约定分享利润和风险,不计算出资比例)。

其中:甲方______元,占______%,乙方______元,占______%

第十一条　甲、乙双方将以下列作出资为:

甲方:现金______元

机械设备______元

厂房______元

土地使用权______元

工业产权______元

其他______元　　共______元。

乙方:现金______元

机械设备______元

工业产权______元

其他______元　　共______元。

(注:以实物、工业产权作为出资时,甲、乙双方应另行订立合同,作为本合同的组成部分。)

第十二条　合营公司注册资本由甲、乙方按其出资比例分______期缴付,每期缴付的数额如下:(注:根据具体情况填写)

第十三条　甲、乙任何一方如向第三者转让其全部或部分出资额,须经另一方同意,并报审机构批准。

一方转让其全部或部分出资额时,另一方有优先购买权。

第六章　合营各方的责任

第十四条　甲、乙方应各自负责完成以下各项事宜:

甲方责任:

办理为设立合营公司向中国有关主管部门申请批准、登记注册、领取营业执照等事宜:向土地主管部门办理申请取得土地使用权的手续;

组织合营公司厂房和其他工程设施的设计、施工;

按第十一条规定提供现金、机械设备、厂房……;

协助办理乙方作为出资而提供的机械设备的进口报送手续和在中国境内的运输;

协助合营公司联系落实水、电、交通等基础设施；

协助合营公司招聘当地的中国籍的经营管理人员、技术人员、工人和所需的其他人员；

协助外籍工作人员办理所需的入境签证、工作许可证和旅行手续等；

负责办理合营公司委托的其他事宜。

乙方责任：

按第十一条规定提供现金、机械设备、工业产权……并负责将作为出资的机械设备等实物运至中国港口；

办理合营公司委托在中国境外选购机械设备、材料等有关事宜；

提供需要的设备安装、调试以及试生产技术人员、生产和检验技术人员；

培训合营公司的技术人员和工人；

如乙方同时又是技术转让方，则应负责合营公司在规定期限内按设计能力稳定地生产合格产品；

负责办理合营公司委托的其他事宜。

（注：要根据具体情况填写）

第七章　技术转让

第十五条　甲、乙双方同意，由合营公司与______方或第三者签订技术转让协议，以取得为达到本合同第四章规定的生产经营目的、规模所需的先进生产技术，包括产品设计、制造工艺、测试方法、材料配方、质量标准、培训人员等（注：要在合同中具体写明）。

第十六条　乙方对技术转让提供如下保证：（注：在乙方负责向合营公司转让技术的合营合同中才有此条款）

1. 乙方保证为合营公司提供的______（注：要写明产品名称）的设计、制造技术、工艺流程、测试和检验等全部技术是完整的、准确的，可靠的，是符合合营公司经营目的的要求的，保证能达到本合同要求的生产能力；

2. 乙方保证本合同和技术转让协议规定的技术全部转让给合营公司，保证提供的技术是乙方同类技术中最先进的技术，设备的选型及性能质量是优良的，并符合工艺操作和实际使用的要求；

3. 乙方对技术转让协议中规定的各阶段提供的技术和技术服务，应开列详细清单作为该协议的附件，并保证实施；

4. 图纸、技术条件和其他详细资料是所转让的技术的组成部分，保证如期提交；

5. 在技术转让协议有效期内，乙方对该项技术的改进，以及改进的情报和

技术资料,应及时提供合营公司,不另收费用;

6. 乙方保证在技术转让协议规定的期限内使合营公司技术人员和工人掌握所转让的技术。

第十七条 如乙方未按本合同及技术转让协议的规定设备和技术,或发现有欺骗或隐瞒之行为,乙方应负责赔偿合营公司的直接损失。

第十八条 技术转让费采取提成方式支付。提成率为产品出厂净销售额的______%。提成支付期限按照本合同第十九条规定的技术转让协议期限为期限。

第十九条 合营公司与乙方签订的技术转让协议期限为______年。技术转让协议期满后,合营公司有权继续使用和研究发展该引进技术。

(注:技术转让协议期限一般不超过十年,协议须经商务部或其委托的审批机构批准)

第八章 产品销售

第二十条 为了在中国境内外销售产品和进行销售后的产品维修服务,经中国有关部门批准,合营公司可在中国境内外设立销售维修服务的分支机构。

第二十一条 合营公司的产品使用商标为______。

第九章 董事会

第二十二条 本公司营业执照签发之日,为公司董事会成立之日。

第二十三条 董事会由______名董事组成,其中甲方委派______名,乙方委派______名,董事长一名,由______方指定,副董事长______名,由______方指定。

第二十四条 董事任期______年,经委派方继续委派,可以连任。

第二十五条 董事会是公司的最高权力机构,决定公司的一切重大事宜。下列事项需由出席董事会会议的董事一致通过决定:

(一) 修改公司章程;

(二) 解散公司;

(三) 调整公司注册资本;

(四) 一方或数方转让其在本公司的股权;

(五) 一方或数方将其在本公司的股权质押给债权人;

(六) 公司合并或分立;

(七) 抵押公司资产;

第二十六条 董事长是公司的法定代表人。董事长不能履行其职责时,应授权他人代为履行,董事长未明确授权的,由副董事长代理。

第二十七条 董事会会议每年至少召开一次(年会),在公司住所或董事会指定的其他地点举行,由董事长召集主持会议。经______名(全体董事人数的三分之一)以上的董事提议,董事长应召开董事会临时会议。

召开董事会会议的通知应包括会议时间和地点、议事日程,且应当在会议召开的10日前以书面形式发给全体董事。

会议记录归档保存。

第二十八条 董事会年会和临时会议应当有______名(全体董事人数的三分之二)以上董事出席方能举行。

每名董事享有一票表决权。

第二十九条 各方有义务确保其委派的董事出席董事会年会和临时会议。董事因故不能参加董事会会议,应出具委托书,委托他人代表其出资会议。

第三十条 如果一方或数方所委派的董事不出席董事会会议也不委托他人代表其出席会议,致使董事会______日内不能就法律、法规和本合同(章程)所列之公司重大问题或事项作出决议,则其他方(通知人)可以向不出席董事会会议的董事及委派他们的一方或数方(被通知人),按照该方法定地址(住所)再次发出书面通知,敦促其在规定日期内出席董事会会议。

第三十一条 前条所述之敦促通知应至少在确定召开会议日期的60日前,以双挂号函方式发出,并应当注明在本通知发出的至少45日内被通知人应书面答复是否出席董事会会议。如果被通知人在通知规定期限内仍未答复是否出席董事会会议,则应视为被通知人弃权,在通知人收到双挂号函回执后,通知人所委派的董事可召开董事会特别会议,即使出席该董事会特别会议的董事达不到举行董事会会议的法定人数,经出席董事会特别会议的全体董事一致通过,仍可就公司之重大问题或事项作出有效决议。

第三十二条 不在公司经营管理机构任职的董事,不在公司领取薪金。

与举行董事会会议有关的全部费用由公司承担。

第十章 经营管理机构

第三十三条 合营公司设经营管理机构,负责公司的日常经营管理工作。经营管理机构设总经理一人,由______方推荐;副总经理______人,由甲方推荐______人,乙方推荐______人。总经理、副总经理由董事会聘请、任期______年。

第三十四条 总经理的职责是执行董事会会议的各项决议,组织领导合营公司的日常经营管理工作。副总经理协助总经理工作。

第三十五条 总经理的职责是执行董事会会议的各项决议,组织领导合营公司的日常经营管理工作。副总经理协助总经理工作。

经营管理机构可设若干部门经理，分别负责企业各部门的工作，办理总经理和副总经理交办的事项，并对总经理和副总经理负责。

第三十六条 总经理、副总经理有营私舞弊或严重失职的，经董事会会议决议可随时撤换。

第十一章 设备购买

第三十七条 合营公司所需原材料、燃料、配套件、运输工具和办公用品等，在条件相同情况下，优先在中国购买。

第三十八条 合营公司委托乙方在国外市场选购设备时，应邀请甲方派人参加。

第十二章 筹备和建设

第三十九条 合营公司在筹备、建设期间，在董事会下设筹建处。筹建处由______人组成，其中甲方______人，乙方______人。筹建处主任一人，由______方推荐，副主任一人，由______方推荐。筹建处主任、副主任由董事会任命。

第四十条 筹建处具体负责审查工程设计，签订工程施工承包合同，组织有关设备、材料等物资的采购和验收，制定工程施工总进度，编制用款计划，掌握工程财务支付和工程决算，制定有关的管理办法，做好工程施工过程中文件、图纸、档案、资料的保管和整理等工作。

第四十一条 甲乙双方指派若干技术人员组成技术小组，在筹建处领导下，负责对设计、工程质量、设备材料和引进技术的审查、监督、检验、验收和性能考核等工作。

第四十二条 筹建处工作人员的编制，报酬及费用，经甲乙双方同意后，列入工程预算。

第四十三条 筹建处在工厂建设完成并办理完毕移交手续后，经董事地批准撤销。

第十三章 劳动管理

第四十四条 合营公司职工的招收、招聘、辞退、工资、劳动保险、生活福利和奖惩等事项，按照《中华人民共和国劳动法》及其实施办法，经董事会研究制定方案，由合营公司和合营公司的工会组织集体或个别地订立劳动合同加以规定。

劳动合同订立后，报当地劳动管理部门备案。

第四十五条 甲、乙方推荐的高级管理人员的聘请和工资待遇、社会保险、福利、差旅费标准等，由董事会会议讨论决定。

第十四章　税务、财务、审计

第四十六条　合营公司按照中国的有关法律和条例规定缴纳各项税金。

第四十七条　合营公司职工按照《中华人民共和国个人所得税法》缴纳个人所得税。

第四十八条　合营公司按照《中华人民共和国中外合资经营企业法》的规定提取储备基金、企业发展基金及职工福利奖励基金，每年提取的比例由董事会根据公司经营情况讨论决定。

第四十九条　合营公司的会计年度从每年一月一日起至十二月三十一日止，一切记账凭证、单据、账簿，用中文书写。

第五十条　合营企业的财务审计聘请在中国注册的会计师审查稽核，并将结果报告董事会和总经理。

如乙方认为需要聘请其他国家的审计师对年度财务进行审查，甲方应予以同意。其所需要一切费用由乙方负担。

第五十一条　每一营业年度的头三个月，由总经理组织编制上一年度的资产负债表、损益计算书和利润分配方案，提交董事会会议审查通过。

第十五章　合营期限

第五十二条　合营公司的期限为______年。合营公司的成立日期为合营公司营业执照签发之日。

经一方提议，董事会会议一致通过，可以在合营期满六个月前向商务部（或其委托的审批机构）申请延长合营期限。

第十六章　合营期满财产处理

第五十三条　合营期满或提前终止合营，合营公司应依法进行清算，清算后的财产，根据甲、乙各方投资比例进行分配。

第十七章　保　　险

第五十四条　合营公司的各项保险均在中国保险公司投保，投保险别、保险价值、保险期等按照中国保险公司的规定由合营公司董事会会议讨论决定。

第十八章　合同的修改、变更与解除

第五十五条　对本合同及其附件的修改，必须经甲、乙双方签署书面协议，并报原审批机构批准，才能生效。

第五十六条 由于不可抗力，使致合同无法履行，或是由于合营公司连年亏损、无力继续经营，经董事会一致通过，并报原审批机构批准，可以提前终止合营合同。

第五十七条 由于一方不履行合同、章程规定的义务，或严重违反合同、章程规定，造成合营公司无法经营或无法达到合同规定的经营目的，视作违约方单方终止合同，对方除有权向违约一方索赔外，并有权按合同规定报原审批机构批准终止合同。如甲、乙双方同意继续经营，违约方应赔偿合营公司的经济损失。

第十九章 违约责任

第五十八条 甲、乙任何一方未按本合同第五章的规定依期按数提交完出资额时，从逾期第一个月算起，每逾期一个月，违约一方应缴付应交出资额的百分之______的违约金给守约的一方。如逾期三个月仍未提交，除累计缴付应交出资额外负担的百分之______的违约金外，守约一方有权按本合同第五十三条规定终止合同，并要求违约赔偿损失。

第五十九条 由于一方的过失，造成本合同及其附件不能履行或不能完全履行时，由过失的一方承担违约责任；如属双方的过失，根据实际情况，由双方分别承担各自应负的违约责任。

第二十章 不可抗力

第六十条 由于地震、台风、水灾、火灾、战争以及其他不能预见并且对其发生和后果不能防止或避免的不可抗力事故，致使直接影响合同的履行或者不能按约定的条件履行时，遇有上述不可抗力事故的一方，应立即将事故情况通知对方，并应在十五天内，提供事故详情及合同不能履行、或者部分不能履行、或者需要延期履行的理由的有效证明文件，此项证明文件应由事故发生地区的公证机构出具。按照事故对履行合同影响的程度，由双方协商决定是否解除合同，或者部分免除履行合同的责任，或者延期履行合同。

第二十一章 适用法律

第六十一条 本合同的订立、效力、解释、履行和争议的解决均受中华人民共和国法律的管辖。

第二十二章 争议的解决

第六十二条 凡因本合同所发生的或与本合同有关的一切争议，双方应通过友好协商解决;如果协商不能解决,应提交中国国际贸易仲裁委员会,根据该会的仲裁程序暂行规则进行仲裁。仲裁裁决是终局的,对双方都有约束力。

或者

凡因执行本合同所发生的或与本合有关的一切争议,双方应通过友好协商解决;如果协商不能解决,应提交X国X地X仲裁机构根据该仲裁机构程序进行仲裁。仲裁裁决是终局的,对双方都有约束力。

或者

凡因执行本合同所发生的或与本合同有关的一切争议,双方应通过友好协商解决;如果协商不能解决,应提交仲裁。

仲裁在被诉人所在国进行:

在中国,由中国国际经济贸易仲裁委员会根据该地的仲裁程序暂行规则进行仲裁。

在(被诉人国名),由(被诉人国家的仲裁组织名称)根据该组织的仲裁程序进行仲裁。

仲裁裁决是终局的,对双方都有约束力。

(注:在订立合同时,上述三种方式仅能选一。)

第六十三条 在仲裁过程中,除双方有争议正在进行仲裁的部分外,本合同应继续履行。

第二十三章 文 字

第六十四条 本合同中用中文和______文写成,两种文字具有同等效力。上述两种文本如有不符,以中文为准。

第二十四章 合同生效及其他

第六十五条 按照本合同规定的各项原则订立如下的附属协议文件(如:工程协议、技术转让协议、销售协议等),为本合同的组成部分。

第六十六条 本合同及其附件,均须经中华人民共和国商务部(或其委托的审批机构)批准,自批准之日起生效。

第六十七条 甲、乙双方发送通知的方法,如用电报、电传通知时,凡涉及各方权利、义务的,应随之以书面信件通知。合同中所列甲、乙双方的法定地址即为甲、乙双方的收件地址。

第六十八条 本合同于____年____月____日由甲、乙双方授权代表在中国________签字。

中国______________公司

法定代表人签字：　　　　（盖章）

________国_________________公司

法定代表人签字：

§60. 技术开发合同

合同登记编号：

技术开发合同

项目名称：____________________________________

委托人：

（甲方）____________________________________

研究开发人：

（乙方）________________________________

签订地点：　　　　　　省（市）　　　　　　市、县（区）

签订日期：　　年　　月　　日

有效期限：　　年　　月　　日至　　年　　月　　日

北京技术市场管理办公室

填表说明

一、“合同登记编号”由技术合同登记处填写。

二、技术开发合同是指当事人之间就新技术、新产品、新工艺和新材料及其系统的研究开发所订立的合同。

三、计划内项目应填写国务院部委、省、自治区、直辖市、计划单列市、地、市(县)级计划。不属于上述计划的项目此栏划(/)表示。

四、标的技术的内容、范围及要求

包括开发项目应达到的开发目的、使用范围、技术经济指标及效益情况。

五、研究开发计划

包括当事人各方实施开发项目的阶段进度、各个阶段要解决的技术问题、达到的目标和完成的期限等。

六、本合同书的履行方式(包括成果提交方式及数量)

1. 产品设计、工艺规程、材料配方和其他图纸、论文、报告等技术文件;
2. 磁盘、光盘、磁带、计算机软件;
3. 动物或植物新品种、微生物菌种;
4. 样品、样机;
5. 成套技术设备。

七、技术情报和资料的保密

包括当事人各方情报和资材保密义务的内容、期限和泄漏技术秘密应承担的责任。

八、本合同书中,凡是当事人约定认为无需填写的条款,在该条款填写的空白处划(/)表示。

依据《中华人民共和国合同法》的规定,合同双方就______________________________项目的技术开发(该项目属______________________________计划※),经协商一致,签订本合同。

一、标的技术的内容,范围及要求※

二、应达到的技术指标和参数

三、研究开发计划※

四、研究开发经费、报酬及其支付或结算方式

(一) 研究开发经费是指完成项目研究开发工作所需的成本,报酬是指本项目开发成果的使用费和研究开发人员的科研补贴。

本项目研究开发经费和报酬(大写)　　　　　　　　元,其中经费　　　　　元,报酬　　　　　元。

(二) 支付方式

① 一次总付　　　　　　　　　　元,时间:

② 分期支付 元,时间:

　　　　　元,时间:

③ 按利润额的　　　　　　　　%提成,期限:

④ 按销售额的　　　　　　　　%提成,期限:

⑤ 其他方式:

五、利用研究开发经费购置的设备、器材、资料的财产权属

六、履行的期限、地点和方式

本合同自　　年　　月　　日至　　年　　月　　日在。

履行。

本合同的履行方式※

注:本合同书标有※号的条款请按填写说明填写

七、技术情报和资料的保密※

八、技术协作和技术指导的内容

九、技术成果的归属和分享

(一) 专利申请权:

(二) 技术秘密的使用权、转让权:

十、验收的标准和方式

研究开发所完成的技术成果,达到了本合同第二条所列技术指标,按　　　　标准,采用　　　　方式验收,由　　　　出具技术项目验收证明。

十一、风险责任的承担

在履行本合同的过程中,确因在现有水平和条件下难以克服的技术困难,导致研究开发部分或全部失败所造成的损失,风险责任由甲方承担　　%,乙方承担　　%。

本项目风险责任确认的方式:

十二、违约金或者损失赔偿额的计算

违反本合同约定,违约方应按照《中华人民共和国合同法》有关条款的规定承担违约责任。

(一) 违反本合同第　　条约定,　　　　方应承担以下违约责任:

(二) 违反本合同第　　条约定,　　　　方应承担以下违约责任:

十三、解决合同纠纷的方式

在履行本合同的过程中发生争议,双方当事人和解或调解不成,可采取仲裁或按司法程序解决。

(一) 双方同意由　　　　仲裁委员会仲裁。

(二) 双方约定向(被告住所地、合同履行地、合同签订地、原告住所地、标的物所在地)人民法院起诉。

十四、名词和术语的解释

十五、其他

<table>
<tr><td rowspan="8">委托人（甲方）</td><td>名称（或姓名）</td><td colspan="3">（签章）</td><td rowspan="8">技术合同专用章
或
单位公章

年　月　日</td></tr>
<tr><td>法定代表人</td><td colspan="3">（签章）</td></tr>
<tr><td>委托代理人</td><td colspan="3">（签章）</td></tr>
<tr><td>联系（经办）人</td><td colspan="3">（签章）</td></tr>
<tr><td>住所（通讯地址）</td><td></td><td>邮政编码</td><td></td></tr>
<tr><td>电话</td><td></td><td>传真</td><td></td></tr>
<tr><td>开户银行</td><td colspan="3"></td></tr>
<tr><td>账号</td><td colspan="3"></td></tr>
<tr><td rowspan="8">研究开发人（乙方）</td><td>名称（或姓名）</td><td colspan="3">（签章）</td><td rowspan="8">技术合同专用章
或
单位公章

年　月　日</td></tr>
<tr><td>法定代表人</td><td colspan="3">（签章）</td></tr>
<tr><td>委托代理人</td><td colspan="3">（签章）</td></tr>
<tr><td>联系（经办）人</td><td colspan="3">（签章）</td></tr>
<tr><td>住所（通讯地址）</td><td></td><td>邮政编码</td><td></td></tr>
<tr><td>电话</td><td></td><td>传真</td><td></td></tr>
<tr><td>开户银行</td><td colspan="3"></td></tr>
<tr><td>账号</td><td colspan="3"></td></tr>
</table>

印花税票粘贴处

登记机关审查登记栏：

经办人：　　　　　　　　　　技术合同登记机关（专用章）

（签章）　年　　月　　日

§61. 技术转让合同

合同登记编号：

技术转让合同

（仅适用于技术秘密转让）

项目名称：________________________________

受让人：
（甲方）________________________________

让与人：
（乙方）________________________________

签订地点：　　　　省（市）　　　　市、县（区）

签订日期：　　年　　月　　日

有效期限：　　年　　月　　日至　　年　　月　　日

北京技术市场管理办公室

填表说明

一、"合同登记编号"由技术合同登记处填写。

二、技术转让合同是指当事人就专利权转让、专利申请权转让、专利实施许可、技术秘密转让所订立的合同。本合同文本适用于技术秘密转让合同。专利权转让合同、专利申请权转让合同、专利实施许可合同，采用专利技术合同文本签订。

三、计划内项目应填写国务院部委、省、自治区、直辖市、计划单列、地、市（县）级计划。不属于上述计划的项目比栏划（/）表示。

四、技术秘密的范围和保密期限是指各方承担技术保密义务的内容、保密的地域范围和保密的起止时间、泄漏技术秘密应承担的责任。

五、本合同书中，凡是当事人约定认为无需填写的条款。在该条款填写的空白处划（/）表示。

依据《中华人民共和国合同法》的规定，合同双方就____项目的技术转让（该项目属________________________计划※），经协商一致，签订本合同。

一、技术秘密的内容、要求和工业化开发程度

二、技术情报和资料及其提交期限、地点和方式

乙方自合同生效之日起　　　　　　天内，在　　　　　　　　履行，以　　　　方式，向甲方提供下列技术资料：

三、本项目技术秘密的范围和保密期限※

四、使用技术秘密的地域范围和具体方式

甲方：

乙方：

五、验收标准和方法

甲方使用该项技术，试生产　　　　　　后，达到了本合同第一条所列技术指标，按　　　　标准，采用　　　　　　方式验收，由　　　　　　出具技术项目验收证明。

六、经费及其支付方式

（一）成交总额（大写）　　　　　　元

其中技术交易额（大写）　　　　　　元

（二）支付方式

① 一次总付　　　　　　元，时间：

② 分期支付　　　　　　元，时间：

　　　　　　　　　　　　元，时间：

③ 按利润额的　　　　　　%提成，期限：

④ 按销售额的　　　　　　%提成，期限：

⑤ 其他方式：

注：本合同书标有※号的条款请按填写说明填写

七、违约金或者损失赔偿额的计算

违反本合同约定，违约方应当按照《中华人民共和国合同法》有关条款的规定承担违约责任。

（一）违反本合同第　　条约定，　　　　　　　　　　方应承担以下违约责任：

（二）违反本合同第　　条约定，　　　　　　　　　　方应承担以下违约责任：

八、技术指导的内容（含地点、方式及费用）

九、后续改进的提供与分享

本合同所称的后续改进，是指在本合同有效期内，任何一方或者双方对合同标的的技术秘密所作的革新和改进。

双方约定，本合同标的的技术秘密后续改进由　　　　　　　方完成，后续改进成果属于　　　　　　方。

十、解决合同纠纷的方式

在履行本合同的过程中发生争议，双方当事人和解或调解不成，可采取仲裁或按司法程序解决。

（一）双方同意由　　　　　　　　仲裁委员会仲裁。

（二）双方约定向（被告住所地、合同履行地、合同签订地、原告住所地、标的物所在地）的人民法院起诉。

十一、名词和术语的解释

十二、其他

当事人	项目	内容			盖章
委托人（甲方）	名称（或姓名）	（签章）			技术合同专用章 或 单位公章 年　月　日
	法定代表人	（签章）			
	委托代理人	（签章）			
	联系（经办）人	（签章）			
	住所（通讯地址）		邮政编码		
	电话		传真		
	开户银行				
	账号				
让与人（乙方）	名称（或姓名）	（签章）			技术合同专用章 或 单位公章 年　月　日
	法定代表人	（签章）			
	委托代理人	（签章）			
	联系（经办）人	（签章）			
	住所（通讯地址）		邮政编码		
	电话		传真		
	开户银行				
	账号				

印花税票粘贴处

登记机关审查登记栏：

经办人：

技术合同登记机关（专用章）

（签章）　　年　　月　　日

§62. 技术咨询合同

合同登记编号：

技术咨询合同

项目名称：________________

委托人：
（甲方）________________

受托人：
（乙方）________________

签订地点：　　　　省（市）　　　　市、县（区）

签订日期：　　年　　月　　日

有效期限：　　年　　月　　日至　　年　　月　　日

北京技术市场管理办公室

填表说明

一、"合同登记编号"由技术合同登记处填写。

二、技术咨询合同是指当事人一方为另一方就特定技术项目提供可行性论证、技术预测、专题技术调查、分析评价报告等所订立的合同。

三、计划内项目应填写国务院部委、省、自治区、直辖市、计划单列市、地、市(县)级计划。不属于上述计划的项目此栏划(/)表示。

四、技术情报和资料的保密

包括当事人各方情报和资料保密义务的内容、期限和泄漏技术秘密应承担的责任。

五、本合同书中,凡是当事人约定无需填写的条款,在该条款填写的空白处划(/)表示。

依据《中华人民共和国合同法》的规定,合同双方就________________________项目的技术咨询(该项目属________________________计划※),经协商一致,签订本合同。

一、咨询的内容,形式和要求

二、履行期限、地点和方式

本合同自　　年　　月　　日至　　年　　月　　日

在　　　　　　　　履行。

注:本合同书标有※号的条款按填写说明填写

三、甲方的协作事项

在本合同生效后　　　　　　　　　（时间）内，甲方应向乙方提供

下列资料和工作条件：

四、技术情报和资料的保密※

五、验收、评价方法

咨询报告达到了本合同第一条所列的要求，采用

方式验收，由　　　　　　　　出具技术咨询验收证明。

评价方式：

六、报酬及其支付方式

（一）本项目报酬（大写）　　　　　　元。

（二）支付方式

① 一次总付　　　　　　　　元，时间：

② 分期支付　　　　　　　　元，时间：

　　　　　　　　　　　　　元，时间：

③ 其他方式：

七、违约金或者损失赔偿额的计算

违反本合同约定，违约方应当按照《中华人民共和国合同法》有关条款的规定承担违约责任。

（一）违约本合同第　　　条约定，　　　　　方应承担以下违约责任：

（二）违反本合同第　　　条约定，　　　　　方应承担以下违约责任：

八、解决合同纠纷的方式

在履行本合同的过程中发生争议，双方当事人和解或调解不成，可采取仲裁或按司法程序解决。

（一）双方同意由　　　　　　仲裁委员会仲裁。

（二）双方约定向（被告住所地、合同履行地、合同签订地、原告住所地、标的物所在地）的人民法院起诉。

九、其他

<table>
<tr><td rowspan="8">委托人（甲方）</td><td>名称（或姓名）</td><td colspan="3">（签章）</td><td rowspan="8">技术合同专用章
或
单位公章

年　月　日</td></tr>
<tr><td>法定代表人</td><td colspan="3">（签章）</td></tr>
<tr><td>委托代理人</td><td colspan="3">（签章）</td></tr>
<tr><td>联系（经办）人</td><td colspan="3">（签章）</td></tr>
<tr><td>住所（通讯地址）</td><td></td><td>邮政编码</td><td></td></tr>
<tr><td>电话</td><td></td><td>传真</td><td></td></tr>
<tr><td>开户银行</td><td colspan="3"></td></tr>
<tr><td>账号</td><td colspan="3"></td></tr>
<tr><td rowspan="8">受托人（乙方）</td><td>名称（或姓名）</td><td colspan="3">（签章）</td><td rowspan="8">技术合同专用章
或
单位公章

年　月　日</td></tr>
<tr><td>法定代表人</td><td colspan="3">（签章）</td></tr>
<tr><td>委托代理人</td><td colspan="3">（签章）</td></tr>
<tr><td>联系（经办）人</td><td colspan="3">（签章）</td></tr>
<tr><td>住所（通讯地址）</td><td></td><td>邮政编码</td><td></td></tr>
<tr><td>电话</td><td></td><td>传真</td><td></td></tr>
<tr><td>开户银行</td><td colspan="3"></td></tr>
<tr><td>账号</td><td colspan="3"></td></tr>
</table>

印花税票粘贴处

<table>
<tr><td>登记机关审查登记栏：

经办人：　　　　　　　　　　技术合同登记机关（专用章）
　　　　　　　　　　　　　　（签章）　年　月　日</td></tr>
</table>

§63. 技术服务合同

合同登记编号：

技术服务合同

（含技术培训、技术中介）

项目名称：________________

委托人：

（甲方）________________

受托人：

（乙方）________________

签订地点：　　　　省（市）　　　　市、县（区）

签订日期：　　年　　月　　日

有效期限：　　年　　月　　日至　年　　月　　日

北京技术市场管理办公室

填表说明

一、“合同登记编号”由技术合同登记处填写。

二、技术服务合同是指当事人一方以技术知识为另一方解决特定技术问题所订立的合同。

技术培训合同是指当事人一方委托另一方指定的专业技术人员进行特定项目的技术指导和专业训练所订立的合同。

技术中介合同是指当事人一方以知识、技术、经验和信息为另一方与第三方订立技术合同进行联系、介绍、组织工业化开发并对履行合同提供服务所订立的合同。

三、计划内项目应填写国务院部委、省、自治区、直辖市、计划单列市、地、市(县)级计划。不属于上述计划的项目此栏划(/)表示。

四、服务内容、方式和要求

属技术服务,此条款填写特定技术问题的难度和范围,主要技术经济指标及效益情况,具体的做法、手段、程序以及交付成果的形式。

属技术培训,此条款填写培训内容和要求,以及培训计划、进度。

属技术中介,此条款填写中介内容的要求。

五、工作条件和协作事项

包括甲方为乙方提供的资料、文件及其他条件,双方协作的具体事项。

六、本合同书中,凡是当事人约定认为无需填写的条款,在该条款填写的空白处划(/)表示。

依据《中华人民共和国合同法》的规定,合同双方就________________________________项目的技术服务(该项目属________________________________计划※),经协商一致,签订本合同。

一、服务内容、方式和要求※

二、工作条件和协作事项※

注:本合同书标有※号的合同条款按填写说明填写

三、履行期限、地点和方式

本合同自　　年　　月　　日至　　年　　月　　日

在　　　　　　履行。

四、验收标准和方式

技术服务或者技术培训按　　　　　　标准，采用　　　　　　方式验收，由　　出具服务或者培训项目验收证明。

本合同服务项目的保证期为　　　　　。在保证期内发现服务质量缺陷的，乙方应当负责返工或者采取补救措施。但因甲方使用、保管不当引起问题除外。

五、报酬及其支付方式

（一）本项目报酬（技术服务报酬、培训或中介服务报酬，大写）：　　　　元。

（二）支付方式

① 一次总付　　　　　　元，时间：

② 分期支付　　　　　　元，时间：

　　　　　　　　　　　元，时间：

③ 其他方式：

六、违约金或者损失赔偿额的计算

违反本合同约定，违约方应当按照《中华人民共和国合同法》有关条款的规定承担违约责任。

（一）违反本合同第　　条约定，　　　　方应承担以下违约责任：

（二）违反本合同第　　条约定，　　　　方应承担以下违约责任：

七、解决合同纠纷的方式

在履行本合同的过程中发生争议，双方当事人和解或调解不成，可采取仲裁或司法程序解决。

（一）双方同意由　　　　仲裁委员会仲裁。

（二）双方约定向（被告住所地、合同履行地、合同签订地、原告住所地、标的物所在地）的人民法院起诉。

八、其他

<table>
<tr><td rowspan="9">委托人（甲方）</td><td>名称（或姓名）</td><td colspan="3">（签章）</td><td rowspan="9">技术合同专用章
或
单位公章

年 月 日</td></tr>
<tr><td>法定代表人</td><td colspan="3">（签章）</td></tr>
<tr><td>委托代理人</td><td colspan="3">（签章）</td></tr>
<tr><td>联系（经办）人</td><td colspan="3">（签章）</td></tr>
<tr><td colspan="2">住所（通讯地址）</td><td>邮政编码</td><td></td></tr>
<tr><td>电话</td><td>传真</td><td colspan="2"></td></tr>
<tr><td>开户银行</td><td colspan="3"></td></tr>
<tr><td>账号</td><td colspan="3"></td></tr>
<tr><td colspan="4"></td></tr>
<tr><td rowspan="8">受托人（乙方）</td><td>名称（或姓名）</td><td colspan="3">（签章）</td><td rowspan="8">技术合同专用章
或
单位公章

年 月 日</td></tr>
<tr><td>法定代表人</td><td colspan="3">（签章）</td></tr>
<tr><td>委托代理人</td><td colspan="3">（签章）</td></tr>
<tr><td>联系（经办）人</td><td colspan="3">（签章）</td></tr>
<tr><td colspan="2">住所（通讯地址）</td><td>邮政编码</td><td></td></tr>
<tr><td>电话</td><td>传真</td><td colspan="2"></td></tr>
<tr><td>开户银行</td><td colspan="3"></td></tr>
<tr><td>账号</td><td colspan="3"></td></tr>
</table>

印花税票粘贴处

<table>
<tr><td>登记机关审查登记栏：

经办人：　　　　　　　　　　　　　　　　技术合同登记机关（专用章）
（签章）　　年　　月　　日</td></tr>
</table>

§64. 授权委托书

【概念】

法定代表人授权委托书是企业法人委托他人代为某种法律行为的法律文书。法定代表人因事不能亲自为某种行为时,可以通过授权委托方式,指派他人去办理。这时,就需要制作法定代表人授权委托书。被委托人在授权的范围进行活动,对委托人直接产生法律效力。

【格式与要求】

授权委托书写法较简单,标题即文种。正文写清法定代表人派某人为全权代表,代表法人签订合同或协议书,并处理合同或协议书中的一切事宜。填写法定代表人授权委托书应当注意的事项有:必须写明被委托人的姓名、性别、年龄、工作单位、职务等基本情况;写明授权的范围,不能简单写“全权委托”,而应当逐项写明授权的内容;如果未写明,则认为不具有特别授权,而只有一般授权,还应写明委托书有效时限。落款除委托单位盖章外,法定代表人应签字。落款下写上委托时间。

【例文】

委 托 书

我作为______(单位)______的法定代表,委派(姓名、性别、年龄、工作单位、职务、住址)______代表本企业为______(项目名称)的代理人,其权限如下:

(具体说明代理的事项和内容,包括谈判权、签订合同权、代为承认或者放弃一定权利等)

本委托书有效期自____年____月____日至____年____月____日

委托单位:______(盖章)

法人代表:______(签字)

____年____月____日

§65. 房屋买卖、租赁合同

65.1 房屋买卖合同(合约)

【概念】

房屋买卖合同是指房屋产权所有人(或开发商)将房屋所有权转让给他人所签订的协议。

购房者在购买商品房时应注意出售方应提供政府批准的文件、开发经营资格证件、买卖合同、房屋移交通知单;而职工购房时应提供以下材料:购房申请表、计价表、购房合同、房屋测绘图、住房竣工资料、夫妻双方身份证和户口复印件、工龄证明等。

【格式与要求】

房屋买卖合同的主要内容包括:

1. 双方名称、地址。
2. 房屋名称、规格、地点。
3. 价款。
4. 双方的权利义务。
5. 违约责任。
6. 不可抗力。
7. 纠纷的处理。

【例文】

商品房买卖合同

出售方(甲方):______ 地址:______ 电话:______
购买方(乙方):______ 姓名:______ 地址:______
国别:______ 身份证号:______电话:______

第一条 本合同依我国的有关法律制定。

第二条 甲方经××市人民政府文件批准,取得×市______地段占地面积______平方米的土地使用权,使用期限自____年____月____日至____年____月____日,共计____年,土地所有权属中华人民共和国。

甲方在上述土地兴建楼宇,结构______,定名为______,由甲方出售。

第三条 乙方自愿向甲方购买上述楼宇内的第______座(幢)______楼

_____单元。建筑面积为_____平方米，占地_____（分摊面积平方米），由甲方于____年____月____日交付乙方使用。如遇特殊原因可延期交付使用，但延期不得超过三百六十天，特殊原因是：

1. 人力不可抗拒的自然灾害；
2. 施工中遇到异常的困难及重大技术问题不能及时解决的；
3. 其他非甲方所能控制的事件。

上述原因必须以××市有关主管部门的证明文件为依据，方能延期交付使用。

第四条 甲乙双方同意上述楼宇单元售价为____币____千____百____拾____万____千____百____拾____元____角____分。

付款方式由乙方指定收款银行：____。

账户名称：____。　账号：____。　付款办法：____。

第五条 乙方如未按本合同第四条第二款付款，甲方有权追索违约利息，以应付款之日起至付款之日止，按××市银行当时贷款利率计算利息付给甲方。如逾期三十天后，仍未付所欠款项和利息，甲方有权单方终止合同，将楼宇出售他人，出售之款不足以清还甲方之款时，甲方可向乙方追索，如转售有盈余门甲方所有。

第六条 甲方如未按合同第三条的规定将楼宇单元交付乙方使用，应按合同规定交付日第二天起至交付日止，以当时××市银行贷款利率计算利息，以补偿乙方的损失。

第七条 在签订本合同时，甲方应将乙方原认购时所交付的定金退回给乙方或抵作购楼价款。

第八条 甲方出售的楼宇须经××市建筑质量检验部门验审合格。如质量不合格时，乙方有权提出退房，退房后甲方应将乙方所付款项在三十天内退回乙方。

第九条 乙方在交清购楼款后，由××市房管部门发给房产权证书，业主即取得出租、抵押、转让等权利，并依照国家的有关规定，享受优惠待遇。

乙方在使用期间，有权享用与该楼宇有关连的公共通道、设施、活动场所，同时必须遵守中华人民共和国法律、法令和社会道德，维护公共设施和公共利益。

乙方所购楼宇只作 使用。在使用期间不得擅自改变该楼宇结构，如有损坏应自费修缮。

乙方购置的楼宇所占用的土地，按有关土地管理规定缴纳土地使用费。

第十条 乙方所购楼宇，如发生出租、抵押、转让等法律行为，应经××市公证处办理公证后，由××市房产管理部门办理房产权转移、登记手续。

第十一条 本合同用钢笔填写的与打字油印的文字,均具有同等效力。

第十二条 本合同自签订并经××市公证处公证之日起生效。

第十三条 签订本合同后,买方违反约定,不予购买,卖方有权没收买方所付定金,卖方违反约定,不予出卖,卖方须双倍退还定金,并在解除合同后十天内偿付。买方在交付房产价款后,而卖方不能交易时,则卖方应即退回房产价款,并负责赔偿买方损失。

第十四条 本合同由双方签订,经××市公证机关公证,并到××市房地产产权登记处办理产权登记手续后,买方取得房产所有权。

第十五条 本合同发生纠纷时,应友好协商解决,不能解决时,应提请××市仲裁机构仲裁或向××市人民法院起诉。

第十六条 本合同经买卖双方及经纪方签字盖章后生效。

第十七条 本合同一式五份,卖方、买方、经纪人、公证处、产权登记处各一份,均具有同等效力。

第十八条 特别约定:

卖方于____年____月____日全额收取买方所付房价款______币______元。

买方已部分履行合同,房产所有权可移交买方。

原产权人(签章):

____年____月____日

卖方:______ (签章)

日期:______

买方:______ (签章)

日期:______

经纪方:××房地产咨询股份有限公司 (公章)

经纪方代理人:______ (签章)

日期:______

公 证 书

(   )×证房售字第______号

兹证明卖方______ 与买方______

于____年____月____日在前面的房地产转让合同上签名属实。

××省××市公证处

公证员:______

______年______月______日

楼宇认购合约

买方:________　　　　卖方:________

地址:______电话:______　地址:______电话:______

经纪人:××房地产咨询股份有限公司

地址:______电话:______

兹经买卖双方协议订明下列物业之交易条件,供共同遵守。

第一条　房屋坐落市______区______路______花园(大厦)______栋______楼______单元,______房______厅,建筑面积______平方米。屋内附有设施______。

第二条　楼宇售价为______币______元/平方米,全部楼价包括(______),总共______币______元。

第三条　付款方式。

1. 合约签订生效后买方付定金______币______元。该款是现金;或银行支票。

A. 买卖双方授权交易所(行、部)暂代保管上述定金,直至签妥买卖合同。或B. 定金由卖方即时收妥。买卖双方均同意选择______项。

2. 楼款的交付按下列______项进行。

A. 签约当日交清全部楼款。B ____年____月____日前付至总价的______%;____年____月____日前付至总价的______%。

第四条　有关税费。

1. 按政府有关规定,买卖双方所付税、费:(1) 公证费;(2) 营业税;(3) 增值税;(4) 所得税;(5) 契税;(6) 领证费;(7) 印花税;(8) 城市建设维护费;(9) 产权过户手续费;(10) 其他费用(______)(买方支付第______项,卖方支付第______项;第______项由买方支付______%,卖方支付______%)。

2. 买方同意缴付与交易所(行、部)之服务佣金______币、______元,该佣金必须于签署本合约时付清。

第五条　有关物业交易之前一切应交契费、水电杂费、管理费及物业税等概由卖方负责交清。有关上述物业的新契之房产费用,新按揭费及交易所(行、部)代收之服务佣金均由买方负责支付。上述列明之交易楼价并不包括交易单位内之电表按金、水电按金、煤气按金、管理费按金及大厦公用水表按金等,该等按金须在交易时由卖方凭单向买方收取或向各有关部门申请领回。

第六条　双方订明于____年____月____日(或该日以前)同到××房地产咨询股份有限公司______所(行、部)签署买卖合同,并进行公证,届时买方必须付清其余楼价,卖方必须签契交易,及将楼宇移交买方,完成交易。

第七条 违约责任及处罚。

1. 如买方不依照上述指定日期往指定地点签约付款(即不买),所付定金则作为赔偿卖方损失之赔偿金,不得取回。

2. 如卖方不依上述指定日期到指定地点签署合同及办理公证(即不能将上述物业售与买方),卖方必须偿还买方双倍定金。

3. 如买卖双方之一因意外情况不能依指定日期到指定地点签约,必须提前通知对方,并取得对方同意。

4. 双方均同意买卖双方任何一方毁约,导致此宗交易不能完成,______交易所(行,部)向违约人取回一半定金额即作为补偿介绍费。

第八条 此合约经买卖双方签署后,正式生效。一式三份,具有同等效力,本合同条款履行完毕后,合约失效。

其 他____

____

____

买方签章:________

卖方签章:________

经纪人:××房地产咨询股份有限公司______所(行、部)

______年______月______日

65.2 房屋租赁合同(协议书)

【概念】

房屋租赁合同是指房屋所有权人(或经营权人)有偿将其房屋交给他人使用,到期收回使用权而签订的协议。

【格式与要求】

房屋租赁合同一般应包括以下条款:

1. 租赁双方姓名、地址。

2. 租赁房屋的位置、面积、租期。

3. 租金金额及其支付方式。

4. 定金或保证金。

5. 双方的权利与义务。

6. 违约责任。

【例文】

房产租赁合同

出租方(下称甲方):

姓名______性别______出生日期______

籍贯______国籍______地址______电话______职业______身份证号码______

承租方(下称乙方):

姓名______性别______出生日期______

籍贯______国籍______地址______电话______职业______身份证号码______

为调剂××市房产使用的余缺,甲方愿意将在××市的房产出租,乙方自愿承租,双方根据××市有关房产管理规定,经过友好协商,签订合同条款如下:

一、甲方将坐落在××市______房产建筑面积计______平方米,租给乙方作______使用,租期为______年。从______年______月______日起至______年______月______日止。

二、乙方需缴纳每月租金币______万______千______百______拾______元整,甲方应给付收据。每月租金在当月头五天内交清,交租方式以______支付。交租地点双方同意在履行。

三、签订本合同时,乙方即时向甲方交租房履约金币______万______千______百______拾______元整,甲方应给付收据。

合同终止乙方已交清租金及其他费用支出时,甲方应将履约金退回给乙方。如乙方违约造成甲方的经济损失,甲方有权从履约金中扣除。

四、乙方依约交租,而甲方无正当理由拒收,乙方可到××市公证处申请证明,则乙方不负迟延责任。

五、出租房产的维修、房产税、土地使用费用由甲方负责;每月管理费、水电等杂费由乙方支付。

六、租赁期间,甲乙双方都不得借故解除合同,如甲方确需收回自用,必须提前两个月以书面通知乙方,并退回履约金另补偿乙方迁出的损失,补偿额为两个月的租金;如乙方确有事由需退房,须提前两个月以书面形式通知甲方,在通知期间租金照交,甲方不退回履约金。

七、租赁期间,乙方如对房屋和设施故意或过失造成毁损,应负责修缮恢复原状或赔偿经济损失。

八、乙方使用房产时,不得擅自改变房屋结构及用途,不得贮存任何违禁品、易燃品、爆炸品等物。同时必须严格遵守中华人民共和国法律有关条例规定,遵守社会公德。

乙方如需装修,必须征得甲方同意,并经物业管理部门允许方能施工,否则,后果由乙方负责。

九、租赁期间,房产遭到不可抗拒的自然灾害导致毁灭,本合同则自然终止,互不承担责任。

房屋发生重大损失或倾倒危险而甲方又不修缮,乙方可提出退房或代甲方修缮,并以修缮费用抵消租金。

十、在租赁期间,乙方不按时交租,甲方应及时发挂号催租通知书,如拖欠租金达一个月,或欠交管理费、水电等费达两个月为乙方违约,合同因违约而终止。甲方应持催租通知书及有关函件到公证处申请办理合同违约终止手续。

十一、因乙方违约而合同终止,则甲方有权单方收回房产。甲方在收房时应凭公证处发给的因违约终止合同的证明,通知大厦管理处。

如乙方不交回租赁房产的钥匙,甲方有权会同大厦管理处人员作证进入自己的房产内,将乙方存放在房内的物品清点拍卖,并用以抵偿欠租和其他有关费用,若有余则应交回给乙方。乙方表示保证履行合同规定,如有违约,完全自愿接受甲方作出的上述处理,同时保证绝不会提出任何异议。

十二、甲方将乙方存放在租房内的物品拍卖所得仍不能抵偿租金、管理费和有关费用时,该等款项应由甲方负责交清,而甲方有权向乙方继续追索至清偿为止。

十三、租赁合同期满或解除,乙方必须依时迁出并将家私杂物全部搬走。若迁出后五天内仍留下箱柜等物不搬清,则作为放弃权利论,由甲方全权处理,报请物业管理部门派员到场作证,乙方不得有任何异议。

十四、合同期满,如甲方的房产继续出租或出卖,乙方享有优先权。

十五、本合同用钢笔填写的文字与打印的文字效力相同,自双方签订并经××市公证处公证之日起生效。

十六、本合同如发生纠纷,甲乙双方应通过友好协商解决,不能解决时即提请××市××人民法院裁决。

十七、本合同一式三份,甲乙双方各执一份,××市公证处一份,均具同等效力。另由甲方交大厦管理处影印件一份。

出租方: 承租方:

×年×月×日

§66. 抵押担保合同

66.1 借款担保书

【概念】

借款担保书是第三人为借款人做担保而向银行出具的保证书。

【格式与要求】

在写作借款担保书时必须写明担保的金额、范围、期限等条款。

【例文】

不可撤销担保书

______分行:

根据______(借款人)的申请,贵行同意向其提供外汇贷款(大写)______元。本保证人同意为该项贷款担保。特此开立本保证书,向贵行担保下列各项:

一、本保证书为无条件、不可撤销的保证书,担保贷款本金为______元整(大写),和该贷款项下所发生的利息和费用。

二、本保证书保证归还借款人在______字第______号贷款合同项下不按期偿还的全部或部分到期贷款本息,并同意在接到贵行书面通知后十四天内代为偿还借款人所欠借款本息,如我单位不能履行上述担保责任时,接受你行委托我单位开户行从我单位账户中扣收全部贷款本息,如账户中存款不足,我单位将继续负责偿还借款人应偿付款本息及费用。

三、本保证书是一种连续担保和赔偿的保证。不受借款人接受上级单位任何指令和借款方与任何单位签订的任何协议、文件的影响,也不因借款人是否破产、无力清偿借款、丧失企业资格、更改组织章程以及关、停、并、转等各种变化而有任何改变。

四、本保证人是经上级主管部门批准成立、工商行政管理部门发给营业执照的法人,并有足够偿还借款的财产作保证,保证履行本保证书规定的义务。

五、本保证书自签发之日起生效,至还清借款人所欠的全部借款本息和费用时自动失效。

保证人:______(公章)　　　　法定代表:______(盖章)

保证人地址:______

保证人开户银行及账号:______

____年____月____日

66.2 借款财产抵押合同

【例文】

财产抵押合同________

编号________

贷款方:________

借款方:________

借款方为取得借款,贷款方为确保贷款安全,经借贷双方协商同意,特签订本财产抵押契约。双方在共同遵守国家法律和信贷政策的前提下,保证恪守下列条款:

第一条 借款方自愿以本单位所拥有的财产作为贷款抵押物抵押给贷款方:包括固定资产______元,可封存的流动资产______元,有价证券______元,其他______元(详见抵押物清单),评估现值共计______万元。抵押期限最长不超过一年,即从______年______月______日起,至____年____月____日止。贷款方根据抵押率不得超过现值的70%的规定,同意以借款方抵押物为条件,核定借款方最高贷款额度______万元。在这个额度内,按照贷款办法和信贷政策,可以一次申请贷款,也可多次申请贷款,在抵押期限内,贷款归还后可以申请借款,但借款期不得超过抵押期。

第二条 经贷款方同意,抵押清单所列由借款方保管(使用)的抵押财产,抵押期间借款方可继续使用、保管,并负责保养、维修,其费用开支由借款方负担。在借款方保管(使用或封存)的抵押物,未经贷款方同意,借款方不得变卖、转移、租借或别行抵押。在抵押期间,属借款方保管使用的抵押物如有损坏、损失或变质,由借款方负责,并在十日内通知贷款方由借款方另行提供其他等值的财产作为抵押物,或减少相应的贷款额。抵押清单所列的由贷款方保管的抵押物,自本契约签订之时,移交贷款方保管。

第三条 借款方不能按期还清借款本息时,贷款方有权处理抵押物,收回贷款本息。如处理抵押物不足以收回贷款本息时,借款方应用其他资金归还。

第四条 抵押期间,如充当抵押物的有价证券到期兑现,由借贷双方共同负责办理并偿还贷款。

第五条 在抵押期间,如发生抵押物价格下降时,贷款方相应调低放款额度。

第六条 抵押物必须参加财产保险(有价证券等除外)。

以上所列财产已在保险公司投保,到期后由借方负责续保。保险单据由贷方保管。经双方协商,本单所列抵押财产在______方保管(使用)或封存,按合同要求负责管理。

借方:______(公章)　　　　贷方:______(公章)

法人代表:______　　　　法人代表:______

经办人:______　　　　经办人:______

____年____月____日　　　　____年____月____日

§67. 员工手册

【范本】

目录:

董事长致词

总经理致词

第一部分　公司的经营理念

客户　客户的满意与成功是度量我们工作成绩最重要的标尺

员工　是公司最重要的财富,员工素质及专业知识水平的提高就是公司财富的增长,员工的福利待遇及生活水平是公司经营业绩的具体体现

产品　不断创新的产品是公司发展的轨迹

质量　产品及服务质量是公司发展的生命线

品牌　是公司产品及服务的一面明镜

市场　寻找、开拓最适合我们的市场并力争取得最高占有率

管理　一切经营活动的基本方针,目标为高科技、专业化、集团化、国际化

第二部分　人事政策

2-1　员工招聘和录用

2-1-1　招聘和录用条件

—根据本公司特点,按工作能力、业务水平、敬业精神择优

—所招员工须通过专业知识及技能的测试(根据需要选择口头或书面两种方式)

2-1-2　招聘程序

根据公司发展需要,由部门经理提交用人方案由人事部转总经理批复决定

• 人事部通过各大院校及人才中心或其他渠道为部门经理提供初步人选的各类人才资料

• 部门经理参考人才资料确定面试人员

• 人事部通知面试并将面试意见呈报总经理

• 总经理汇总各方面意见确定试用人员

• 人事部下发录用通知并办理试用手续

2-1-3 招聘人员要求

• 技术人员

高级技术人员:博士或高级职称,对电子信息工程或软件专业有丰富科研、开发经验;中级技术人员:具有电子信息、软件开发三年以上专业开发经验,硕士或中级职称以上;技术人员:具有电子信息、计算机专业本科以上学历

• 管理类人员

经理:管理或电子类专业院校本科以上,在大型计算机专业公司从事经营管理工作三年以上,有强烈的责任心和事业心,35岁以下

市场人员:电子类专业院校本科以上,1—3年工作经验,具有市场开拓能力

财务人员:财经类大学本科,熟悉会计电算化

文秘人员:文科类大学本科,办公管理经验三年以上,协调能力强

质管人员:熟悉ISO9000,至少有三年电子类质量管理工作经验

2-1-4 报到手续

经核定录用人员于报到日携带一寸免冠照两张、学历证书及身份证复印件到人事部报到办理就职手续

2-2 试用

新进员工试用期不超过三个月,试用期满由部门经理依据个人表现,提交是否转正、延期或辞退报告,由人事部报总经理审核批复

2-3 转正及合同签订

转正员工须与公司签订聘任合同。聘任合同一经签订、鉴证,双方必须严格执行

2-4 离职

员工离职分为"辞职、解雇、开除、自动离职"四等(试用期内员工及公司双方均有权提出辞职或解雇,而不负担任何补偿。离职前须与公司结清各项手续)

• 辞职:试用期过之后,职员辞职需提前一个月通知公司,到职日期结算工资,但不结算任何福利

• 自动离职:凡无故擅自旷工三天以上者,均作自动离职论,不予结算任何工资、福利

• 解雇:工作期内,员工因工作表现、工作能力等不符合本公司要求,无法胜任本职,公司有权解雇,届时结算工资及福利

• 开除:员工因触犯法律,严重违犯公司规章制度或犯严重过失者,即予革职开除,计薪到革职日止

2-5 内部调动

2-5-1 原则 公司根据工作需要,本着人尽其才、发挥潜力的原则,鼓励合理的人才内部流动

2-5-2 程序

• 员工填写《员工内部调动申请》

• 本部门及用人部门经理审批

• 人事部报总经理批准

2-6 晋升

2-6-1 依据 业绩突出,并具有进一步发展潜力及献身精神

2-6-2 程序

• 由上一级主管提名管理层审核、总经理批准

• 发文任命由人事部备案、通知各部门

2-7 培训

2-7-1 培训政策:培训是一种人力资源的投资,公司将培训机会更多地给予工作表现出色,具有较大潜力的职员

2-7-2 公司将不断培训职员,如英文、计算机专业培训等

2-7-3 参加培训前提:工作表现出色,有进一步发展潜力,忠诚献身公司

2-7-4 培训协议:若参加投资大的培训,应与公司签订培训协议,包括服务年限和服务期未满需补偿条款等(具体参考聘任合同中的《培训协议》)

2-8 奖惩条例

2-8-1 公司将根据员工工作业绩及表现于每季度末进行一次业绩评估,并分三等级(优秀、良好、较差),并在经济上给予不同奖励,办法如下:

优秀 500元

良好 200元

较差 5元

具体评估由人力部及部门经理考核打分报总经理批复

2-8-2 对工作成绩持续不佳及违纪员工,视情况给以经济惩罚、留职查看直至解除劳动合同处分,具体内容如下:

序号	违纪内容	处罚办法
1	上班擅离职守、串岗	口头警告
2	上班时睡觉、吃零食、看无关书刊、洗澡	口头警告
3	未经批准,擅自变动一下班时间或缩短工作时间	口头警告
4	不服从主管指令、工作调动	书面警告
5	未经批准擅自休假	按旷工处理并书面警告
6	虚报冒领,伪造证明(伪造病假单、发票及虚报加班等)、隐瞒事故实情,谎报情报,诬陷他人	书面警告,辞退或开除并追究经济损失
7	请假期间在外谋他职	辞退,或开除并追究经济损失
8	破坏公物随地吐痰、乱扔纸屑	口头警告,并按公物价值和造成的损失价值赔偿
9	公共场所吵闹,干扰正常工作	口头警告
10	打架斗殴、妨碍执行公务	书面警告或辞退
11	滥用职权报复处罚职员,对于犯有违纪行为的职员不作处理的	口头警告,或辞退
12	渎职或因其他原因,严重损害公司声誉	书面警告,或辞退
13	违犯外事纪委败坏国家和公司声誉利益	辞退,或开除并追究经济损失
14	违犯社会治安管理条例和国家政策	书面警告,或辞退
15	盗窃公司财物	开除并追究经济损失
16	触犯国家法律	开除,追究经济损失并依法惩处

第三部分 考勤制度

3-1 公司统一实行每周五天工作制(星期六、日休息)

3-2 公司作息时间:

夏季(5/1—10/1)

早:8:00—12:00

下:14:30—18:00

冬季(10/1—5/1)

早:8:30—12:00

下:13:00—17:30

3-3 全体员工不得迟到、早退、旷工

3-4 每月迟到不得超过两次,每次不得超过10分钟,凡超过10分钟,每分钟罚款两元,依此类推,第三次起凡超过半小时,按旷工半天论处,早退与迟到处罚相同

3-5 旷工1天倒扣3天基本工资,旷工3天以上者,从第4天起,视作自动

离职,不予结算任何工资福利

3-6 全月按规定之工作日上班,无迟到、早退、旷工及加班缺勤者为全勤,全勤奖金100元

3-7 未转正员工不享受全勤奖

3-8 如因工作需要,公司要求员工于正常工作时间外超时工作时,各员工皆不得找借口推搪,应以工作为主,发扬良好服务精神

3-9 对经各部门经理批准安排超时工作员工,均给予调休或发加班费

3-10 职员请假须由本人填写假条,经主管批准后方可离开,无特殊原因不可电话、捎话请假

3-11 职员请假3天之内由部门经理批准,3天以上由总经理批准,各部门经理请假,一律由总经理批准

3-12 公司设考勤员,员工上班须自觉到考勤员处签到,如不作签到视旷工处理

3-13 月末财务部根据考勤记录核发工资

第四部分 薪资及福利

4-1 薪资

4-1-1 原则、岗位、职责

劳动力市场价格

教育背景

工作经验

业绩成果

司龄

4-1-2 结构

月收入:基本工资+午餐补贴+全勤奖+效益奖金

(效益奖金:公司综合各部门月工作效益,以各部门为单位提取比例)

年收入:12×月收入+年终奖金

4-1-3 公司依岗位职责将工资划分为五岗,每岗参考教育背景、工作经验、业绩成果、司龄等分A、B、C三等级,具体标准如下:

岗位	职务	等级	基本工资
一岗	总经理 总工程师 副总经理 财务总监 其他董事会直接聘任人员	A	30—35档
		B	25—30档
		C	20—25档

（续表）

岗 位	职 务	等 级	基本工资
二岗	总经理助理 高级顾问 副总工程师 部门总监 高级文秘	A	25—30档
		B	20—25档
		C	15—20档
三岗	部门经理 高级(项目 主管程序员、系统分析员、 营销人员、会计、经济师等)	A	20—25档
		B	15—20档
		C	10—15档
四岗	程序开发人员 工程技术人员 市场销售人员高级文员 会计	A	15—20档
		B	10—15档
		C	8—10档
五岗	文员 库管 物流 出纳司机 电工	A	10—15档
		B	8—10档
		C	6—8档

说明：

每档以RMB100元计

A等：

- 博士、高工，5年以上工作经验，司龄不少于3年
- 本科以上学历或有中级职称，5年以上工作经验，司龄不少于5年

B等：

- 博士、高工，3年以上工作经验，司龄不少于1年
- 本科以上学历或有中级职称，3年以上相关工作经验，司龄不少于2年
- 专科以上学历，5年以上工作经验，司龄不少于5年

C等：专科学历以上，1年以上工作经验，司龄不少于1年

- 上述每岗各等级工资标准，如有特殊情况，一岗职员的工资由董事会决定，二、三岗职员的工资由总经理决定并报董事会备案，四、五岗职员的工资由经理办公会决定，报请总经理批准后核发
- 公司新聘人员，试用期满后，原则上从各岗位起始档开始支付基本工资。
- 对于在公司各项考核中成绩优异，受到嘉奖的职员，工资可上浮一档，对于成绩不合格、或受到公司处分的职员工资可下浮一档或重新试用
- 原则上对公司四、五岗的正式职工在公司工作每满一年工龄，重新审定一次工资，由经理办公会决定是否给予升档。对于收入达到或超过本岗位平均档的职员，其每年晋升与否由总 经理决定
- 对于试用期人员，无论资历或岗位一律定为四档(特殊情况经总经理批准例外)

• 本标准的解释权归经理办公室

4-1-4 支付方式

每月5日现金支付

4-2 福利

4-2-1 住房

4-2-1-1 租房(暂定)

• 条件:对现时经公司核实确需解决住房的正式职员(家在本市的单身职工、已婚且一方有房职员或已有住所的职员均不在考虑之列)可申请集体租房,经总经理批准后办理

• 租金支付:公司负担月租金的50%,个人负担月租金的50%

• 租房标准:城区标准单元套房,交通费自负

• 人员限制:每单间不超过2人

4-2-1-2 住房公积金

• 是职工及其所在单位按规定缴存的具有保障性和互助性的职工个人住房基金,归职工个人所有,职工离职时本息余额一次结清,退还职工本人

• 住房公积金定向用于:

—员工购买、建造、大修理自住住房抵押贷款

—城市经济适用住房专项贷款

—单位购买、建造员工住房专项贷款

• 公积金来源方式:员工每月交纳其基本工资的5%,公司付给员工月基本工资5%,这笔积金将存入房产服务公司为个人所设的账户中,按规定备用

• 与公司正式签约的正式职员有权申请参加此项计划

• 公司5%款项的提取按参加公积金计划的年限而

参加年限	提取比例
0—5年	5%
5—10年	10%
10—15年	15%
15—20年	20%
20—25年	25%
25—30年	30%

4-2-2 医疗合作基金制度

• 基金来源:职员交纳月基本工资2.5%(由财务直接从职员工资中扣除),公司支付职员月基本工资总额的2.5%作为公司职工月医疗合作基金。专

项储备，专款专用，用完为止。

• 基金管理：由职员选定代表成立基金管理委员会单设账户统一管理，由财务部监督执行

• 医疗费报销办法

—医疗费用不论大小须经职工选定的基金管理委员会初步审核，报总经理签字由财务部具体办理

—职员报销时，普通门诊必须持市级以上医疗病历、处方、发票等单据，经基金委员会及总经理审批后方可报销，累计最高限额不得超过职工年交纳基金的3倍

—除普通门诊外的医疗费，如职员住院等大额医疗费用按进入公司年限长短承担比例费用，标准如下：

年　　限	医疗基金负担	个人负担
5年以下	60%	40%
5年以上	70%	30%
10年以上	80%	20%
15年以上	85%	15%

• 下列费用不予报销

—各类滋补药品、保健药品、贵重药品等

—因打架、斗殴、美容及违犯计划生育政策所致费用

—未经主管批准在市级以下医院就诊、住院者

—未经批准自行外购药等

—病历、处方、发票手续不全者

4-2-3　休假

• 可享受的带薪假日

—法定假日（七天）

—婚假三天

—丧假：直系一天（配偶、子女、父母、公婆、岳父母）；非直系半天（兄弟、姐妹、姐夫、妹夫、兄嫂、弟媳、祖父母、外祖父母、孙子女、外孙子女、儿媳）

—产假：女方90天，男方2天

—哺乳假：每天有一小时的哺乳时间，可晚上班一小时或早下班一小时，工资、福利及补贴按100%发给

—年假：服务满一年的员工可享受10天年休假

—工伤假：工伤期间工资及一切福利、补贴按100%发给

• 病假期间的工资支付:在国家规定的医疗期内福利、补贴按100%发给

—工龄满3年工资按70%发放

—工龄满3—5年工资按80%发放

—工龄满5年以上工资按90%发放

4-2-4　正式职员申请可享受公司每年提供的常规体检一次

4-2-5　全勤员工月午餐补贴120元

4-2-6　员工生日公司将为其订做贺卡一张、生日蛋糕一个以示祝福。

第五部分　差旅费报销办法

5-1　原则

差旅费用实行总额包干,节约归己,超支不补

5-2　标准

级别	地区	交通费	住宿费	餐费	业务费
经理级以上	沿海城市	实支	实支	实支	实支
	内陆城市	实支	实支	实支	实支
部门经理以上	沿海城市	实支	250元/天	实支	实支
	内陆城市	实支	150元/天	100元/天	实支
普通员工	沿海城市	实支	150元/天	80元/天	实支
	内陆城市	实支	100元/天	80元/天	实支

说明:

• 职员出差前应填写出差申请单,出差期限由派遣主管视情况事先核准

• 出差人员持标准的申请单可向财务部借相应数额的差费,出差回来后必须在一周内填写出差报销单并结清手续。如无特殊情况又未能在一周内结清差费,财务部有权暂停支付其工资,等报销完再核付

• 出差人员可乘坐火车、轮船、飞机等交通工具,由派遣主管根据任务需要在出差申请单中审定,费用实报实销

• 出差期间因公支出下列费用,可实报实销

—乘坐出租车按发票面值

—因公长途电话费按电信局收据为凭

—因公宴客费用,按正式发票为准

第六部分　安全卫生

6-1　公司内严禁吸烟

附：公司禁烟通知

自____年____月____日起严禁在公司、办公场所、上班时间内吸烟。违者一次罚款人民币50元，当场付清。如经理办、市场部、会议室有客户要求吸烟者，仅限在本部办公室内，公司职员不得陪抽，如违反，按规定处罚！

6-2 非电气作业人员不得装拆修理电气设备

6-3 爱护公司公物，注重所有设备的定期维修保养，节约用水、用电、易耗品

6-4 养成卫生，不随地吐痰，不乱丢纸屑、烟头、杂物，如在公共场所发现有纸屑、杂物等，应随时捡起放入垃圾桶，保持公司清洁

6-5 应急电话：

市内触电急救：* * * * * * * *　市内伤病急救：* * * * * * * *

火警：119　　匪警：110

第七部分　保　密

7-1 总则

7-1-1 公司秘密是关系公司权利和利益，在一定时间内只限一定范围的人员知悉的事项

7-1-2 公司全体职员都有保守公司秘密的义务

7-2 保密范围

7-2-1 经营信息

• 公司重大决策中的秘密事项

• 公司尚未付诸实施的经营战略、经营方向、经营规划、经营项目及经营决策

• 公司内部掌握的合同、协议、意见书及可行性报告、主要会议记录

• 供销情报及客户档案

• 公司财务预决算报告及各类财务报表、统计报表

• 公司所掌握的尚未进入市场或尚未公开的各类信息

• 公司职员人事档案、工资、劳务性收入及资料

• 公司内部管理制度

7-2-2 技术信息

• 各类技术资料

• 职员在工作期间完成的技术成果及著出的论文、著作、书籍或在工作期间总结、觉察到的信息均属公司

7-2-3 其他经公司确定应当保密的事项

7-3 公司密级的确定

7-3-1 公司经营发展中,直接影响公司权益的重要决策文件及技术信息资料为绝密级

7-3-2 公司的规划、财务报表、统计资料、重要会议记录、客户资料、经营状况、管理制度等为机密级

7-3-3 公司人事档案、合同、协议、职员工资、尚未进入市场或尚未公开的各类信息为秘密级

7-4 保密措施

7-4-1 属于公司秘密的文件、资料和其他物品的制作、收发、传递、使用、复制、摘抄、保存和销毁,由经理办专人执行

7-4-2 对于密级的文件、资料和其他物品,必须采取以下保密措施:

- 非经总经理或主管副总经理批准,不得复制和摘抄
- 收发、传递和外出携带,由指定人员担任,并采取必要的安全措施
- 在设备完善的保险装置中保存

7-4-3 属于公司秘密的设备或产品的研制、使用、保存、维修、销毁,由公司指定专门部门负责执行,并采用相应的保密措施

7-4-4 在对外交往与合作中需要提供公司秘密事项的,应当事先经总经理批准

7-4-5 不准在私人交往和通信中泄露公司秘密,不准在公共场所谈论公司秘密,不准通过其他方式传递公司秘密

7-4-6 公司工作人员发现公司秘密已经泄露或者可能泄露时,应当立即采取补救措施并及时报告总经理办公室

7-5 责任与处罚

7-5-1 出现下列情况之一者,给予警告,并扣发工资10—500元:

- 泄露公司秘密,尚未造成严重后果或经济损失
- 已泄露公司秘密但采取补救措施的

7-5-2 出现下列情况之一的,给予辞退并酌情赔偿经济损失直至追究法律责任:

- 故意或过失泄露公司秘密,造成严重后果或重大经济损失
- 违反本保密制度规定,为他人窃取、刺探、收买,或违章提供公司秘密的
- 利用职权强制他人违反保密规定的

第八部分 行为规范

您的仪容:

衣着整洁

修饰大方

精神饱满

您上班时：

不迟到　不串岗

不怠工　不务私

您下班时：

不早退　不拖拉

关好水电门窗

保证安全

您打电话时：

不闲谈

不泄密

您接电话时：

先答“您好，____公司”

您开会时：

准时到场

认真记录

积极参与

您与同事们：

不过问工资、奖金及其他机密事宜

不传递小道消息

主动关心和帮助别人的病痛疾苦及其他困难

第九部分　附　则

9-1　《职员手册》为公司内部管理资料，属机密文件，职员只可借阅，不可抄袭、翻印、私存、泄露。如有泄密，公司将根据保密制度给予相应惩罚直至追究法律责任

9-2　本手册解释权归公司经理办公室

注：

公司正式职员：指试用期满，与公司正式签订聘任合同5年以上的专职人员（兼职、临时工、签约不足5年均为非正式职员）

§68. 园区主要协会组织

北京新技术产业开发试验区高新技术企业协会

通信地址:北京市海淀区西四环北路63号馨雅大厦四层北座(100089)

电话:88440244/47　88440565　88440651　88440109

传真:88440247-104

网址:www.htea.net.cn

对外邮箱:gaoqixie@hnet.net.cn

成立时间:1990年

介绍:北京市新技术产业开发试验区高新技术企业协会(Beijing Experimental Zone for the Development of New Technology Industries of the High-tech Enterprises Association)简称高企协。

本会的宗旨就是面向高新技术各领域的企业,为企业服务,反映企业的意见和要求,维护企业的合法权益,发展企业之间的合作,沟通政府与企业之间的联系,架起政府与企业之间的桥梁。

目前在高企协会登记的会员企业已达5600余家,涵盖了中关村地区所有的行业。

北京民营科技实业家协会

通信地址:海淀区上地西路38号时代集团大厦(东门)四层2403室(100085)

电话:62961182　62961183

传真:62961183

网址:www.bjmx-online.com

对外邮箱:bjmx@ timegroup.com.cn

北京中关村外商投资企业协会

通信地址:北京市海淀区中关村南大街3号海淀科技大厦1305室

邮政编码:100081

电话:68915726

传真:68915795

网址:www.zgcfia.com.cn

对外邮箱:zgcfia@ zgc.com.cn、zgcszxh@ vip.sina.com

成立时间:1990年

介绍:北京中关村外商投资企业协会,现有1000多家外商企业会员。十多年来,协会以服务企业为宗旨,在维护会员企业的合法权益、宣传贯彻我国外商投资企业的各项政策法规、增进会员之间的相互了解与合作、及时向政府部门反映会员企业的意见和要求并积极协助解决企业困难等方面,做了大量有益的工作,深得广大会员企业的欢迎和政府部门的认可。

北京中关村IT专业人士协会

通信地址:北京市海淀区北四环中路238号柏彦大厦12层

邮政编码:100083

电话:82331717-819/825/857

传真:82331717-851

网址:www.zitpa.org

对外邮箱:zitpa@ ict.ac.cn

成立时间:2000年

介绍:ZITPA(Beijing Zhongguancun IT Professionals Association)是由北京地区IT专业人士构成的群众性社会团体,属于非营利独立法人单位。协会成立的宗旨是团结信息技术领域的专业人士和企业,促进IT专业人士之间、IT专业人士及企业与政府之间以及与其他专业组织之间的交流与合作,维护IT专业人士的合法权益,促进中关村科技园区乃至整个北京地区IT产业的发展。

北京中关村生物工程和新医药企业协会

通信地址:北京海淀区马连洼北路151号药用植物研究所院内北京生物技术和新医药产业促进中心

邮政编码:100083

电话:62896868-823

传真:62899978
网址:www. newlife. org. cn
对外邮箱:info@ newlife. org. cn
成立时间:2000 年

介绍:北京中关村生物工程和新医药企业协会正式成立于 2000 年 10 月 21 日,是由北京北大未名生物工程集团、北京生物技术和新医药产业促进中心等 14 家企业、机构共同发起成立的非营利性社会团体法人,是包括中关村科技园区内外生物工程和新医药企业的行业协会性组织。现共有会员企业 50 家。

北京创业孵育协会

通信地址:北京市朝阳区安翔北里甲 11 号 A 座
邮政编码:100101
电话:64843991
传真:64843992
网址:www. bjventure. net. cn
对外邮箱: bbia2000@ 126. com
成立时间:2000 年

介绍:北京创业孵育协会成立于 2000 年 6 月,是一所由社会各界自愿联合发起成立的非盈利性社会团体法人。协会以科技企业孵化机构为主,还吸纳了风险投资、科技中介服务、咨询机构等单位,总会员数为 98 家,其中注册为正式会员的 67 家。协会宗旨是加强各孵化器同科研机构、中介机构、风险投资机构等的联系,协调各方面的工作、举办各种培训、提供信息服务等,推动首都高新技术产业的发展。

北京软件行业协会

通信地址:北京市海淀区知春路 23 号 13 号楼 1305 室
邮政编码:100083
电话:82358631
传真:82358691
网址:www. bsia. org
对外邮箱: lidm@ bsia. org. cn
成立时间:1986 年

介绍:北京软件行业协会成立于 1986 年 10 月 21 日,是经主管部门批准注册、有着历史影响和广泛会员基础的软件产业社团组织。

协会本着为会员服务,促进产业发展的宗旨,为行业提供市场调研、信息交流、行业自律、维护权益等服务，为北京软件产业发展做出贡献，同时建设一个国际化的产业协会。

北京科技咨询业协会

通信地址：北京市北三环中路31号生产力大楼11层1115室

邮政编码：100088

电话：82006045/46/47

传真：82006043

网址：www.bjca.org

对外邮箱：bjca@bjpc.org.cn

成立时间：1994年

介绍：协会是由北京地区专业咨询机构和高等院校联合发起，具有社团法人资格，主管单位为北京市科学技术委员会。协会已拥有会员单位334余家，业务范围涉及决策咨询、工程咨询、技术咨询、管理咨询、信息咨询、投资咨询、市场调查等多个领域，具有广泛的代表性和较高的服务水准。

协会的宗旨是：遵照建立社会主义市场经济体制的规律，充分发挥首都的科技、智力和信息优势，积极探索咨询业的发展途径，培育和规范咨询业市场，实行行业自我管理，维护咨询业的合法权益，向政府反映会员的意愿和建议，为促进北京地区咨询产业发展做贡献。

北京技术市场协会

通信地址：北京海淀区苏州街甲49号

邮政编码：100080

电话：62557055

传真：82621902

网址：www.cbtm.net.cn

对外邮箱：congwei001@126.com

成立时间：1994年

介绍：北京技术市场协会是北京地区科研院所、高等院校、民营科技机构、各类企业、技术中介机构、技术经纪组织、社会团体等单位和个人的自愿联合组织，以推动北京技术市场的繁荣发展为己任、不以盈利为目的的具有法人资格的行业性社会团体。本协会于1994年成立，有单位会员130多家、个人会员150多人。

北京中关村科技园区昌平园高新技术企业协会

通信地址：北京市昌平区科技园超前路9号

邮政编码:102200

电话:69718168、69744529

传真:69719107

网址:www.zgc-cp.gov.cn

对外邮箱:cpyqy@263.net

成立时间:2002年

介绍:本协会由中关村科技园区昌平园内的高新技术企业、相关单位、机构、人士自愿联合发起成立,是经北京市昌平区社会团体管理办公室依法核准登记的非营利性社会团体法人。本协会以为会员服务和维护会员合法权益为宗旨,以促进昌平园高新技术产业和会员单位大发展为目标,通过加强协会自身建设,开展丰富多彩的活动,承担更多的服务性、技术性培训职能,发挥桥梁纽带作用。

北京经济技术开发区企业协会

通信地址:北京经济技术开发区荣华中路15号

邮政编码:100176

电话:67881126、67881236

传真:67881435

网址:www.bdawalk.gov.cn

对外邮箱:oqs_0018@sina.com、oqs_001@163.com

成立时间:1994年

介绍:北京经济技术开发区企业协会(简称开发区企协),是经北京市社会团体管理办公室核准登记的社会团体法人,于1994年1月在开发区成立;北京经济技术开发区国际商会、北京经济技术开发区贸促支会,是中国国际商会、中国国际贸易促进委员会北京分会的基层组织;目前实行三会合署办公,常设机构为企业协会秘书处。

开发区企协是由开发区企业、企业家共同发起、自愿联合成立的民间社会团体,实行会员制。

北京中关村企业信用促进会

通信地址:北京海淀区北四环西路67号大地科技大厦903室

邮政编码:100080

电话:82888208、82888681

传真:82886657

网址:www.ecpa.org.cn

对外邮箱:

成立时间:2003 年

介绍:促进会于 2003 年 7 月由中关村园区各高新技术企业、有关中介机构、社团组织等单位自愿发起成立,其旨在规范企业的信用行为,为会员融资、担保、投资和商业交易提供更加便捷的服务,打造"信用中关村"品牌,推进园区信用体系的建设。

北京中关村电子产品贸易商会

通信地址:北京海淀区中关村大街 1 号海龙大厦 18 层

邮政编码:100080

电话:82664597

传真:82663999

网址:http://218.107.135.222/shanghui

对外邮箱:guoxu@ hilon. com. cn

成立时间:2003 年

介绍:由海龙、硅谷、中发、中关成及华旗资讯等单位,联络了包括汉王、八亿时空、金山、沐泽、连邦、太平洋等 35 家企业共同发起,它们中既包括电子市场的主办单位、又包括从事 IT 产品软硬件开发的渠道商和相关单位,选举产生了商会的领导机构,海龙集团董事长鲁瑞清为现任商会会长。

中关村电子产品贸易是中关村发展的源头,做出的贡献有目共睹。过去成就了联想、四通、同方、紫光;今天,成就了华旗、金山等著名公司。相信明天中关村电子产品贸易行业将为中国奉献出更多的 IT 精英。中关村电子产品贸易商会将与中国 IT 产业共同茁壮成长,为中关村电子产品流通企业创造更好的发展环境,争取更多权益与福利。

§69. 技术产权交易所及经纪商

北京产权交易所

通信地址:北京海淀知春路 23 号大运村量子银座 2 层

电话:010-82358800

网址:www. cbex. com. cn

中海源产权经纪有限公司

通信地址:北京市海淀区中关村南大街 3 号海淀科技大厦 1502 室

电话:010-68915792/93

网址:www.zhonghaiyuan.com

清华大学科学技术开发部

通信地址:北京海淀区清华大学华业大厦1103室

办公所在行政区:海淀区

企业电话:62975599　62772847

传真:62784089

开始经营时间:1983年

主要咨询服务专业:技术成果转化、项目咨询

北京技术交易促进中心

通讯地址:北京海淀区苏州街丙78号

办公所在行政区:海淀区

企业电话:8610-62577242,62577305,82621690

传真:8610-62571175,62577304

北京中科新高技术交流中心

通信地址:北京海淀区中关村北一街北一条13号甲

办公所在行政区:海淀区

企业电话:62553839

传真:62553839

主要咨询服务专业:技术交易与转让

北京市石景山区科学技术协会

通信地址:北京石景山区八角中里科技馆科协

办公所在行政区:石景山区

企业电话:68863670

传真:68863670

开始经营时间:1987年

主要咨询服务专业:技术交易与转让

附:北京产权交易所经纪商会员名录

会员编码	会员名称	会员编码	会员名称
J0001	北京安永普润产权经纪有限公司	J0002	北京市企业清算事务所有限公司
J0003	北京市中海源产权交易经纪有限责任公司	J0004	北京青年国际投资管理顾问有限公司
J0005	中关村百校信息园有限公司	J0006	北京技术交易促进中心

（续表）

会员编码	会员名称	会员编码	会员名称
J0007	中国协力能源贸易有限公司	J0008	北京秦孙富宁投资顾问有限公司
J0009	北京企业重组顾问有限公司	J0010	紫光资产管理有限公司
J0011	中嘉成国际投资（北京）有限公司	J0012	北京元利产权经纪有限公司
J0013	北京同仁和泰投资顾问有限公司	J0014	沈阳万盟投资管理有限责任公司
J0015	北京盛华夏咨询有限公司	J0016	北京指航投资咨询有限公司
J0017	北京国泰创业投资有限公司	J0018	北京中兴立财务顾问有限公司
J0019	中垠投资发展有限公司	J0020	北京中联财务顾问有限公司
J0021	北京中财金润国际投资管理有限公司	J0022	北京中拓国际拍卖有限公司
J0023	北京中喜天地投资顾问有限责任公司	J0024	北京中轻产权经纪有限公司
J0025	北京岳华新业投资顾问有限公司	J0026	北京中海新智国际管理咨询有限公司
J0027	北京中之信招投标代理有限公司	J0028	北京首佳联信房地产经纪有限公司
J0029	北京平正开明投资顾问有限公司	J0030	北京盛世华天投资顾问有限公司
J0031	北京亚特兰伟业拍卖有限公司	J0032	北京汇通行投资顾问有限公司
J0033	北京德和永道投资咨询有限公司	J0034	上海普司特投资管理有限公司
J0035	北京雍和嘉诚拍卖有限公司	J0036	北京康泰投资有限公司
J0037	中普盟国际拍卖（北京）有限公司	J0038	东方国际拍卖有限责任公司
J0039	北京中融诚信招投标代理有限公司	JL01	北京市密云县国有资产投资经营公司
JL02	北京万祥源注册登记代理事务所	JL03	北京市鑫浩投资中心
JL04	北京房山区国有资产经营中心		

§70. 人才中介服务机构

北京双高人才发展服务中心

地址：北京市西城区展览馆路44号

联系电话：(010) 68364488　68364488-321

网址：http://www.ggcp.com.cn

中华英才网

电话：82031027

邮箱:jzhang@ chinahr. com

北京海淀区人才服务中心

地址:中关村南大街3号(海淀科技大厦七层服务大厅)

电话:68945136(传)68944255/56/57 (转)8709/8710

网址:http://www. hdrc. com. cn

中关村人才市场

地址:海淀区苏州街29号

电话:62551894　62531175

网址:http://www. zgcrc. com. cn/

海淀区职业介绍服务中心

地址:北京市海淀区苏州街72号银丰大厦4层

电话:62610805/62610806/62610815

网址:http://www. bjhdzj. com. cn

中国国际人才市场

网址:www. chinajob. com

中关村北京人才市场

网址:www. bjrc. com

联系电话:010-82666166、82666266、82666405

传真:010-82666404　电脑查询:010-82666336

地址:中关村海淀南路19号　北京时代网络大厦一层

附件:中关村科技园区主要人才中介机构及业务一览表

园区	名称	主要业务类别
海淀园	海淀区人才服务中心	人事档案管理(并为存档人员出具相关证明)、管理档案工资、进行职称评定、接转组织关系、办理养老统筹、受理因私出境。
	北京双高人才发展服务中心	以吸储、评价、培训、推荐为主要职能,包括求职招聘、政策咨询、职业能力及素质测评与培训等,以组织考核推荐与市场机制相结合的方式运作,为人才和单位的双向选择提供服务。
	Fesco 中关村事业部	人事委托、人才派遣、人才招聘、选拔、测评,福利服务、培训与海外教育、人力资源咨询
	北京海淀区教育委员会人才服务中心	

（续表）

园区	名称	主要业务类别
海淀园	中关村人才市场	参加全市联网、供求双向选择、人才交流洽谈、办理流动手续、承接人才培训、全面素质测评；老年人才交流、咨询服务、岗位培训、引资引项、文体活动、健康疗养。
	北京纵横现代企业服务有限公司	个人求职登记、职业介绍、168职业信息咨询、人才猎头、组织供需双方见面洽谈、人才培训与高度、人力资源顾问
	北京泰来猎头咨询事务所	国际猎头、管理咨询、专业培训、心理测评
	北京市财会人员交流中心	为各类求职、兼职的财会人员提供就业指导及信息；为用人单位提供招聘人才的配套服务；“中心”配合市财政局负责全市财会人员的培训和管理工作。
	北京择业旅游人才交流中心	求职、兼职人才的登记、推荐，人才信息咨询，人才培训。
	北京市毕业生就业服务中心	1. 收集、整理、发布北京生源大中专毕业生的信息。 2. 收集、汇编、发布北京地区各用人单位的需求信息。 3. 经常性的组织供需见面、双向选择活动，为北京地区供需双方提供洽谈场所（即就业市场） 4. 开展就业推荐服务。开展就业政策、择业技巧等方面的咨询，指导毕业生就业。 5. 指导北京市各毕业生就业服务机构的工作，培训毕业生就业服务人员。 6. 为用单位代理招聘毕业生。 7. 开展用人单位招聘和毕业生就业登记服务。 8. 毕业生档案的转递、管理工作。
	北京市外商投资服务中心	求职、兼职人才的登记、推荐，人才培训，人才素质测评、考试、举办外商独资企业人才招聘洽谈会。
	北京普尔摩企管顾问有限公司	1. 人力资源、管理技能、市场营销、财务等几大培训系列 2. 高级人才寻访、招聘服务 3. 公司内训 4. 管理咨询
	北京首要资源商务咨询有限公司	地址：北三环中路6号11层北京出版社大楼 电话：62062065　邮政编码：100011
	北京三公济业咨询有限公司	地址：海淀区昆明湖南路74号 电话：88436312　88436313
	北京握帮人力资源咨询有限公司	地址：海淀区海淀增光路24号汉帮商务会馆 电话：68340874　邮政编码：100037
	中国国际人才开发中心	运用国际网络技术，为外国企业驻华代表机构、外商投资企业提供全套涉外服务；为各类企事业单位（包括三资、民营、国有企业等）和个人提供人事代理、人事档案管理、社会保障和人才市场中介（包括人才信息、人才培训、人才招聘、人才引进和推荐）等全方位人事服务；开展国际经济、技术合作和信息服务。

（续表）

园区	名称	主要业务类别
海淀园	北京上行逶式信息公司	为各类企业及专业人才提供服务，并对各企业员工进行公关、营销、计算机及企业管理等多种专项培训。
	北京西三角人事技术研究所	1. 定期举办人力资源与管理技能提升方面的公开培训与内训课程 2. 帮助企业建立规范化的人力资源管理体系 3. 每年对外商投资企业分行业进行一次薪酬调查 4. 人事技术产品
昌平园	昌平区人才服务中心	人才登记、推荐、培训、素质测评、信息咨询，人事档案管理及相关工作，举办洽谈会。
电子城	北京市电子城人才交流培训服务中心	人才信息咨询，培训，为电子城企业合理配置人才资源，分流富余人员提供服务，举办电子城企业人才交流洽谈会。
	北京博乐博影视人才交流研究中心	为影视人才交流提供服务
丰台园	新技术产业开发实验区丰台园区科技创业服务中心	立足丰台，以科技园区700家企业为依托，开展人才、劳务信息服务，代理企业的养老统筹、大病统筹、劳动、人事政策咨询等服务。
	丰台区人才交流服务中心	为个人和无档案管理权的单位保存人事档案、办理调入、调出手续、出国政审、职称评定、养老保险、大中专毕业生转正定级等工作；为用单位和求职个人提供招聘和职业介绍服务、人才培训、举办人才招聘洽谈会。
亦庄	北京经济技术开发区职业介绍服务中心	1. 劳动政策咨询；2. 职业指导；3. 推荐介绍；4. 招聘洽谈；5. 职业信息咨询；6. 个人本职登记；7. 单位用人登记；8. 组织职业技能培训；9. 组织劳务输出与输入；10. 提供工人人事档案暂存服务；11. 开展劳动服务“一条龙”服务。

§71. 会计师事务所

（北京市注册会计师协会 www.bicpa.org.cn）

北京中兆信会计师事务所有限公司

电话：68313388

地址：北京海淀区三里河路1号西苑饭店3号楼5348—5351室

北京京都会计师事务所有限责任公司

电话：65227520

地址：北京市朝阳区建国门外大街22号赛特广场5层

北京兴华会计师事务所有限责任公司

电话:68587588

地址:北京市西城区阜成门外大街2号万通新世界广场708室

北京方诚会计师事务所有限责任公司

电话:67080718

地址:北京市崇文区崇外大街5号太华公寓A座701室

北京天平会计师事务所有限责任公司

电话:68910948

地址:北京市海淀区白石桥路甲7号海淀科技大厦806室

北京京谷会计师事务所有限责任公司

电话:88119339

地址:北京市海淀区恩济庄18号1号楼904室

北京金城立信会计师事务所有限责任公司

电话:69431855

地址:北京市顺义区大东路南口6号

北京中荣衡平会计师事务所有限责任公司

电话:64256253

地址:北京市东城区安定门外大街183号京宝大厦510室

北京中全联会计师事务所有限责任公司

电话:62073587

地址:北京市西城区北三环中路27号北京商房大厦写字楼527—529室

北京中宣育会计师事务所有限责任公司

电话:83558691

地址:北京市宣武区广内大街6号A座7-1202

北京数码会计师事务所有限公司

电话:62637840

地址:北京市海淀区苏州街78号

北京中达安永会计师事务所有限责任公司

电话:63546520

地址:北京市宣武区南横西街27号

北京京华会计师事务所有限责任公司

电话:67719070

地址:北京市朝阳区劲松南路1号(海文大厦)

北京先锋实杰会计师事务所有限责任公司

电话:64255348

地址:北京市西城区安外安华西里2区13号楼113室

北京律华会计师事务所

电话:66357717

地址:北京市海淀区西钓鱼台甲57号

北京振兴联合会计师事务所

电话:67980546

地址:北京市大兴区南郊农场德茂庄

§72. 律师事务所

(北京市律师协会 www.bmla.org.cn)

北京律师协会各专业委员会

WTO专业委员会

姓名	职务	单位	电话	传真	电子邮件	手机	通信地址	邮政编码
李静冰	主任	正见永申	64689128	64689129	lijingbing@zypartners.com	13901247049	朝阳区北三环路8号静安中心9071室	100028
童新朝	副主任	天达所	65906639	65906650	tdlaw@tiandalaw.com.cn	13801239277	朝阳区东三环北路8号亮马河大厦2座19层	100004

奥运法律事务专业委员会

姓名	职务	单位	电话	传真	电子邮件	手机	通信地址	邮政编码
李京生	主任	隆安所	65323778	65323768	jasonlee6770@sina.com	13901068009	建国门外大街21号北京国际俱乐部188室	100020
张佳春	副主任	康达所	85262828	85262826	jiachunzkd@btamail.net.cn	13701250521	朝阳区建国门外大街19号国际大厦703室	100004

保险法专业委员会

姓名	职务	单位	电话	传真	电子邮件	手机	通信地址	邮政编码
赵小鲁	主任	大地所	66211913/4	66211916	bjdadilo@ public. bta. net. cn	13901211296	西城区金融大街27号投资广场B座2103室	100032
管晓峰	副主任	尚公所	65288888	65226989	guanxf@ public. fhnet. cn. net	13701098903	东长安街十号长安大厦3层	100006

担保法专业委员会

姓名	职务	单位	电话	传真	电子邮件	手机	通信地址	邮政编码
刘迎生	主任	天元所	88092188	88092150		13801051481	西城区金融大街35号国际企业大厦C座11层	100032
张卫华	副主任	智浩所	65223372	65223371	zhihao@ public3. bta. net. cn	13601113828	东城区灯市口大街33号国中商业大厦702室	100006

电子商务专业委员会

姓名	职务	单位	电话	传真	电子邮件	手机	通信地址	邮政编码
董永森	主任	正见永申	64689128	64689129	yongsehdong@ zypartners. com	13901321862	北三环东路8号静安中心9071室	100028
陈际红	副主任	高朋所	84534055	84534066	chenjh@ ghpartners. com. cn	13701134607	朝阳区亮马桥西路39号第一上海中心808	100016

反倾销、反垄断专业委员会

姓名	职务	单位	电话	传真	电子邮件	手机	通信地址	邮政编码
王雪华	主任	环中所	64896300	64896292	wangxuehua@ Huanzhonglaw. com	13901209804	朝阳安立路68号阳光广场B2座29层2601室	100101
田予	副主任	金诚所	65155566	65263519	tianjincheng@ vip. sina. com	13901016739	建国门外大街甲24号东海中心17层	100004

房地产与建筑工程专业委员会

姓名	职务	单位	电话	传真	电子邮件	手机	通信地址	邮政编码
陈文	主任	中伦文德	64402232	64402915	chenwen@ zhonglun. com	13701081608	建国门西坝河南路1号金泰大厦19层	100028
刘子华	副主任	华伦	64282527	64207768	liuzihua@ sina. com	13901076188	朝阳西坝河西里16号明宫宾馆二层	100028
杨建津	副主任	金诚	65155595	65263519		13910862951	建外大街24号东海中心17层	100004

海商海事专业委员会

姓名	职务	单位	电话	传真	电子邮件	手机	通信地址	邮政编码
蒋敬业	主任	环球所	64672007	64672012		13801155041	朝阳区麦子店西路3号新恒基国际大厦5层	100016

公司法专业委员会

姓名	职务	单位	电话	传真	电子邮件	手机	通信地址	邮政编码
张晓森	主任	天达所	65906639	65906650		13901179429	朝阳区东三环北路8号亮马河大厦2座19层	100004
刘宁	副主任	公元所	88472802	88468501	neweragv@ 163bj. com	13801012543	海淀区曙光花园望山园1号置业园A座17D	100089
刘治海	副主任	金诚所	65155575	65263519	zhihai@ jinchenglaw. com	13901104772	朝阳区建国门外大街甲24号东海中心17层	100004

国际贸易与投资专业委员会

姓名	职务	单位	电话	传真	电子邮件	手机	通信地址	邮政编码
王辉	副主任	万思恒所	65885670	65885653	hui99@ hotmail. com	13901215881	朝外大街20号联合大厦1111室	100020
杨育红	副主任	金杜所	65612839	65610830	yhyang@ kingandwood. com		朝阳区光华路1号嘉里中心北楼30层	100020
陆志芳	主任	海问所	86421166	64106928/9	luz@ haiwen-law. com	13901045729	朝阳区东三环北路2号南银大厦1711室	100027

合同法专业委员会

姓名	职务	单位	电话	传真	电子邮件	手机	通信地址	邮政编码
冯培	主任	广盛所	65813529	65816534	fenglawyer@ 163. net	13901016516	建国路99号中服大厦25层	100020
刘守豹	副主任	普华所	88131230	88131239	bjph@ cb. col. com. cn	13901052951	海淀区阜成路58号新洲商务大厦五层502室	100036

环境保护专业委员会

姓名	职务	单位	电话	传真	电子邮件	手机	通信地址	邮政编码
常建	主任	众一所	85276155	85276161	zylaw@ public3. bta. net. cn	13901056063	朝阳区麦子店街37号盛福大厦1050室	100026
赵雅君	副主任	鑫兴所	64966396	84976426	xinglaw@ sina. com	13901079545	安外北辰东路8号汇宾大厦A1901—1902室	100101

婚姻家庭专业委员会

姓名	职务	单位	电话	传真	电子邮件	手机	通信地址	邮政编码
郝惠珍	主任	盈科所	62045835/43	62045842		13901016275	西城区德外大街甲11号美江大厦201室	100088
孔宁	副主任	陆通联合	65547188	65547088		13910830777	东城区东中街58号美惠大厦四单元二层	100027

基本建设专业委员会

姓名	职务	单位	电话	传真	电子邮件	手机	通信地址	邮政编码
王卫东	主任	国浩所	65171188	65176800	wangwd@ public3. bta. net. cn	13801202514	建内大街贡院西街6号贡院6号E座9层	100031

劳动法专业委员会

姓名	职务	单位	电话	传真	电子邮件	手机	通信地址	邮政编码
王建平	主任	德恒所	65269781	65232181		13801006463	建国门内大街8号中粮广场B座305-310室	100005
吴颖萍	副主任	泽普所	65233345	65233371		13801280245	东城区王府井大街99号世纪大厦A519、512	100006

民法专业委员会

姓名	职务	单位	电话	传真	电子邮件	手机	通信地址	邮政编码
蒋京川	主任	江川所	65802686/7	65802689	jiangjingchuan1@ sina. com	13901021064	朝阳门外大街19号华普国际大厦720	100020
常韦	副主任	国达所	64419877	64419877			朝阳区安定路39号长新大厦903室	100029

破产法专业委员会

姓名	职务	单位	电话	传真	电子邮件	手机	通信地址	邮政编码
战崇文	主任	融商所	67088104	67088139	zhanchongwen@ sohu. com	13901226037	崇文区崇外大街3号C新世界万怡酒店16层	100062
尹艳	副主任	京颐所	67086887	67086886	beijingyinyan@ 263. com	13801052510	崇文门外大街3号新世界中心北办公楼116室	100062

税法专业委员会

姓名	职务	单位	电话	传真	电子邮件	手机	通信地址	邮政编码
栾燕民	主任	吴栾赵阎所	68083212	68083215		13501006584	西城区月坛北街2号月坛大厦A506室	100045
戴昌久	副主任	昌久所	68452893	68458526	daicj@ digiark. net	13901020217	海淀区紫竹院路1号院人济山庄2号楼1910室	100044

诉讼法专业委员会

姓名	职务	单位	电话	传真	电子邮件	手机	通信地址	邮政编码
阎建国	主任	信利所	65186980	65186981	yanjianguo@ cni-partners. com	13801180828	建国门内大街18号恒基中心一座609室	100005
于君	副主任	圣大所	68001717/27	68003737	Shengda@ cb. col. com. cn	13901192244	车公庄大街甲4号中元大厦A1403	100044
刘小力	副主任	法苑所	64954138/40	64954134	fayuansuo@ 263. net	13701137003	朝阳区安立路68号阳光广场A1-1301	100101

未成年人保护专业委员会

姓名	职务	单位	电话	传真	电子邮件	手机	通信地址	邮政编码
佟丽华	主任	致诚所	63835280	63835279	Lawyer. tong@ 263. net	13901221931	丰台区丰北路甲79号	100073
黄琳琳	副主任	惠诚所	63835845	63835279	Lylnhuang@ 263. net	13001216414	丰台区丰北路甲79号冠京大厦510室	100073

物权法专业委员会

姓名	职务	单位	电话	传真	电子邮件	手机	通信地址	邮政编码
蔡耀忠	主任	炜衡所	68499338	68499346	caiyaozhong@ 263. net	13910622211	海淀区中关村南大街1号友谊宾馆迎宾楼7层	100873

消费者权益保护专业委员会

姓名	职务	单位	电话	传真	电子邮件	手机	通信地址	邮政编码
邱宝昌	主任	汇佳所	68462088	68905743	qiubaochang@ sina. com	13801056589	海淀阜成路北三街八号中国消费者报大厦七层	100037

宪法与人权专业委员会

姓名	职务	单位	电话	传真	电子邮件	手机	通信地址	邮政编码
吴革	主任	中闻所	82250115-20	62048868	wuge2000@ sina. com	13501199510	朝阳区裕民路 12 号华展国际公寓 A 座 5F	100029
肖太福	副主任	创天所	66521379/97	66518242	transking@ xiaotaifulaw. com	13801121042	西直门南大街 2 号成铭大厦 C 座 10 层	100035

刑事业务专业委员会

姓名	职务	单位	电话	传真	电子邮件	手机	通信地址	邮政编码
许兰亭	主任	君泽君所	64268870	64217708	xulanting2000@ 263. net	13901128051	东城区西滨河路 9 号中成大厦 11 层	100011
张燕生	副主任	大禹所	68944390	68498933	dayulaw@ 163. com	13501274488	海淀区中关村友谊宾馆苏园 62021 室	100873
钱列阳	副主任	中孚所	63291803	63293547	lieyang_99@ hotmail. com	13901133957	右安门外玉林里 1 号楼商务会馆西楼 4 层 401	100054

行政法专业委员会

姓名	职务	单位	电话	传真	电子邮件	手机	通信地址	邮政编码
吕立秋	主任	观韬所	88086638	88086645	llq@ guantao. com	13601059892	西城区金融大街 33 号通泰大厦 B 座 6 层	100032
付世德	副主任	经纬所	66428899-22	66421786	shidefu@ yahoo. com	13901119421	复兴门内大街 158 号远洋大厦 F302 室	100031

医疗纠纷专业委员会

姓名	职务	单位	电话	传真	电子邮件	手机	通信地址	邮政编码
陈志华	主任	华炜所	64643690	84544492	angelo@ public. bta. net. cn	13801337376	朝阳区亮马桥路 32 号高斓大厦 1818 房间	100016
刘革新	副主任	法大所	62341242	62224979		13701100525	海淀区西土城路 25 号	100088

银行法专业委员会

姓名	职务	单位	电话	传真	电子邮件	手机	通信地址	邮政编码
杨文莉	主任	威宇所	63100181	63100187	grandall@ public2. bta. net. cn	13901317353	崇文区宝鼎中心A座885	100031
刘红宇	副主任	同达所	65132186	65132135	tongda@ public. netchina. com. cn	13801333515	南河沿天安大厦519室	100006
陈庚生	副主任	凯源所	84979828	84979252	chengengsheng@ kaiyuanlaw. com	13601088855	朝阳区北辰东路8号北京国际会议中心6楼	100101

证据学专业委员会

姓名	职务	单位	电话	传真	电子邮件	手机	通信地址	邮政编码
牟继源	主任	中业所	65229701/5	65229709	zhong_ye@ fm365. com	13701375623	王府井灯市口大街33号柏景商业大厦720室	100006
杨盛华	副主任	江川所	65992686/7	65992689	shhyang@ public3. bta. net. cn	13801073034	朝阳门外大街19号华普国际大厦720室	100020

证券期货专业委员会

姓名	职务	单位	电话	传真	电子邮件	手机	通信地址	邮政编码
唐金龙	主任	中银所	66210709	66213817	dragon-titan@ 263. net	13901226398	西城区金融大街23号平安大厦609	100032
颜羽	副主任	嘉源所	66493367	664412855		13901190612	西城区复兴门内大街158号远洋大厦F301A	100031
黄永庆	副主任	隆安所	65320370	65323768	elawyer@ huang. com. cn	13901257969	建国门外大街21号国际俱乐部写字楼188室	100031

知识产权专业委员会

姓名	职务	单位	电话	传真	电子邮件	手机	通信地址	邮政编码
张黎	主任	天科	62140496/97	62140499	lyann@ 163. net	13901079433	中关村南大街34号中关村科技发展大厦C座705	100081
张永宜	副主任	大地	66211913/14	66211916	bjdadilo@ public. bta. net. cn	13901105606	西城区金融大街27号投资广场B座2103、2105	100032
马翔	副主任	天驰	84991188	84990025	tianchi@ public. gb. com. cn	13911123689	朝阳区北四环中路8号亚运村汇欣大厦A座14层	100101

并购与重组法律事务专业委员会

姓名	职务	单位	电话	传真	电子邮件	手机	通信地址	邮政编码
袁冬梅	主任	共和	85276468-615	85275038	yuandm@ concord-lawyers. com	13901089712	朝阳区麦子店街37号盛福大厦1930室	100026
张本良	副主任	金诚	65155566	65263519	ben@ jinchenglaw. com	13910668828	海淀区成府路华清嘉园18#-3门-501	100083
关景新	副主任	陆通联合	65547288	65547088	Guanlawyer@ yahoo. com. cn	13311184789	东城区东中街58号美惠大厦D座2层	100027
刘志忠	秘书长	铭达	66213668	66213660-1000	liuzhizhong07@ yahoo. com. cn	13501393254	西城区金融大街金宸公寓1号楼1105室	100032

动物保护法律事务专业委员会

姓名	职务	单位	电话	传真	电子邮件	手机	通信地址	邮政编码
徐雪莉	主任	怡文	65543439	65546035	sxu@ yiwenlaw. com	13601252245	东城区东中街58号美惠大厦D座604室	100027
宋海波	秘书长	华烨	64801432	64801483	Lawyersong@ sohu. com	13701153493	朝阳区慧忠北里311栋701室	100012

复转军人权益保障专业委员会

姓名	职务	单位	电话	传真	电子邮件	手机	通信地址	邮政编码
杨光	主任	兰台	64801695	64801694	yangguang@ lanternlaw. com	13910811535	朝阳区天创世缘B1座2803	100012
罗会远	秘书长	天银	88381802-819	88381869	Luohuiyuan@ 163. com	13801384410	三里河路1号西苑饭店5#-5520	100044

航空法专业委员会

姓名	职务	单位	电话	传真	电子邮件	手机	通信地址	邮政编码
高峰	主任	国浩	65171188	65176800	gflaw@ vip. sina. com	13911413172	东城区建国门内大街贡院六号E座九层	100005
毕秀丽	副主任	京都	85862336	85251268	Xiulib@ hotmail. com	13911657521	朝阳区朝外大街16号中国人寿大厦8层802-805	100020
张起淮	秘书长	蓝鹏	64967667	64959221	qh. zhang@ x263. net	13901218398	朝阳区安慧里4区15号楼中国五矿大厦427-432室	100101

会计审计法律事务专业委员会

姓名	职务	单位	电话	传真	电子邮件	手机	通信地址	邮政编码
张力	主任	中润	84471800	84471810	Zhanglilawyer@ sohu. com	13301186776	朝阳区东三环北路戊2号国际港C座十层	100027
朱立夫	秘书长	嘉诚泰和	64402562	64402563	Unionbest@ X263. net	13901104129	朝阳区西坝河南路1号金泰大厦1706室	100028

票据法专业委员会

姓名	职务	单位	电话	传真	电子邮件	手机	通信地址	邮政编码
王开定	主任	怡文	65543435	65546035	kaidingwang@ yiwenlaw. com	13701232587	东城区东中街58号美惠大4单元604室	100027
张德荣	副主任	中伦文德	64402232	64402925	zhangderong@ zhonglunwende. com	13901118483	朝阳区西坝河南路1号金泰大厦19层	100028
周敏	秘书长	金台	63288571	63288570	Zhoumin1017@ sohu. com	13311178213	广安门高新大厦3层	100055

汽车法律事务专业委员会

姓名	职务	单位	电话	传真	电子邮件	手机	通信地址	邮政编码
贾海燕	主任	国维	87638861	87638862	Lawyer-jhy@ sma. com	13301268090	丰台区芳古园二区12号楼201	100078
李鹏	副主任	展达	66026800	66026900	lipeng@ zdlaw. com. cn	13901020046	西城区复兴门内大街49号民族文化宫6层	100031
张金澎	秘书长	卓代	82669330	82669330	jameszjp@ sohu. com	13701290300	海淀区海淀南路19号时代网络大厦1008室	100071

商标法专业委员会

姓名	职务	单位	电话	传真	电子邮件	手机	通信地址	邮政编码
马翔	主任	天驰	84991188	84990025	tianchi@ tc-lawyer. com	13911123689	亚运村汇欣大厦A座14层	100101
刘蕾	秘书长	华一	85271736	85271604	Liuleilawyer925@ hotmail. com	13910197204	朝阳区和平里东土城路14号建达大厦23层	100013

体育运动法律事务专业委员会

姓名	职务	单位	电话	传真	电子邮件	手机	通信地址	邮政编码
刘驰	主任	中伦金通	65681188-317	65681022	liuchi@ zhonglun. com	13801056300	朝阳区建国路118招商局中心1楼12层	100022
刘忠	秘书长	华一	85271736	65271604	liuzh@ huayilawyers. com	13801088698	朝阳区和平里东土城路14号建达大厦23层	100013

土地法专业委员会

姓名	职务	单位	电话	传真	电子邮件	手机	通信地址	邮政编码
李晓斌	主任	广盛	65813529	65816534	ld669@ vip. sina. com	13321191793	朝阳区建国路99号中服大厦25层	100020
杨兆全	副主任	华堂	68001686	68006964	zhaoquany@ 263. com	13801229136	西城区阜外大街11号国宾酒店写字楼906室	100037
程建平	副主任	紫光达	66179094	66126295	cjply@ vip. sina. com	13911394819	西城区西直门南街6号国务院第二招待所5205室	100035
刘锦玉	秘书长	鼎恒	82251183	81786161	liujinyulawyer@ 126. com	13810779938	朝阳区裕民路12号元辰鑫大厦1002	100029

物业管理法律事务专业委员会

姓名	职务	单位	电话	传真	电子邮件	手机	通信地址	邮政编码
张军	主任	大地	66211913	66211916	zj@ dadilaw. com	13701061660	西城区金融街27号投资广场B座2103室	100032
余国飞	秘书长	雄志	87770661	67758467	planeyu@ 163. com	13321101992	朝阳区劲松一区138号垂杨大厦B座241室	100021

新闻出版法律事务专业委员会

姓名	职务	单位	电话	传真	电子邮件	手机	通信地址	邮政编码
任丽颖	主任	融商	67080268	67080218	rly0821@ vip. sina. com	13901069576	崇文区崇外大街新世界中心北办公楼915室	100062
吕军	副主任	展达	64156655	64183636	lujun@ zdlaw. com. cn	13601135129	东城区东中街9号东环广场B座写字楼5Q	100027
孙斌	秘书长	隆安	65325588	65323768	Sunbin61@ sohu. com	13901215976	朝阳区建国门外大街21号北京国际俱乐部188室	100020

招标投标法律事务专业委员会

姓名	职务	单位	电话	传真	电子邮件	手机	通信地址	邮政编码
朱建岳	主任	金台	63288571	63288570	zjy@ktlawyer.com	13311178238	广安门高新大厦3层	100055
郝春丽	副主任	东卫	65542826	65542185	HCL196@sohu.com	13901220560	东城区朝阳门北大街8号富华大厦D5A	100027
赵曾海	副主任	证泰	85118719	65238668	cenghaizhao@sohu.com	13801109740	东城区建国门内大街8号中粮广场B座11层	100005
高娃	秘书长	广住	84991309	84991304	E-gwlaw@sina.com	13911287587	朝阳区北辰东路8号汇宾大厦A座1201	100101

政府法律顾问专业委员会

姓名	职务	单位	电话	传真	电子邮件	手机	通信地址	邮政编码
马维国	主任	英岛	66521559	66521547	maweiguo@ydlawfirm.com	13901376867	西城区平安里西大街43号国旅大厦	100035
黄文俊	副主任	上海市小耘	51669100	65888256	beijing@rwlawyers.com	13501154078	朝外大街20号联合大厦1801	100020
王玉梅	副主任	王玉梅	82609717	82609590	wangyumei@wangyumei.com.cn	13901295627	海淀南路19号时代网络大厦2019室	100080
郑雪倩	秘书长	华卫	84511877	84511871	huaweisuo@x263,net	13901078754	东直门外小街6号健康报社407室	100027

著作权法专业委员会

姓名	职务	单位	电话	传真	电子邮件	手机	通信地址	邮政编码
臧炜	主任	君都	65666952	65666908	zangwei@kingall.com	13901032623	朝阳区东三环南路2号艾维克大厦14层	100022
倪晓红	副主任	合川	65686306	65686551	nixiaohong@oceanlawfirm.com	13801010491	朝阳区东三环南路2号艾维克大厦15层	100022
解士辉	秘书长	众天中瑞	65900088	65906089	xshh8866@yahoo.com.cn	13801026025	朝阳区东三环北路8号亮马河大厦一座五层	100004

专利法专业委员会

姓名	职务	单位	电话	传真	电子邮件	手机	通信地址	邮政编码
邓泽敏	主任	英岛	66521538	66521547	dengzm@ sohu. com/sina. com	13901011630	西城区平安里西大街43号国旅官园大厦4层	100035
于志红	秘书长	金诚	65155566	65263519	yzhlawyer@ jinchenglaw. com	13910618726	建国门外大街甲24号东海中心17层	100004

§73. 资信评估机构

北京信用管理有限公司

联系方式:

电话:(010)88470908　88470898　88470918　88470928

传真:(010)88082462

地址:北京市海淀区西四环北路116号院

邮政编码:100037

Email:shenjun@ creditbeijing. com. cn

中诚信国际信用评级有限责任公司

联系方式:

电话:(010) 66428877,66426101

传真:(010) 66426100

地址:北京市复兴门内大街156号北京招商国际金融中心D座12层

邮政编码: 100031

网址: www. ccxi. com. cn

Email: ccxi@ ccxi. com. cn

联合资信评估有限公司

地址:北京市朝阳区安慧里四区15楼五矿大厦16层

电话:010-64912118　64918557　64919022

网址:http://www. lianheratings. com. cn

北京新华信商业信用咨询有限公司

地址:北京市朝阳区酒仙桥路14号兆维大厦7—8层

电话:010-58671166　58671888

传真:(010) 58671800　58671868　网址:www. sinotrust. cn/

大公国际资信评估有限公司

地址:北京市朝阳区霄云路 26 号鹏润大厦 B 座 20 层

联系电话:010-64606677

传真:(8610)84583355

电子邮箱:master@ dagongcredit. com

网址:http://218. 30. 101. 58/dagong/index. php

华夏国际企业信用咨询有限公司

地址:北京建国门外东三环南路 2 号艾维克大厦 10 层

电话:010- 6567 0387 6568 7932

传真:010-6568 5691/6568 4247

网址:http://www. huaxiacredit. com

§74. 管理咨询公司

公司名称	地　址	电话	传真	业务领域
麦肯锡北京分公司	北京市朝阳区光华路 1 号北京嘉里中心南楼 20 楼麦肯锡公司	6561-3366	8529-8038	管理咨询
北京派力营销管理咨询有限公司	北京朝外大街 22 号泛利大厦 1602 室	65887818	65882943	营销管理咨询
新华信管理顾问公司	北京市朝阳区酒仙桥路 14 号兆维大厦 8 层	58671818	58671806	管理咨询信用风险市场调研
北大纵横管理咨询公司	北京海淀区海滨路 52 号北大太平洋科技大厦 11 层	82861188	82861190	管理咨询
北京经纬国际公共关系有限公司	海淀区曙光光园望塔园 5-1401	68437065	68410523	信息咨询
中国农村技术开发中心	北京三里河路 54 号	68511850	68515669	农村科技项目管理,发展研究,科技管理培训
北京瑞通伟企业管理顾问有限公司	北京市西城区阜成外大街 22 号万通新世界广场 712 室	68581199	68588936	管理咨询
北京纵深咨询有限责任公司	北京市海淀区中关村南大街甲 56 号方园大厦 B 座 601	88026357	88026605	战略咨询成果产业化等

（续表）

公司名称	地址	电话	传真	业务领域
中国船级社质量认证公司	北京市东黄城根南街40号	65239001	65262774	管理体系认证
北京麦若工业技术咨询有限公司	华泰大厦8层8001室	82073835	82073850	管理咨询（为投资建设项目进行评估）
上海荣正投资咨询有限公司	北京朝阳区力源里东恒时代3号楼1204室	58625429	58625429	管理咨询投资银行业务
北京志成诚质量管理体系认证咨询有限公司	北京市宣武区长椿街西里7号东楼6层	63027280	63015918	质量管理体系认证咨询服务
北京鑫华投资管理有限公司	北京东城区安德路16号洲际大厦718室	62371941	84882307	企业咨询包括财务顾问
北京环信咨询有限责任公司	北京海淀阜成路十四号	88026999	68767047	管理咨询
北京今日信迅投资顾问有限公司	和平里东街18号	84238283	84238283	企业管理咨询
北京中和信达投资顾问有限责任公司	中关村南大街1号友谊宾馆会议楼405	68728575	68728575	财务、管理，顾问
北京多星企业管理咨询公司	海淀区知春路49路希格玛大厦B座1905室	62144889	88099421	管理咨询
北京智宝联技术咨询有限公司	北京海淀万寿路复兴路83号平房	68207471	68207471	咨询服务
商之杰企业管理咨询有限责任公司	北西城三里河二区11号2118室	68570441	68570441	企业管理咨询
北京市安世峰咨询服务有限公司	怀柔燕西镇下辛庄凤三小区22号	67663464	67631930	企业IS09000族质量认证咨询；法律事务咨询；企业管理咨询等
北京中电力企业管理咨询有限责任公司	北京市宣武区广内大街6号枫桦豪景A8—12层	83548309	NULL	企业管理咨询
高新投资发展有限公司	宣武广外南滨河路高新大厦19层	63288626	63288623	资产管理项目投资
金易林企业咨询有限公司	北京市朝阳区松榆北路2号兆佳商务楼	67306808	67312055	企业信息管理咨询认证咨询
北京永丰华烨贸易有限公司	北京市朝阳区左家庄1号国门大厦C座3H房间	64604501	64604508	服务咨询
北京泰维投资咨询有限公司	复兴路83号九洲大厦405室	68222236	68222236	企业管理咨询
北京理德斯普企业管理咨询有限责任公司	北京市海淀区中关村南大街48号九龙商务中心C座4021室	62176335	62175610	企业管理咨询
北京理博经纬管理咨询有限公司	北京市海淀区蓝靛厂垂虹园6号楼5E	88878531		管理咨询

§75. 风险投资及投资顾问机构

联想投资有限公司

地址:中关村科学院南路2号融科资讯中心A座10层南翼

电话:010-62508000

网址:www.legendcapital.com.cn

投资领域:新材料、光机电一体化、电子信息技术

IDG技术创业投资基金(简称IDGVC)

地址:北京建国门内大街8号中粮广场A座616室

电话:010-65262400

网址:http://www.idgvc.com

投资领域:投资瞄准中国的高科技产业,尤其是国际互联网、信息服务、软件、通讯、网络技术以及生物工程等领域

中关村百校信息园有限公司

地址:海淀区知春路76号北京翠宫饭店写字楼1410室 100081

电话: 010-62638303/5

网址:http://www.cuib.com.cn/

投资领域:以软件为代表的电子信息技术企业

中国风险投资有限公司

地址:北京朝阳门外大街吉祥里208号

电话:010-65523163

网址:www.c-vc.com.cn

投资领域:电子信息、生物医药、基因工程、农业开发、新能源、新材料、机电一体化等领域的高新技术项目

北控高科技发展有限公司

地址:北京市朝阳区安翔北里甲11号

电话:010-850346-204　13701263982

网址:www.beht.com.cn

投资领域:对工业、农业、电子信息、光机电一体化、新材料、新能源、节能工程、新医药、环境保护等领域的高新技术产业进行投资

中关村科技投资有限公司

地址:朝阳区霄云路 26 号鹏润大厦 B 座 608 室

电话:010-84584160-222

投资领域:IT、通信产业;医疗设备和新药产业;文化传媒等

北京高新技术创业投资股份有限公司

地址:北京海淀区中关村南大街 32 号中关村科技发展大厦 A 座 12 层

电话:62140588　62142499

传真:86-10-62142499

网址:http://www.bhti.com.cn/synopsis.htm

投资领域:公司主要投资领域及目前投资重点是信息科学技术、生命科学技术、新能源与可 再生能源技术、环保高新技术、新材料技术及空间新技术等。

华夏世纪创业投资有限公司

电话:64067844/6-204

传真:64067834

中海源产权经纪有限公司

地址:中关村海淀区南大街 3 号海淀科技大厦 1502 室

电话:68915763/71/72/90/91/92/93

传真:68915238

中联财务顾问有限公司

电话:68365066　68364721　68348088　68347748

传真:68365038

中融投资咨询有限公司

电话:66410028/29/57/58

传真:66410028/29/57/58-8009

中技经投资顾问股份有限公司

电话:63437637-13

传真:63395897

北京国润创业投资有限公司

电话:64853153

集富创业投资(香港)北京代表处

电话:62508506

DEG 德国投资与开发有限公司
电话:85275167

汉鼎亚太公司(北京代表处)
电话:65058886
(参见"§39 中关村的主要投资机构")

§76. 专利事务代理机构

北京路浩知识产权代理有限公司
地址:北京海淀区知春路 6 号锦秋知春花园 3 座 2402 室
电话:(010)82357887　82357889

北京中创阳光知识产权代理有限责任公司
地址:北京市海淀区花园路 13 号道隆商务会馆 112 号
电话:(010)62017761　62361680　62063602

北京律诚同业知识产权代理有限公司(涉外)
地址: 北京市海淀区知春路 23 号量子银座 306 室
电话:(010)82358359

北京理工大学专利中心(国防)
地址: 北京市海淀区中关村南大街 5 号
电话:(010)68912328

北京中建联合专利代理事务所
通信地址:北京西城区西直门外车公庄大街 19 号
办公所在行政区:西城区
企业电话:68330021　68022986　68393504
传真:88377188　开始经营时间:1985 年
主要咨询服务专业:专利代理、技术转让、申办

北京中原华和专利代理有限责任公司
通信地址:北京朝阳亚运村江宾大厦 909 室
办公所在行政区:朝阳区
企业电话:64993855
传真:84973158

开始经营时间:2001 年
主要咨询服务专业:知识产权

北京科大华谊专利代理事务所

通信地址:北京海淀区学院路 30 号
办公所在行政区:海淀区
企业电话:62332553　62333471
传真:62347649
开始经营时间:2001 年
主要咨询服务专业:知识产权

北京小松专利事务所

通信地址:北京宣武区前门西大街 8 号楼 1002 室
办公所在行政区:宣武区
企业电话:63172986
传真:63012560
开始经营时间:1987 年
主要咨询服务专业:知识产权

北京英特普罗知识产权有限公司

通信地址:北京市西城区车公庄大街 9 号五栋大楼 C 座 11 层
办公所在行政区:西城区
企业电话:66215588
传真:66210771
开始经营时间:1998 年
主要咨询服务专业:知识产权

中国专利技术开发公司

通信地址:北京海淀区西土城路 6 号
办公所在行政区:海淀区
企业电话:64882120
传真:64871217
开始经营时间:1986 年
主要咨询服务专业:知识产权

北京金之桥专利事务所

通信地址:北京海淀区知春路 49 号希格玛中心 A 座 108 室

办公所在行政区:海淀区
企业电话:88096307　88096306
传真:88096309
开始经营时间:1987 年
主要咨询服务专业:知识产权

北京市恒信悦达专利代理有限公司

通信地址:北京市海淀区太阳园 17 号楼 102 室
办公所在行政区:海淀区
企业电话:82130095 转 810
传真:82130095 转 812
开始经营时间:1985 年
主要咨询服务专业:知识产权

北京紫图知识产权司法鉴定中心

通信地址:北京西城区月坛南街甲 12 号万丰怡和商务会馆 3A13
办公所在行政区:西城区
企业电话: 68025567　68025660
传真: 68025567
开始经营时间:2002 年
主要咨询服务专业:知识产权

北京君尚知识产权代理事务所

通信地址:北京市海淀区成府路 298 号中关村方正大厦 308 室
办公所在行政区:海淀区
企业电话:82529140
传真:82529029
开始经营时间:1985 年
主要咨询服务专业:知识产权

北京科兴园专利事务所

通信地址:北京朝阳区酒仙桥路 13 号
办公所在行政区:朝阳区
企业电话:64355266
传真:64355266
开始经营时间:1993 年
主要咨询服务专业:知识产权

中原信达知识产权代理有限责任公司

通信地址:北京西城区金融街19号富凯大厦B座11层

办公所在行政区:西城区

企业电话:66576688

传真:66578088

开始经营时间:1993年

主要咨询服务专业:知识产权

北京同汇友专利事务所

通信地址:北京大兴区黄村兴丰北大街5号

办公所在行政区:大兴区

企业电话:69242225 69242225

开始经营时间:2001年

主要咨询服务专业:知识产权

北京大学科技开发部与产业管理办公室

通信地址:北京海淀区北京大学均斋楼3103室(红三楼)

办公所在行政区:海淀区

企业电话:62751236

传真:62751236

开始经营时间:1985年

主要咨询服务专业:专业化服务

祥云专利事务所

通信地址:北京海淀区学院路蓟门东里2号楼D-1号

办公所在行政区:海淀区

企业电话:62044013

传真:62044013

开始经营时间:1988年

主要咨询服务专业:专业化服务

北京第二炮兵专利服务中心

通信地址:北京海淀区清河镇清河大楼丁三

办公所在行政区:海淀区

企业电话:66332420 62841531

传真:66332420

开始经营时间:1985年

主要咨询服务专业:专业化服务

清华大学科技处成果与知识产权办公室

通信地址:北京海淀区 100084-82 信箱

办公所在行政区:海淀区

企业电话:62784623

传真:62792574

开始经营时间:1985 年

主要咨询服务专业:专业化服务

北京腾远设计事务所

信地址:北京西城区木樨地北里 2 号院 6 号楼 2 层

办公所在行政区:西城区

企业电话:63476059

传真:63440700

开始经营时间:1995 年

主要咨询服务专业:专业化服务

中关村科技园区海淀园创业服务中心

通信地址:北京海淀区上地信息路 26 号创业服务中心

办公所在行政区:海淀区

企业电话:82898748

开始经营时间:1989 年

主要咨询服务专业:专业化服务

北京高技术创业服务中心

通信地址:北京朝阳区安翔北里 11 号创业大厦 205

办公所在行政区:朝阳区

企业电话:64853163/4/5/6

开始经营时间:1989 年

主要咨询服务专业:专业化服务

北京志成诚质量管理体系认证咨询有限公司

通信地址:北京宣武区长椿街西里 7 号 604 室

办公所在行政区:宣武区

企业电话:63015879 83152471

传真:63015918

开始经营时间:1999 年
主要咨询服务专业:专业化服务

北京科技活动中心
通信地址:北京朝阳区育慧里 4 号
办公所在行政区:朝阳区
企业电话:84639887　84650077(总机)
传真:84649891　84635012
开始经营时间:1998 年
主要咨询服务专业:专业化服务

中关村科技园区昌平园管委会创业中心
通信地址:北京昌平区科技园区永安路 47 号
办公所在行政区:昌平区
企业电话:69704887　89740247
传真:69704887
开始经营时间:2001 年
主要咨询服务专业:专业化服务

北京科龙环宇专利有限公司
通信地址:北京海淀区西土城路 4 号
办公所在行政区:海淀区
企业电话:82021063
传真:82021722
开始经营时间:1992 年
主要咨询服务专业:专业化服务

中科业科技服务中心
通信地址:北京海淀区翠微南里 7 号 101
办公所在行政区:海淀区
企业电话:68152621
传真:68152621
开始经营时间:2000 年
主要咨询服务专业:专业化服务

北京三高永信知识产权代理有限责任公司
通信地址:北京海淀学院路蓟门东里口楼 1 单元 102

办公所在行政区:海淀区
企业电话:62042352
传真:62036416
开始经营时间:1991 年
主要咨询服务专业:专业化服务

§77. 商标代理机构

中科专利商标代理有限责任公司

地址:北京市海淀区王庄路 1 号清华同方科技大厦 B 座 15 层
电话: 010-62613753 82378686
网址:http://www.csptal.com

北京如意诚信商标代理有限公司

地址:北京海淀区北三环西路甲 30 号双天大厦 336 室
电话:010-51667500,83312308
网址:http://www.bjtrademark.com/

北京专商投资咨询服务有限公司

地址: 朝阳区东三环北路 19 号华鹏大厦南 403 室
电话:(010)5975210,65975044

北京中北商标专利事务所

地址:北京市西城区月坛北街 2 号月坛大厦 1601 室
电话:010-68081365 或 68083066
网址:www.bta.com.cn

永新专利商标代理有限公司

地址:北京金融大街 27 号投资广场 A 座 10 层
地点:010-66211836
网址:http://cn.chinantd.com

§78. 为留学人员创业服务的主要政府部门和单位

78.1 综合服务部门

中关村留学人员创业服务总部

服务总部负责中关村科技园区留学人员回国创业的整体工作，具体负责留学人员归国到园区创业的接待、咨询、协调、投诉等工作。

地址：海淀区苏州街36号408，邮政编码：100080

电话：(010)82690613　82690408　82691716

Fax：(010)82690408　(010)82690506

E-mail：lxry@zgc.gov.cn

网址：http://www.zgc.gov.cn/cms/template/index_lxry.html

北京市留学人员服务中心

地址：北京市海淀区清华东路东王庄33号楼3层

邮政编码：100083

电话：010-62399223，62399227

传真：010-62399705

E-mail：webmaster@bjlx.gov.cn

网址：www.bjlx.gov.cn

中关村科技园区电子城科技园科技促进部

电话：(010)64318167　(010)64313218

网址：www.zgc-dzc.gov.cn

北京经济技术开发区投资促进局

电话:(010)67881209

网址:www.bda.gov.cn

中关村科技园区昌平园企业发展部

电话:89701437　68744529　69746874

网址:www.zgc-cp.gov.cn

中关村科技园区德胜园管委会

地址:北京市西城区二龙路27号

邮政编码:100032

电话:88064538

网址:www.zgc-ds.gov.cn

北京市投资促进局

联系电话:65541880(总机)

项目服务部: 65543150、65542067、65543086

咨询部:65543173、65542552、65543149

网址:http://www.investbeijing.gov.cn

中关村科技园区服务中心(海淀一站式办公服务大厅)

地址:海淀区阜成路63号甲银都大厦

电话:68465297　68465293　68465839

中关村科技园区健翔园招商投资服务大厅

地址:北京市朝阳区大屯路西奥中心B座22层

电话: 010-64862723 64862731

网址: http://www.jxsp.gov.cn/

中关村科技园区昌平园一站式办公大厅

地址:昌平区超前路9号(邮政编码102200)

电话:89742338

北京经济技术开发区投资服务办公室(亦庄科技园)

地址:

电话:67881126

78.2 业务性服务单位

中关村集成电路设计企业专项贷款担保绿色通道

联系单位:中关村科技园区管委会产业发展处
联系电话:82690521
网址:www.zgc.gov.cn
联系单位:北京中关村科技担保有限公司
联系电话:62148866-157,158

中关村软件企业外包业务贷款担保绿色通道

联系单位:北京市国际技术贸易协会
联系电话:65252214
网址:www.bjfetc.gov.cn
联系单位:北京软件与信息服务业促进中心
联系电话:82331717-887
网址:www.bsw.gov.cn
联系单位:中关村企业信用促进会秘书处
联系电话: 82888681
网址:www.zgc.gov.cn

中关村留学人员创业企业小额担保贷款绿色通道

联系单位:中关村管委会留学人员创业服务总部
联系电话:82691716　82690613　82690408
网址:www.zgc.gov.cn
联系单位:北京中关村科技担保有限公司海淀事业部
联系电话:82888685/84/83

中关村规模性高成长企业担保贷款绿色通道(瞪羚计划)

联系单位:中关村企业信用促进会秘书处
联系电话:82888208

中关村中小企业技术创新专项资金

联系单位:中关村科技园区管理委员会产业发展促进处
联系电话:82690520
网址:www.zgc.gov.cn
联系单位:科技部中小企业技术创新基金管理中心

联系电话:68515522

网址:www. innofund. gov. cn

中关村创业投资引导资金

联系单位:中关村科技园区管理委员会投融资促进处

联系电话:82691705

网址:www. zgc. gov. cn

中关村企业激励机制试点

联系单位:北京市体制改革办公室

联系电话:65192843

联系地址:北京市财政局企业一处

联系电话:68423856、88549192

高新技术企业认定

联系地址:北京市科委在线服务平台

网址:egov. bsti. ac. cn

联系单位:中关村科技园区管理委员会

网址:www. zgc. gov. cn

北京市高新技术成果认定

联系单位:北京市科委在线服务平台

网址: egov. bsti. ac. cn

北京市高新技术成果转化项目

联系单位:北京市高新技术成果转化服务中心

联系电话:64874216 64874561

网址:www. bjcy. net. cn

北京市集成电路设计研发专项资金

联系单位:北京市半导体行业协会

联系电话:82001848,82001850

网址:www. bjic. gov. cn

北京市现代制造业企业和高新技术企业用地优惠政策

各区县政府、开发区管理机构

来京投资企业高级管理人员资格认定

联系单位:北京市发展和改革委员会

网址:http://www.bjpc.gov.cn/

北京市软件企业和软件产品优惠政策

联系单位:北京市软件行业协会

联系电话:68465716　68465981

网址:http://www.bsia.org.cn/

北京市研发机构认定

联系单位:北京市科学技术委员会

网址: http://www.bjkw.gov.cn/

北京市工作居住证制度

网址:www.bjp.gov.cn

科技中介机构优惠政策

联系单位:北京市高新技术成果转化服务中心

联系电话:64874216　64874561

网址:www.bjcy.net.cn

风险投资机构优惠政策

联系单位:北京市高新技术成果转化服务中心

联系电话:64874216　64874561

网址:www.bjcy.net.cn

孵化器优惠政策

联系单位:北京市创业孵育协会

联系电话:64874568/64843991

中关村科技园区留学人员创业扶持资金(每季度评审一次)

联系电话:82691716,82690613

网址:www.zgc.gov.cn

科技部中小企业技术创新基金

联系电话:68515522-505, 68525405

网址:www.innofund.gov.cn

人事部、北京市人事局留学人员项目择优资助资金(每年评审一次)

联系电话:65245084、65249721

网址:http://www.bjp.gov.cn

中关村科技园区留学人员创业企业扶持资金

联系单位:中关村科技园区留学人员创业扶持资金管理小组办公室

联系电话:82691716,82690613

网址:www.zgc.gov.cn

留学人员来京创办外商投资企业办理注册登记的一般程序

联系单位:北京市商务局外资处

联系电话:65278115

联系单位:北京市工商局注册登记处

联系电话:82690302　82690324

办理留学人员身份认定

联系单位:北京市留学人员服务中心

联系电话: 62330441

留学人员来京创业、工作的综合协调工作机构

联系单位:北京市人事局调配处

联系电话: 65248853

联系单位:北京高技术创业服务中心企业部

联系电话:64853163(-67)-223,221

国家火炬计划项目

联系单位:北京高技术创业服务中心企业部

联系电话:64853163,64853167-223,221

网址:www.bjcy.net.cn

国家火炬计划软件产业基地骨干企业认定

联系单位:北京高技术创业服务中心企业部

联系电话:64853163,或 64853167-223,221

网址:www.bjcy.net.cn

国家级企业技术中心

联系单位:北京市发展和改革委员会

联系电话:66415588

网址:www.bjpc.gov.cn

国家科技攻关计划

联系单位:北京市科委发展计划处

联系电话:66153416　66153414

网址：www.bjkw.gov.cn

国家高技术研究发展计划(863计划)

联系单位:北京市科委发展计划处

联系电话:66153416　66153414

网址：www.bjkw.gov.cn

国家重点基础研究计划(973计划)

联系单位:科技部基础研究中心

联系电话:68583150、68576534

网址:www.973.gov.cn

国家工程技术研究中心

联系单位:北京市科委发展计划处

联系电话:66153416

网址:www.bjkw.gov.cn

国家高技术产业发展项目计划(国家发展和改革委员会重大产业化专项)

联系单位:北京市发展和改革委员会

联系电话:66415588-0206,0216

网址:www.bjpc.gov.cn

国家技术创新计划

联系单位:北京市发展和改革委员会

联系电话：66415588

网址:www.bjpc.gov.cn

§79. 工商、税务、质量技术监督、统计、劳动保障、安全、知识产权和专利等政府部门的咨询、投诉电话

北京市工商局(www.hd315.gov.cn)登记注册处

联系电话:82690302,82691919

咨询电话:1601315

北京市国税局(www.bjsat.gov.cn)

总机:88372266

稽查局联系电话:88371989

北京市地税局(www. tax861. gov. cn)

第一稽查局 电话:82259111　82259118

第二稽查局 电话:82259186

纳税服务中心 电话:82259278

票证管理中心 电话:88371741

北京市质量技术监督局(www. bjtsb. gov. cn)

投诉电话:12365

联系电话:(010) 84611177

传真:(010) 84644236

北京市统计局(www. bjstats. gov. cn)

监督电话:88011220

统计登记: 83547010

信息咨询中心:63186900

北京市劳动保障局(www. bjld. gov. cn)

社会保险基金监督处:63167945，83172007，63167943

办公室:63021377

北京市安全生产监督管理局(www. bjsafety. gov. cn)

联系电话:白天: 83560916

　　　　夜间:65023616

北京市知识产权局(www. bjipo. gov. cn)

办公室:84080086

专利管理处:84080096

北京市环保局(www. bjepb. gov. cn)

办公室:68413817

环保监察队:68471386　12369

建设项目监察处:68413194　68464365

北京市商务局(www. bjmbc. gov. cn/)

办公室:65236688-2081、2091、2095 65248780

对外贸易发展处:65251654　65248761　65135819　65221696

对外贸易管理处:65139333　65236688-2008

外商投资管理处:65236688-2160　65236688-2021、2194　65257893
外商投资项目审批事务:65236688-2020、2002、2089

北京市发展和改革委员会(www. bjpc. gov. cn)
网上办公咨询电话:010-66410868
举报热线:66410852　传真:66410887

§80. 中关村科技园区留学人员创业服务体系

(内容见折页)

中关村科技园区留学人员创业服务体系工作关系图

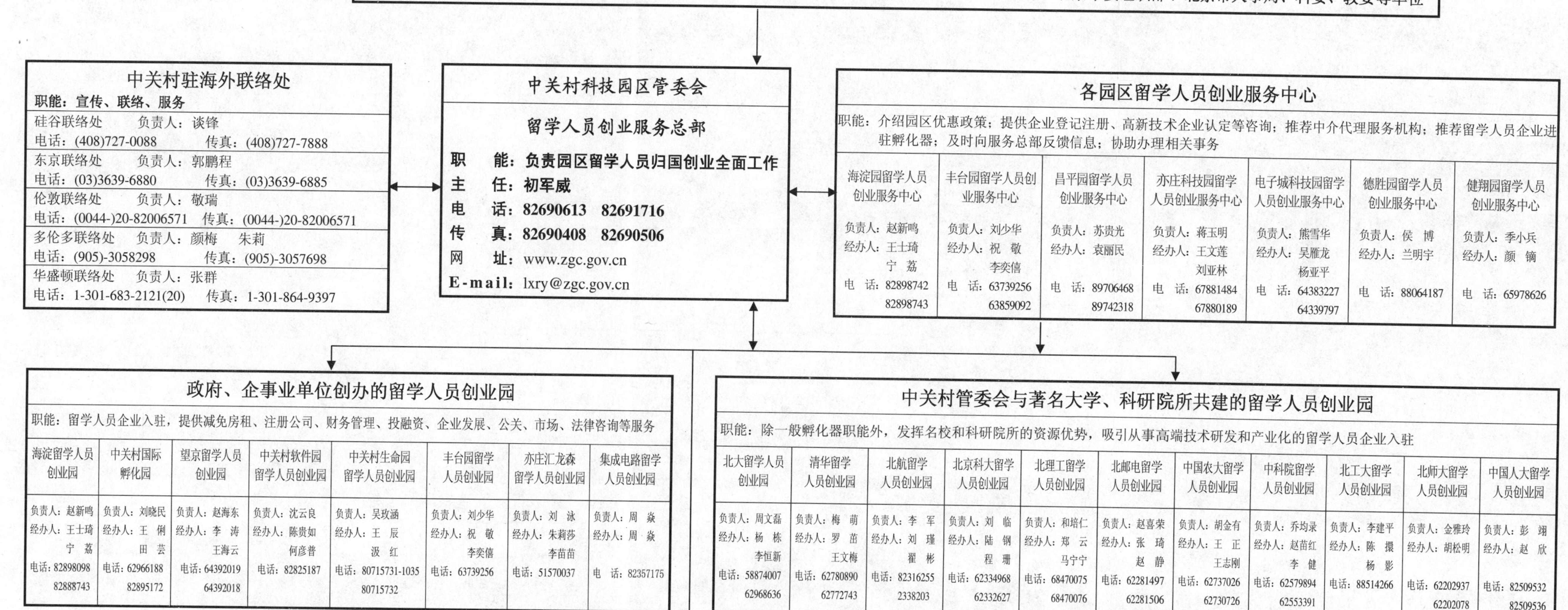

中组部、教育部、科技部、人事部、国侨办、中科院、致公党、团中央、欧美同学会、外专局等，北京市委组织部、北京市人事局、科委、教委等单位

中关村驻海外联络处

职能：宣传、联络、服务

硅谷联络处　负责人：谈锋
电话：(408)727-0088　传真：(408)727-7888

东京联络处　负责人：郭鹏程
电话：(03)3639-6880　传真：(03)3639-6885

伦敦联络处　负责人：敬瑞
电话：(0044-)20-82006571　传真：(0044-)20-82006571

多伦多联络处　负责人：颜梅　朱莉
电话：(905)-3058298　传真：(905)-3057698

华盛顿联络处　负责人：张群
电话：1-301-683-2121(20)　传真：1-301-864-9397

中关村科技园区管委会

留学人员创业服务总部

职　能：负责园区留学人员归国创业全面工作
主　任：初军威
电　话：82690613　82691716
传　真：82690408　82690506
网　址：www.zgc.gov.cn
E-mail： lxry@zgc.gov.cn

各园区留学人员创业服务中心

职能：介绍园区优惠政策；提供企业登记注册、高新技术企业认定等咨询；推荐中介代理服务机构；推荐留学人员企业进驻孵化器；及时向服务总部反馈信息；协助办理相关事务

海淀园留学人员创业服务中心	丰台园留学人员创业服务中心	昌平园留学人员创业服务中心	亦庄科技园留学人员创业服务中心	电子城科技园留学人员创业服务中心	德胜园留学人员创业服务中心	健翔园留学人员创业服务中心
负责人：赵新鸣 经办人：王士琦　宁荔 电　话：82898742　82898743	负责人：刘少华 经办人：祝敬　李奕信 电　话：63739256　63859092	负责人：苏贵光 经办人：袁丽民 电　话：89706468　89742318	负责人：蒋玉明 经办人：王文莲　刘亚林 电　话：67881484　67880189	负责人：熊雪华 经办人：吴雁龙　杨亚平 电　话：64383227　64339797	负责人：侯博 经办人：兰明宇 电　话：88064187	负责人：季小兵 经办人：颜镝 电　话：65978626

政府、企事业单位创办的留学人员创业园

职能：留学人员企业入驻，提供减免房租、注册公司、财务管理、投融资、企业发展、公关、市场、法律咨询等服务

海淀留学人员创业园	中关村国际孵化园	望京留学人员创业园	中关村软件园留学人员创业园	中关村生命园留学人员创业园	丰台园留学人员创业园	亦庄汇龙森留学人员创业园	集成电路留学人员创业园
负责人：赵新鸣 经办人：王士琦　宁荔 电话：82898098　82888743	负责人：刘晓民 经办人：王俐　田芸 电话：62966188　82895172	负责人：赵海东 经办人：李涛　王海云 电话：64392019　64392018	负责人：沈云良 经办人：陈贵如　何彦普 电话：82825187	负责人：吴玫涵 经办人：王辰　汲红 电话：80715731-1035　80715732	负责人：刘少华 经办人：祝敬　李奕信 电话：63739256	负责人：刘泳 经办人：朱莉莎　李苗苗 电话：51570037	负责人：周淼 经办人：周淼 电　话：82357175

中关村管委会与著名大学、科研院所共建的留学人员创业园

职能：除一般孵化器职能外，发挥名校和科研院所的资源优势，吸引从事高端技术研发和产业化的留学人员企业入驻

北大留学人员创业园	清华留学人员创业园	北航留学人员创业园	北京科大留学人员创业园	北理工留学人员创业园	北邮电留学人员创业园	中国农大留学人员创业园	中科院留学人员创业园	北工大留学人员创业园	北师大留学人员创业园	中国人大留学人员创业园
负责人：周文磊 经办人：杨栋　李恒新 电话：58874007　62968636	负责人：梅萌 经办人：罗苗　王文梅 电话：62780890　62772743	负责人：李军 经办人：刘瑾　翟彬 电话：82316255　2338203	负责人：刘临 经办人：陆钢　程珊 电话：62334968　62332627	负责人：和培仁 经办人：郑云　马宁宁 电话：68470075　68470076	负责人：赵喜荣 经办人：张琦　赵静 电话：62281497　62281506	负责人：胡金有 经办人：王正　王志刚 电话：62737026　62730726	负责人：乔均录 经办人：赵苗红　李健 电话：62579894　62553391	负责人：李建平 经办人：陈摄　杨影 电话：88514266	负责人：金雅玲 经办人：胡松明 电话：62202937　62202078	负责人：彭翊 经办人：赵欣 电话：82509532　82509536

中关村科技园区服务中心（一站式）　电话：68465297　68465293

职能：为留学人员归国创业提供工商注册、税务登记、高新技术企业认定、落户北京、留学人员身份认证等服务

工商行政管理部门	国税部门	地税部门	统计部门	公安部门	质量监督部门	高新企业代理服务站	市人事局留学人员服务中心	海淀园管委会企管科
海淀区工商局 电话：68465421　1601315	海淀区国税局征管科 电话：68465830	海淀区地税局 电话：68465339	海淀区统计局 电话：68465299　88487191	海淀分局特行科 电话：68465213　68465220	海淀区质监局 电话：68465240	电话：68465571　68466258	电话：62399226　68466119	电话：68465707 外经科 电话：88496971

留学人员创业其他相关服务机构

职能：为留学人员创业提供进出口、出入境、人才交流、文化发展、贷款担保等服务

北京市海关	北京市公安局出入境管理处	北京双高人才发展服务中心（留学人员职业发展中心）	中关村科技担保公司(留学生小额贷款担保)	中关村人力资源经理协会	中关村海归文化发展公司	大学毕业生中关村就业市场	首都大学生中关村远程就业服务平台	中关村人才市场
电话：87783377　转859、860 中关村海关 电话：62621177	电话：84020101　84015295	电话：68364488　68365131	负责人：谭左亭 联系人：秦凯 电话：62148866　62140839	负责人：王援农 联系人：钟瑞红 电话：88144945　88121513	负责人：周树鑫 联系人：贾增续 电话：82605102　82605103	电话：65249950 网址：www.bjbys.com	电话：62358030 网址：www.bjbys.net.cn	电话：62551894　62561667　62619790 网址：www.zgcrc.com.cn

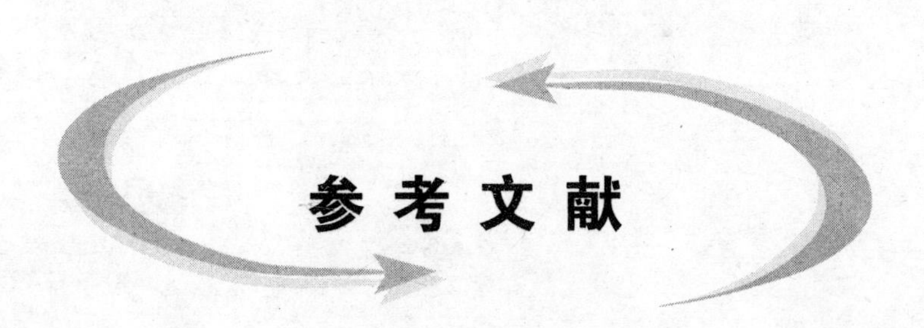

参考文献

张浩主编:《公司文书写作大全》,光明日报出版社 2001 年版

范兰德主编:《现代商务文书大全》,广东人民出版社 2000 年版

张竹筠主编:《创业实务指南》,北京航空航天大学出版社 2003 年版

《中关村科技园区商务指南》,中国商业出版社 2004 年版

《写字楼荟》第 4、5 期,中关村写字楼商会主办

《北京科技企业孵化器 2004 年度报告》

http://info.news.hc360.com/html/001/002/009/013/21938.htm

http://www.ibd.com.cn/proseminar/no3/hanjiaping.asp

其他相关部门网站